LE STELLE N

10

Valérie Perrin

IL QUADERNO DELL'AMORE PERDUTO

Romanzo

TRADUZIONE DI
GIUSEPPE MAUGERI

Titolo originale
Les oubliés du dimanche

ISBN 978-88-429-3323-6

I edizione Narrativa Nord ottobre 2016
I edizione Le Stelle Nord luglio 2020
IX edizione Le Stelle Nord ottobre 2020

In copertina: foto © Valérie Perrin
Art director: Giacomo Callo
Graphic designer: Davide Nasta

IL QUADERNO DELL'AMORE PERDUTO

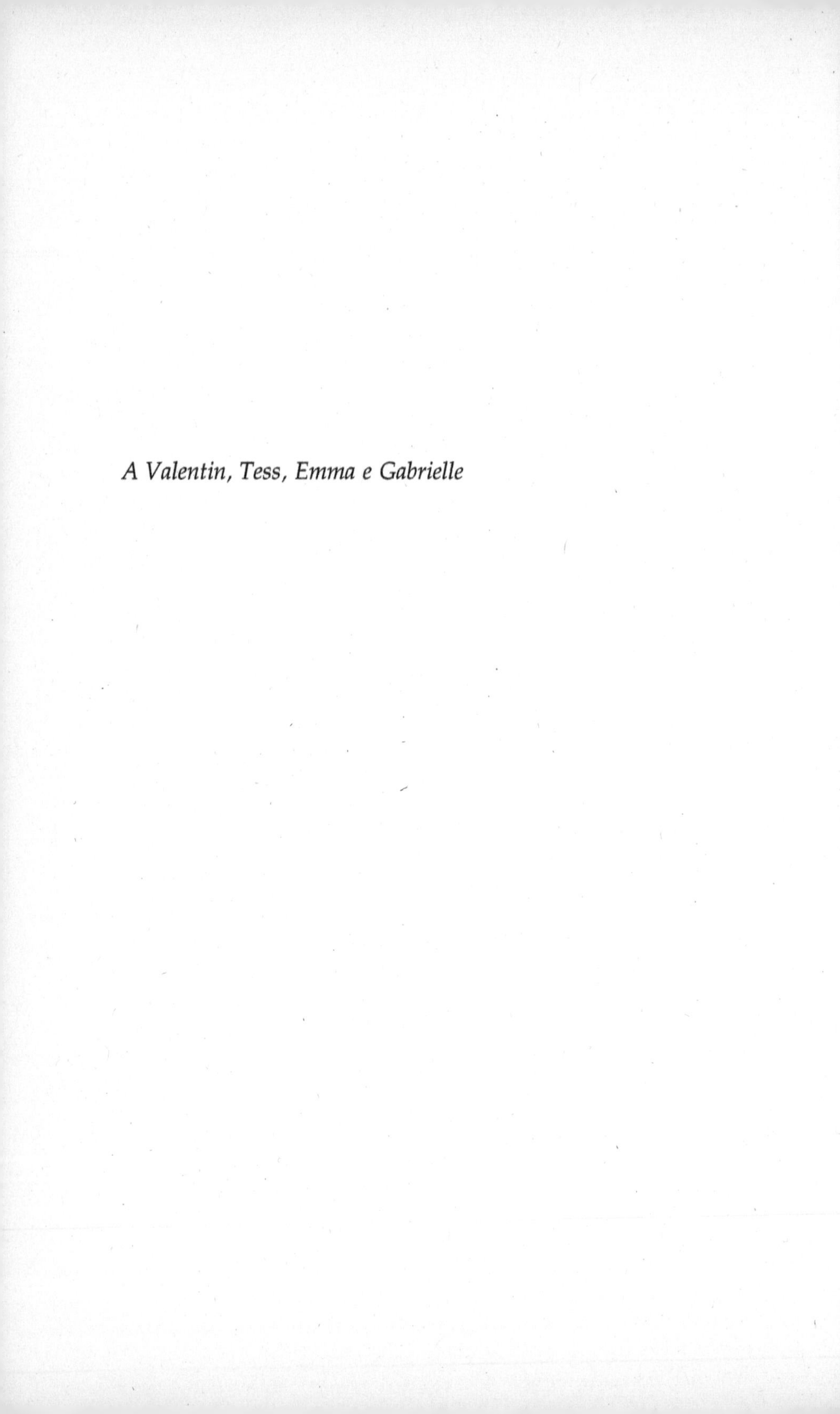

A Valentin, Tess, Emma e Gabrielle

« Essere vecchi non è che essere giovani da più tempo degli altri. »

PHILIPPE GELUCK

1

Sono andata a comprare un quaderno da père Prost. Ne ho scelto uno azzurro. Non avevo voglia di scrivere il *Romanzo di Hélène* sul computer, perché intendo portarmelo appresso, nella tasca del camice.

Sono tornata a casa e sulla copertina ho scritto: *La donna della spiaggia*. Poi, sulla prima pagina:

Hélène Hel è nata due volte. Il 20 aprile 1917 a Clermain, in Borgogna, e il giorno in cui, nel 1933, poco prima dell'estate, ha incontrato Lucien Perrin.

Poi ho infilato il quaderno tra il materasso e la rete del letto, come nei vecchi film in bianco e nero del *Cinema di mezzanotte* che il nonno guarda la domenica sera.

Infine sono andata a lavorare, perché ero di turno.

2

Mi chiamo Justine Neige. Ho ventun anni. Lavoro da tre anni alla casa di riposo Le Ortensie. Faccio l'aiuto infermiera. In genere, le case di riposo hanno nomi di alberi, tipo I Tigli o I Castagni, ma quella in cui lavoro io è stata costruita accanto a una macchia di ortensie. Per cui nessuno ha pensato agli alberi, anche se l'edificio sorge ai margini di un bosco.

Amo due cose: la musica e la terza età. Più o meno un sabato su tre vado a ballare al Paradis, che dista una trentina di chilometri dalle Ortensie. Il mio « Paradiso » è un cubo di cemento armato, buttato in mezzo a un prato, con un parcheggio di fortuna dove a volte, intorno alle cinque del mattino, infilo la lingua impastata di alcol nella bocca di qualche esponente del sesso opposto.

Ovviamente amo anche mio fratello Jules (che in realtà è mio cugino) e i miei nonni paterni. Jules è l'unico giovane che io abbia avuto accanto, a casa, durante la mia infanzia. Sono cresciuta con la terza età. Ho saltato una casella.

Divido la mia vita in tre: di giorno mi prendo cura degli anziani, di notte leggo con la loro voce e il sabato sera ballo per recuperare un briciolo di quella spensieratezza che la seconda età mi ha portato via nel 1996.

La seconda età, ovvero quella dei miei genitori e dei genitori di Jules. Che hanno avuto la pessima idea di morire in un incidente stradale, tutti e quattro, una domenica mattina. Ho visto l'articolo che la nonna ha ritagliato dal giornale. Non l'ha fatto perché lo trovassi, anzi, ho dovuto frugare per scovarlo. C'era anche la foto dell'auto.

A causa loro, Jules e io abbiamo trascorso tutte le domeniche nel cimitero del paese a mettere fiori freschi su una grande tomba su cui campeggiano, incorniciate da due angioletti, le foto delle nozze di mio padre e di mio zio. Una sposa è bionda, l'altra mora. La mora è mia madre, la bionda è la madre di Jules. Nelle foto, lo sposo della bionda e quello della mora sono la stessa persona. Stesso abito, stessa cravatta e stesso sorriso. Mio padre e mio zio erano gemelli. Com'è possibile che lo stesso uomo si sia innamorato di due donne diverse? E com'è possibile che due donne amassero lo stesso uomo? Me lo chiedo ogni volta che varco i cancelli del cimitero. Ma nessuno può rispondere. Forse è per questo che ho perso la mia spensieratezza: perché mi mancano le risposte di Christian, Sandrine, Alain e Annette Neige.

Al cimitero, i morti da più tempo riposano nella terra, mentre quelli più recenti sono stipati in angusti scomparti, un po' scentrati. Come se fossero arrivati in ritardo. La mia famiglia riposa in cima al paese. A cinquecento metri dalla casa dei nonni.

Il mio paese si chiama Milly e ha circa quattrocento abitanti. Per trovarlo sulla carta geografica serve una lente d'ingrandimento. C'è una strada su cui si affacciano i negozi, rue Jean-Jaurès. Al centro, ci sono una chiesetta romanica e, davanti, una piazza. Quanto ai negozi, a parte quello di père Prost, ci sono un'agenzia di scommesse e un'officina. Il parrucchiere ha chiuso l'anno scorso perché era stufo di fare soltanto tinte e messe in piega. I negozi di abbigliamento e i fioristi sono stati rimpiazzati da banche e da un laboratorio di analisi. Negli altri casi, le vetrine sono state coperte da fogli di giornale; nei negozi diventati abitazioni private, invece, dove prima erano esposti pantaloni ora c'è una tenda bianca.

I cartelli con scritto IN VENDITA sono quasi altrettanto numerosi delle case. Tuttavia, dal momento che l'autostrada e la stazione ferroviaria più vicine distano rispettivamente settanta e cinquanta chilometri, nessuno compra niente.

C'è ancora la scuola elementare. Quella che abbiamo frequentato io e Jules.

Per andare alle medie, al liceo, dal medico, in farmacia o a comprare un paio di scarpe, bisogna prendere l'autobus.

Da quando il parrucchiere ha chiuso, sono io a occuparmi della messa in piega della nonna. La faccio sedere in cucina, coi capelli bagnati, e lei mi passa i bigodini, l'uno dopo l'altro; io ci avvolgo intorno le ciocche candide e poi li fisso con una forcina. Conclusa l'operazione, le metto in testa una reticella, la sistemo sotto un casco e, dopo averle lasciato schiacciare un pisolino, rimuovo i bigodini e srotolo le ciocche asciutte: l'acconciatura tiene per una settimana buona.

Dal giorno della morte dei miei genitori, non ricordo di aver patito il freddo. In casa nostra non ci sono mai meno di quaranta gradi. Prima della loro morte, non ricordo niente. Ma di questo parlerò più avanti.

Io e mio fratello siamo cresciuti indossando abiti fuori moda ma comodi e lavati con l'ammorbidente. Senza sculacciate né ceffoni, e con un mixer e una pila di dischi in cantina per fare un po' di rumore quand'eravamo stufi delle pattine che scivolavano silenziose sul pavimento lucido. Mi sarebbe piaciuto dormire fino a tardi, avere un po' di sporco sotto le unghie, sbucciarmi le ginocchia girovagando in qualche terreno abbandonato e scendere i pendii in bicicletta con gli occhi chiusi. Mi sarebbe piaciuto bagnare il letto o farmi male: impossibile, con mia nonna. Aveva sempre una bottiglia di mercurocromo sotto mano.

A parte il fatto che, per tutta l'infanzia, ci ha pulito meticolosamente le orecchie coi cotton fioc, ci ha lavato due volte al giorno con un guanto di spugna e ci ha vietato tutto ciò che poteva rappresentare un pericolo (attraversare la strada da soli, per esempio), credo che, dopo la morte dei suoi gemelli, la nonna aspettasse soltanto il giorno in cui io o Jules avremmo finito per somigliare ai nostri padri. Ma non è successo. Jules ha i lineamenti di Annette. Io, invece, non somiglio a nessuno.

I nonni sono entrambi più giovani della maggior parte dei residenti delle Ortensie. Solo che non saprei dire a che età si diventa vecchi. Madame Le Camus, il mio capo, sostiene che lo spartiacque è il momento in cui ci si rende conto di non riuscire più a prendersi cura della casa. Che tutto comincia quando bisogna lasciare l'auto in garage perché si è diventati un pericolo pubblico e che tutto finisce quando ci si rompe il collo del femore. Io penso che tutto abbia inizio con la solitudine. Quando l'altro se ne va, non importa se in cielo o da qualcun altro.

La mia collega Jo dice che si diventa vecchi quando s'inizia a farneticare, ma che questa malattia la si può beccare anche da giovanissimi. Per un'altra collega, Maria, siamo vecchi quando diventiamo duri d'orecchio e cerchiamo le chiavi dieci volte al giorno.

Che poi è quello che succede a me – perdere le chiavi dieci volte al giorno – anche se di anni ne ho solo ventuno.

3

1924

Nella sartoria dei genitori, Hélène lavora a lume di candela fino a notte fonda.

Sta crescendo da sola, tra i vestiti, senza fratelli o sorelle.

Gioca alle ombre cinesi sulla parete. Le ombre sono sempre le stesse. Unisce le mani a formare un uccello che le mangia dal palmo della mano. L'indice della mano destra è il becco. L'uccello somiglia a un gabbiano. Quando decide di spiccare il volo, la bambina unisce i pollici e allarga le altre dita, sbattendo le ali. Prima di lasciare andare il gabbiano, però, gli affida una preghiera – sempre la stessa – perché la porti con sé in Cielo, da Dio.

4

« Mémé? »

« Mmm. »

« Dove stavano andando la mamma e il papà la mattina in cui sono morti? »

« A un battesimo. »

« Al battesimo di chi? »

« Del figlio di un amico d'infanzia di tuo padre. »

« Mémé? »

« Sì? »

« Perché hanno avuto un incidente? »

« Te l'ho già spiegato un centinaio di volte. La strada era ghiacciata. Sono slittati. E poi... c'era un albero. Se non ci fosse stato quell'albero... non sarebbero mai... Su, basta, non parliamone più. »

« Perché? »

« Perché cosa? »

« Perché non vuoi mai parlarne? »

5

Il mio amore per gli anziani è iniziato in seconda media, quando la professoressa di francese, Madame Petit, aveva portato tutta la classe a trascorrere un pomeriggio ai Tre Abeti (all'epoca, a Milly non era ancora sorto il complesso delle Ortensie). Dopo aver mangiato in mensa, avevamo preso un autobus. Durante il tragitto - un'ora scarsa - avevo vomitato due volte in un sacchetto di carta marrone.

Ai Tre Abeti, i vecchietti ci aspettavano nel refettorio, che puzzava di minestra e di etere. Il che mi aveva provocato ulteriori conati di vomito. Nel salutarli, avevo smesso di respirare dal naso. E poi pungevano: in quanto a peli, regnava l'anarchia più assoluta.

La mia classe aveva preparato uno spettacolo: dovevamo cantare *Gimme! Gimme! Gimme!* degli ABBA. Indossavamo costumi di lycra bianca e parrucche prese in prestito dal circolo teatrale della scuola.

Dopo lo spettacolo, ci eravamo messi a mangiare le crêpe coi vecchietti, che serravano un tovagliolo di carta nei pugni gelidi. Per me, è cominciato tutto nel momento in cui avevano preso a raccontarci le loro storie. I vecchi non hanno altro da fare, quindi sanno raccontare il passato meglio di chiunque. Libri e film compresi.

Quel giorno, mi sono resa conto che è sufficiente toccarli, gli anziani, è sufficiente prendere loro la mano perché inizino a raccontare. Come quando si scava un buco nella sabbia asciutta, in riva al mare, e l'acqua risale in superficie.

Alle Ortensie, ho una storia preferita. Si chiama Hélène. È la signora della stanza 19: l'unica che mi faccia sentire davvero in vacanza. E chi conosce il lavoro quotidiano di un'aiuto infermiera in un reparto geriatrico sa che si tratta di un lusso.

Il personale la chiama « la donna della spiaggia ».

Quando sono stata assunta, mi hanno detto: « Sta tutto il giorno in spiaggia, sotto l'ombrellone ». Dal suo arrivo, un gabbiano ha eletto a proprio domicilio il tetto dell'edificio.

Non ci sono altri gabbiani in zona. Milly è nel centro della Francia: di merli, passeri, corvi e storni ce n'è a bizzeffe, ma di gabbiani nemmeno l'ombra. Tranne quello che vive sopra le nostre teste.

Hélène è l'unica residente che chiamo per nome.

Ogni mattina, dopo la toeletta, viene fatta accomodare sulla poltrona di fronte alla finestra. E vi assicuro che lei non guarda i tetti di Milly, bensì qualcosa d'incredibilmente bello, come un sorriso azzurro. I suoi occhi chiari sono identici a quelli degli altri residenti e hanno il colore di un lenzuolo sbiadito. Il che tuttavia non m'impedisce, quando ho una botta di malinconia, di sperare che la vita mi regali un ombrellone come il suo. Il suo si chiama Lucien: era suo marito. Il suo quasi marito, a dire il vero, dal momento che non l'ha mai sposata. Hélène mi ha raccontato tutta la sua vita, ma in maniera frammentaria. Come se mi avesse fatto dono del più bell'oggetto della sua casa, ma non prima di averlo inavvertitamente ridotto in mille pezzi.

Negli ultimi mesi parla di meno, come se il disco della sua vita fosse arrivato all'ultima canzone, in dissolvenza.

Ogni volta che lascio la sua stanza, le copro le gambe e lei mi dice: «Mi verrà un'insolazione». Hélène non ha mai freddo. Anche in pieno inverno, si concede il lusso di riscaldarsi al sole, mentre noi incolliamo le chiappe sui termosifoni scassati delle Ortensie.

L'unico membro della famiglia di Hélène che conosco è sua figlia, Rose, che fa la pittrice e l'illustratrice. Ha disegnato a carboncino molti ritratti dei suoi genitori, ma anche mari, porti, giardini e mazzi di fiori. Le pareti della stanza di Hélène ne sono tappezzati. Rose vive a Parigi. Tutti i giovedì, arriva col treno e poi noleggia un'automobile per raggiungere Milly. A ogni visita, lo stesso rituale. Hélène la guarda da lontano. Dal luogo in cui sembra vivere.

«Lei chi è?»

«Sono io, mamma.»

«Non capisco, Madame.»

«Sono io, Rose.»

«Ma no... mia figlia ha solo sette anni, è andata a nuotare con suo padre.»

«Oh... è andata a nuotare...»

«Sì. Con suo padre.»

«E sai quando torneranno?»

«Tra poco. Li sto aspettando.»

Poi Rose apre un libro e le legge qualche brano. Il più delle volte è un romanzo d'amore. Terminata la lettura, mi lascia i libri. È il suo modo di ringraziarmi per il fatto che mi prendo cura di sua madre come se fosse la mia.

Il capitolo più folle della mia vita l'ho inaugurato giovedì scorso verso le tre. Ho aperto la porta della stanza 19 e l'ho visto seduto accanto alla poltrona di Hélène. I ritratti di Lucien appesi alle pareti. Era lui. Sono rimasta a guardarli come una stupida, non osavo muovermi: Lucien teneva la mano di Hélène. E lei... aveva un'espressione che non le avevo mai visto. Come se avesse appena scoperto qualcosa d'incredibile. Lui mi ha sorriso e ha detto: «Buongiorno. Lei è Justine?»

Ho pensato: guarda un po', Lucien conosce il mio nome. Ma forse è normale. I fantasmi devono per forza conoscere il nome dei vivi. Sanno un sacco di cose che noi ignoriamo. Ma soprattutto ho pensato: capisco perché Hélène lo abbia aspettato su una spiaggia. Capisco perché abbia fermato il tempo.

Si può capire tutto in un colpo solo. Un uomo del genere è come se la vita ti consegnasse all'improvviso un pacco gigantesco.

I suoi occhi... Non avevo mai visto niente di così azzurro. Nemmeno sfogliando i cataloghi per corrispondenza della nonna.

«È venuto a prenderla?» ho farfugliato.

Lui non ha risposto. E nemmeno Hélène. Il modo in cui lo guardava era incredibile. I suoi occhi, le lenzuola sbiadite... niente esisteva più.

Mi sono avvicinata e ho baciato Hélène sulla fronte. Era ancora più calda del solito. Quando piove e nel contempo c'è il sole, si dice che il diavolo sposi sua figlia: ecco, così mi sentivo, dentro. Era l'ultima volta che la vedevo. Lucien era finalmente emerso dall'acqua per condurla nel loro paradiso.

Ho preso la mano di Hélène.

«Il gabbiano verrà con voi?» ho chiesto a Lucien, con un nodo alla gola.

Dal modo in cui mi ha guardato, mi sono resa conto che non mi capiva. Davanti a me non c'era un fantasma.

Allora mi sono spaventata a morte. Quell'uomo era reale. Ho girato sui tacchi e ho lasciato la stanza 19 come una ladra colta sul fatto.

6

Lucien Perrin è nato a Milly, il 25 novembre 1911.

Nella sua famiglia, la cecità viene trasmessa da padre a figlio: è quindi una malattia ereditaria, ma colpisce solo gli uomini. Non nascono ciechi, lo diventano. I primi sintomi insorgono nella prima infanzia e, ormai da generazioni, nessuno ha visto le fiammelle delle venti candeline danzare sulla propria torta di compleanno.

Il padre di Lucien, Étienne Perrin, ha conosciuto la moglie, Emma, quando lei era ancora bambina. L'ha conosciuta quando ancora ci vedeva. Poi, poco alla volta, Emma è scomparsa dal suo campo visivo, come se un banco di nebbia fosse calato sul suo volto. La ama a memoria.

Pur di salvarsi gli occhi, Étienne ha tentato l'impossibile. Ci ha versato dentro di tutto: vari elisir, acqua di sorgente raccolta in Francia o all'estero, polveri magiche, infuso di ortica o di camomilla, acqua di rose e di fiordaliso, acqua gelata, acqua calda, sale, tè, acqua benedetta.

Lucien è nato per sbaglio. Suo padre non voleva figli. Non voleva continuare quella maledizione. Così, quando scopre che la creatura che ha appena aperto gli occhi sul mondo è un bambino, e non una bambina, cade in preda alla disperazione.

Emma gli descrive il piccolo: capelli neri e grandi occhi azzurri.

Nessun Perrin ha mai avuto gli occhi azzurri. Al momento della nascita, i loro occhi sono sempre neri. Così neri che la pu-

pilla non si distingue dall'iride. Poi, con gli anni, si schiariscono fino a diventare grigi come salgemma.

Étienne comincia a nutrire la speranza che l'azzurro proteggerà gli occhi di Lucien dalla maledizione.

Come il padre, il nonno e il bisnonno, Étienne è organista e armonista. Lo chiamano da tutta la regione per eseguire sonate di Bach alle funzioni religiose e per accordare gli organi.

Inoltre, durante la settimana, Étienne insegna il braille. I suoi libri sono realizzati da un cugino, anch'egli cieco, in un piccolo laboratorio nel V Arrondissement di Parigi.

Una mattina del 1923, Emma abbandona Étienne. Lui è impegnato con un allievo, e non sente che lei si chiude con delicatezza la porta alle spalle. Non sente nemmeno la voce dell'uomo che aspetta la donna sul marciapiede di fronte.

Lucien invece la vede.

Non cerca di fermarla. Si dice che tornerà presto. Che è andata soltanto a fare un giro nella bella automobile di quell'uomo. Che non c'è niente di strano. Che suo padre non può offrirle quel tipo di svago. E che lei ha tutto il diritto di divertirsi un po'.

7

Prima, la nonna aveva la fissa del suicidio. Sembrava tranquilla per un mese o anche più e poi, all'improvviso, mandava giù tre flaconi di farmaci, infilava la testa nel forno, si buttava dal primo piano o tentava d'impiccarsi nel ripostiglio. « Buonanotte, miei cari », ci diceva e, due ore dopo, dalle nostre camere, io e Jules sentivamo le sirene dell'ambulanza o i vigili del fuoco che facevano irruzione in casa.

I suoi tentativi di suicidio avvenivano di notte, come se lei aspettasse che tutti dormissero per farla finita. Dimenticando che le volte in cui il nonno cerca di dormire sono almeno pari a quelle in cui cerca i suoi occhiali.

L'ultimo tentativo risale a sette anni fa. Era riuscita a farsi prescrivere due scatole di tranquillanti da un medico sostituto che non aveva letto l'annotazione in rosso sulla cartella clinica: *Depressioni croniche, tendenze suicide.* I farmacisti della zona sanno che non devono consegnare alla nonna i medicinali delle ricette, a meno che non sia lì col nonno.

Père Prost sa pure che non bisogna venderle topicidi, disgorganti o altri prodotti corrosivi. La nonna pulisce tutta la casa con l'aceto bianco; non per scrupolo ecologico, ma perché abbiamo paura che finisca per bere il detersivo per i piatti o la candeggina.

L'ultima volta c'è mancato poco che ci restasse secca.

Ma, quando ha visto le lacrime di Jules (io ero troppo sconvolta per piangere), ha promesso che non lo avrebbe fatto mai più. Comunque, nell'armadietto dei medicinali, in bagno, non ci sono né alcol né lamette da barba.

Qualche volta è andata da uno psicologo. Dal momento però che lo psicologo più vicino dista una cinquantina di chilometri da Milly, e che per fissare un appuntamento bisogna aspettare mesi, lei sostiene che sarà più facile vederne uno in paradiso, da morta, e che fino ad allora – è disposta a giurarlo – non ci proverà più. « Ve lo prometto, miei cari: morirò di morte naturale, ammesso che esista. » Le sue promesse vengono sempre fatte a noi, ai suoi nipoti. Mai al nonno.

Dieci anni dopo la morte dei miei genitori, si è buttata giù da un punto più alto del solito, fratturandosi l'anca: adesso zoppica leggermente e ha sempre il bastone in mano.

Le ho appena fatto la messa in piega. Jules è accanto a noi, in cucina, e sta divorando un barattolo di Nutella, spalmandolo su una baguette. Seduto all'estremità del tavolo, il nonno sta sfogliando *Paris Match*. Dal televisore in sala da pranzo, acceso davanti al divano vuoto, giungono strepiti cui si finisce per non far più caso.

« Pépé, tu hai mai conosciuto Hélène Hel? » domando.

« Chi? »

« Hélène Hel. La signora che ha gestito il bistrot di père Louis fino al 1978. »

Il mio triste e taciturno nonno chiude la rivista, fa schioccare la lingua e, arrotando le « r » con l'accento della gente di qui, dice: « Non ho mai frequentato i bistrot ».

« In ogni caso, ci passavi davanti tutti i giorni per andare in fabbrica. »

Il nonno brontola. Se, dopo la morte dei gemelli, la

nonna ha atteso di ritrovare i loro volti nel mio e in quello di Jules - cercando ogni tanto di farla finita -, il nonno non si è mai aspettato niente. Non l'ho mai visto sorridere ma, nelle foto che risalgono al tempo in cui mio padre e lo zio Alain erano bambini, indossa magliette colorate e ha spesso l'aria scherzosa. Ormai non ha più molti capelli, mentre allora sfoggiava una chioma bellissima, come si vede nella foto scattata una domenica di luglio, quando tutti e tre si erano inerpicati sul pendio di Milly. Sul retro della mia foto preferita c'è scritto *Luglio 1974*. Il nonno ha trentanove anni, i capelli neri e folti, una maglietta rossa e un sorriso da spot pubblicitario. Era decisamente bello. Di quella giovinezza adesso gli rimangono soltanto i centonovantatré centimetri di altezza. È così alto che viene da scambiarlo per un trampolino.

Riprende a sfogliare le pagine di *Paris Match*. Quanto riesce a capire di ciò che legge? E, soprattutto, che se ne fa? È così lontano dal mondo, da noi, da se stesso. Saprebbe cogliere la differenza tra un terremoto in Cina e uno nella cucina di casa sua?

«Ricordo il suo cane. Sembrava un lupo.»

Louve... Il nonno si ricorda di Louve.

«Ti ricordi di Louve! Ma allora devi ricordarti anche di Hélène!»

Lui si alza ed esce dalla cucina. Non sopporta che io gli faccia domande. Non sopporta i ricordi. I ricordi sono i suoi figli e sono stati sepolti insieme con le loro bare.

Vorrei chiedergli se si ricorda del gabbiano che viveva nel villaggio quando lui era piccolo. Ma so già che mi risponderebbe: «Ricordarmi di un gabbiano? Impossibile... Non ce n'è neppure uno in tutta la regione».

8

Nel Giorno del Signore, Bijou, la vecchia giumenta, porta Lucien e suo padre a Tournus, Mâcon, Autun, Saint-Vincent-des-Prés o Chalon-sur-Saône. Le mete cambiano con le stagioni. In inverno, ci sono più morti e meno matrimoni.

Lucien accompagna il padre nelle chiese in cui ci sono gli organi più importanti. È diventato il suo bastone, lo guida e lo sistema davanti alla tastiera. Prima lo faceva Emma. Ma lei non è più rientrata da quel giro in macchina.

Lucien partecipa alle messe, ai matrimoni, ai battesimi e ai funerali.

Mentre Étienne è impegnato a suonare o ad accordare un organo, Lucien, al suo fianco, osserva la folla che prega e canta.

Lucien è ateo. È convinto che l'unica religione sia la bellezza della musica. Qualcosa in grado di soggiogare la gente. Ma non ha mai avuto il coraggio di dirlo a suo padre, e ogni sera recita le preghiere senza battere ciglio.

Étienne non ha mai voluto insegnare il braille o la musica a suo figlio. Si è convinto che gli avrebbe portato sfortuna. Ha supplicato Lucien di fare tutto ciò cui un non vedente deve rinunciare. Per esorcizzare la minaccia della cecità. Per metterla in fuga. Così, per rassicurare il padre, Lucien pratica il ciclismo, la corsa e il nuoto.

Frequenta la scuola comunale, dove impara a leggere e a scrivere come gli altri bambini. Tuttavia, a differenza di Étienne, Lucien ha la sensazione che un giorno non gli servirà più. Così ha imparato il braille da solo, di nascosto, ascoltando le lezioni che Étienne impartiva ai suoi allievi.

A tredici anni, Lucien accompagna il padre a Parigi, dal cugino, per prendere dei libri nuovi. Durante il soggiorno, Lucien consulta uno specialista che, dopo avergli esaminato il fondo degli occhi, dichiara, categorico, che Lucien non ha il gene della malattia del padre. Ha ereditato gli occhi della madre. Étienne esulta. Lucien finge di esultare.

Resta convinto che un giorno toccherà anche a lui camminare con un bastone bianco. Ecco il vero motivo per cui sua madre se n'è andata. Un giorno smetteranno di chiamarlo « il figlio del cieco », e per tutti sarà semplicemente « il cieco ». Si ritroverà a dipendere da qualcuno che farà ogni cosa al suo posto. È per questo che ha imparato il braille di nascosto.

Da quando sua madre se n'è andata, Lucien ha imparato a fare tutto con gli occhi chiusi: a strofinare pentole e pavimenti, a tirare su l'acqua dal pozzo, a strappare le erbacce, ad andare fino all'orto, a tagliare i ceppi, a portare le bottiglie, a salire e scendere le scale. La casa in cui vive col padre è costantemente immersa nell'oscurità. Lucien chiude le tende senza far rumore, perché suo padre non se ne accorga. Ecco perché le loro piante stanno morendo. Per mancanza di luce.

Al rientro da Parigi, con le casse piene di nuovi libri in braille che, uno per volta, ruberà al padre, Lucien non cambia le sue abitudini.

9

« Raccontami una storia. »

« Credevo non ti piacessero le mie storie di vecchi. »

Jules fa una smorfia. Aspira una boccata di fumo e lo butta fuori in cerchi contro la mia carta da parati. Vuole farmi ascoltare *Subzero* di Ben Klock, DJ resident del Berghain di Berlino, mi dice. Spesso mi sembra di vivere con un alieno.

Quando ho trovato lavoro alle Ortensie, Jules si è messo a gridare. Non era mai successo, prima. A casa nostra, nessuno aveva mai gridato. Tranne il televisore.

Ciò che più l'aveva turbato, credo, era il fatto che io avessi trovato lavoro a mezzo chilometro da casa. Per Jules, riuscire a far qualcosa nella vita significa andarsene da Milly. Dopo la maturità, a settembre, si trasferirà a Parigi. Non ha che quella parola in bocca: Parigi.

« Apri la finestra. Non sopporto la puzza di fumo. »

Allungando i suoi centottantasette centimetri, Jules socchiude la finestra della mia camera da letto. Gli voglio bene. Talvolta sospetto che si vergogni di noi, della sua famiglia, ma gli voglio bene comunque. Un bene che aumenta a ogni suo gesto. È come un ballerino con le mani da pianista. È come se fosse caduto dal cielo e il nonno lo avesse raccolto nel giardino. È come se non fosse di Milly, ma di una grande capitale, in cui è cresciuto con un padre astronomo e una madre insegnante di lettere. Ha una grazia tale che sono le cose a danzargli intorno. È più di un fratello. Forse perché non è mio fratello. Eppure fa rumore quando cammina, non mette mai in ordine, è egoista, lunatico, pretenzioso e con la testa tra le nuvole. E fuma come una ciminiera, soprattutto in camera mia.

Non credo m'importi di avere un bambino, dato che in realtà ne ho già uno, cioè lui. È bello da non credere. Gli dico spesso che essere così belli dovrebbe essere considerato un reato. Non faccio che sbaciucchiarlo. Come per compensare tutti i baci che i nostri nonni non gli hanno mai dato. A casa nostra ci si bacia a fior di labbra in occasione di un regalo, di un compleanno o del Natale. Non è mai gratis. Tutto questo a causa di una maledetta somiglianza che non si è mai palesata. Inoltre penso che il nonno e la nonna non nutrissero troppa simpatia per Annette, la madre di Jules. Alla nonna non piacciono le bionde: quando ne vede una in televisione, fa una specie di ghigno. Un ghigno invisibile a occhio nudo. Ma io lo vedo.

Jules ha perso i genitori quando aveva due anni. È convinto che suo padre fosse più ricco del mio, e che potrà studiare a Parigi proprio grazie ai soldi che lo zio Alain, l'eroe della sua fantasia, aveva sul conto in banca quando è morto. La verità è che lo zio Alain era in bolletta. A pagargli gli studi saranno i soldi che ho messo da parte, centesimo dopo centesimo, da quando lavoro alle Ortensie. Ma preferirei morire piuttosto che farglielo sapere. Guadagno 1480 euro al mese. Un po' di più quando faccio i turni di notte. Ogni mese, deposito 600 euro su un conto. Ho già risparmiato 13.800 euro. Altri 500 euro li do al nonno e alla nonna, per aiutarli. La tredicesima, poi, la spendo al Paradis.

Jules vuole diventare architetto e sono sicura che, a un

certo punto, quando costruirà castelli, non verrà più a farci visita. E, se anche dovesse venire, magari una volta all'anno, lo farà per se stesso, non per noi. So bene come e cosa pensa. Potrei scriverci un libro.

Jules non si lega a nessuno perché vive nel presente. Del passato se ne infischia e del futuro non gli importa, non ancora. Al mattino, non appena esce di casa per andare a scuola, smette di pensare a noi. E la sera, quando torna, è contento di vederci, ma non gli siamo mancati.

Non abbiamo mai saputo chi fosse al volante dell'auto, se mio padre o il suo: gli infermieri non erano riusciti a distinguerli. Non abbiamo mai saputo cosa fosse andato storto, quella domenica. E non abbiamo mai saputo quale dei due abbia ucciso l'altro, dato che erano sulla stessa macchina.

Jules si distende sul mio letto e mi guarda, come a dire: *Su, racconta.*

E io racconto: « Madame Epting ha deciso di trasferirsi alle Ortensie il giorno in cui è morto il suo cagnolino. Perché quel giorno si è detta che non serviva più a niente. Mi ha confidato di averne viste di tutti i colori. Ha vissuto la guerra, le privazioni, la paura dei tedeschi e persino una delusione d'amore. Ma la morte del suo cagnolino è stata la goccia che ha fatto traboccare il vaso. Si chiamava Van Gogh, perché i suoi padroni precedenti gli avevano mozzato l'orecchio per rimuovere il tatuaggio ».

« Che bastardi », commenta Jules accendendosi una sigaretta.

« Ne parlano tutti, alle Ortensie. »

« Tutta qui, la storia? » mi chiede.

« No, non è finita. Allora le ho detto: 'Mi racconterà mai di quella delusione d'amore, Madame Epting?' Le è venuto così tanto da ridere che ha dovuto trattenere la dentiera con la punta del pollice. 'Si chiamava Michel', ha detto allora.

« 'Bel nome, Michel', ho replicato. 'Ma adesso devo andare, oggi non ci sto dentro.'

« Lei mi ha rivolto un'occhiata strana e mi ha detto: 'Come? Non sta dentro cosa?'

« 'Significa che ho molta fretta, stamattina. Che sono in ritardo. Mi racconterà di Michel nel pomeriggio.' Ha annuito e io l'ho lasciata nella stanza 45 con le sue pene d'amore e il suo cagnolino. La sera, quando sono ripassata, la poltrona e il materasso erano vuoti. Aveva avuto un ictus. Capisci? Questa è la mia vita quotidiana. Bisogna ascoltare, sempre, subito, perché il silenzio non è mai troppo lontano. »

« Deprimente, cazzo. »

« Comunque mi faccio anche delle gran risate, quasi ogni giorno. »

« Tra due pannoloni e una sedia a rotelle? »

Mi metto a ridere. Jules non aggiunge altro. Come ogni vero principe, non si rende conto di vivere in un regno tutto suo. Si alza, apre la finestra per buttare la sigaretta in giardino e io gli urlo di chiuderla, perché si gela.

10

1926

Il buon Dio non ha esaudito le sue preghiere. Hélène non ha ancora imparato a leggere.

Stasera ha deciso di morire. Ha già sentito parlare del suicidio. L'anno prima, nel villaggio, un uomo si è avvelenato ingoiando delle pastiglie. Per Hélène, è la grande lavagna a essere avvelenata.

Dopo la lezione, si è nascosta nel ripostiglio, dove ci sono i gessetti, l'inchiostro, la carta e il cappello da asino. Col cuore in gola, è rimasta ad ascoltare gli altri bambini che andavano via e Monsieur Tribout, il maestro, che tossicchiava, metteva in ordine le sue cose, richiudeva la voluminosa cartella, scendeva dalla pedana e si chiudeva la porta alle spalle.

Quando nei corridoi e in cortile cala il silenzio, Hélène infila in tasca il cappello da asino e torna nell'aula ormai vuota. Le fa un po' impressione. Eppure quell'aula vuota le è familiare, dal momento che ci passa tutte le ricreazioni per punizione o per finire qualche compito.

Di solito, però, sente le grida degli altri bambini provenire dall'esterno. Stasera, invece, l'aula è immersa nel silenzio.

Osserva i libri allineati vicino alla grande scrivania del maestro. Muore dalla voglia di strapparne ogni pagina, di stropicciarli, di scagliarli contro le pareti, d'infrangere quel loro ordine così pretenzioso. Ma non oserebbe mai farlo.

Ora è di fronte alla lavagna. In un tentativo estremo, cerca di leggere la prima frase di un paragrafo che Monsieur Tribout ha copiato con gessetti di vari colori, sottolineando alcune parole: HA ROTTO LA BROCCA DEL LATTE.

HAROTOLBRACCEDLETTA. Ecco cosa legge Hélène.

Monsieur Tribout non tenta nemmeno più di cambiare il modo in cui lei legge la successione delle lettere. All'inizio, aveva provato ad aiutarla, insistendo su ogni sillaba e facendole ricopiare la stessa parola dieci volte. Ma era come se Hélène non fosse in grado di trattenere le parole nella memoria.

Come se il vento gliele scompigliasse.

Quest'anno l'ha fatta sedere in fondo all'aula. Da sola.

Chi vorrebbe sedersi accanto a uno da cui non si può nemmeno copiare? Un tempo, il maestro tirava fuori il cappello d'asino. Adesso è peggio: Hélène sente d'ispirargli pietà, sente che lui ha perso ogni speranza. Il fatto che prima la punisse significava che ancora credeva in lei.

HAROTOLBRACCEDLETTA.

Non versa neanche una lacrima. Il suo dolore è ormai inaridito dal tempo. Il primo anno di scuola, invece, non aveva fatto altro che piangere.

Incolla la bocca alla lavagna e comincia a leccare come se fosse un animaletto. Inizia mettendosi in punta di piedi. Poi, rendendosi conto che la prima frase è scritta troppo in alto, sale sulla sedia del maestro. Lecca tutte le lettere rosse, blu o verdi. Le ingoia, vuole intossicarsi con quel veleno. Ci sputa sopra perché le scivolino meglio in gola. Strofina le labbra sulle maiuscole, sui punti e sulle virgole.

Quando la lavagna è pulita e la sua bocca sembra un arcobaleno, Hélène va a sedersi al suo posto. In fondo alla classe. Dalla parte opposta rispetto alla stufa a legna. E aspetta la morte. Immobile, aspetta che le parole ingerite la uccidano. Che portino a compimento l'opera iniziata il primo giorno di scuola.

Aveva indossato un bel vestitino rosso. «Come quello di Cappuccetto Rosso», aveva detto a sua madre di fronte alla macchina da cucire. Ancora non sapeva che il lupo cattivo le si sarebbe presentato davanti sotto le spoglie di un'enorme lavagna.

Ma la morte non arriva. HAROTOLBRACCEDLETTA *non ha i poteri magici di una pillola letale. Eppure lei era convinta che sarebbe stata una cosa veloce, come quando, una volta l'anno, i vicini ammazzano il maiale con un colpo secco dietro la testa.*

Non lascerà la classe se non da morta.

Quindi decide di bere l'inchiostro di tutti i calamai disposti sui banchi della classe, lasciando per ultimo quello del maestro. Così morirà di sicuro. E, in caso non bastasse, manderà giù gli aghi da cucito che si porta sempre in tasca per ferirsi una coscia quando il dolore allo stomaco si fa insopportabile.

Si alza e apre il calamaio sul primo banco. È quello di Francine Perrier, la prima della classe. Quella cui riesce sempre tutto senza mai una cancellatura. Quella cui Monsieur Tribout si rivolge sempre con un sorriso. Quella con la calligrafia che sembra un volo di uccello e con la voce che pare una melodia. Legge sempre senza mai sbagliare e non inciampa nella prima virgola.

Nell'istante in cui Hélène accosta le labbra al calamaio di Francine Perrier, dicendosi che gliene restano da bere altri ventisette, un rumore la fa sussultare. Qualcosa ha appena colpito una delle finestre, come se qualcuno ci avesse lanciato contro una pietra. Qualcuno che la sta osservando. Il cuore prende a batterle all'impazzata. Posa il calamaio di Francine e si nasconde sotto la cattedra.

Passano dieci minuti. Non si sentono altri rumori.

Infine, abbandonato il nascondiglio, Hélène si avvicina alla finestra. Ma non vede nulla. Il cortile è vuoto. La grande quercia sta perdendo le ultime foglie. Hélène ne sceglie una e ne segue la traiettoria con lo sguardo: la foglia raggiunge il suolo in-

sieme con la notte, sfiorando una piccola pozza bianca. Hélène rimane a fissarla per qualche istante. Non è una pozza: è un uccello caduto a terra. Si muove ancora. Hélène si precipita nel cortile. Attraversa il corridoio, passando accanto agli appendiabiti vuoti. Per evitare che qualcuno si accorgesse della sua presenza dopo la fine delle lezioni, stamattina non ha indossato la mantellina.

Arriva sotto la quercia e si ferma a pochi centimetri dall'uccello. È un gabbiano. È il suo *gabbiano! Quello che la segue come un'ombra fin da quand'era bambina. Quello che lei osserva volteggiare in cielo, quando vuole lavarsi gli occhi dalle frasi che non riesce a leggere. Quello che disegna con l'ombra delle dita contro la parete dello studio. Esiste davvero. Non è frutto della sua immaginazione.*

Il gabbiano è ferito ma vivo. La sta fissando, col becco socchiuso e col respiro spezzato, come se il cuore gli battesse troppo in fretta. Sembra soffrire. Improvvisamente Hélène capisce che si è scagliato contro la finestra per farla uscire da quella dannata scuola. O forse perché voleva morire con lei.

L'uccello e la bambina si guardano. Adesso Hélène è in ginocchio davanti al gabbiano, ma non osa toccarlo. Teme di fargli ancora più male. Tuttavia non lo può abbandonare. Non ha fratelli né sorelle: non può abbandonare il suo doppio.

Alla fine lo prende con delicatezza e lo infila nella grande tasca del grembiule, quella accanto al cuore.

11

Stanza 19.

Il fantasma dagli occhi azzurri è lì. Seduto accanto a Hélène. Chiude il libro che stava leggendo.

«Mi dispiace per l'ultima volta... L'avevo scambiata per Lucien.»

«Anche a me capita di confondere le persone.»

Non gli sembra strano che io lo abbia scambiato per un uomo di quasi centodue anni. Si passa una mano tra i capelli. È la prima volta che gli vedo compiere quel gesto, ma intuisco che lo fa spesso.

«Come si fa a sapere se è giorno o notte sulla sua spiaggia? Sa, oggi non mi ha detto neppure una parola. Ho proprio l'impressione che dorma.»

«Sulla spiaggia di Hélène è sempre giorno.»

«Ma da quanto tempo è lì? Cioè...»

«In vacanza? È lì da quando la conosco. Credo sia la spiaggia dov'è andata con Lucien nel 1936.»

La fissa a lungo. Poi l'azzurro dei suoi occhi si posa su di me. Ci scommetto che l'azzurro del mare di Hélène è lo stesso, identico all'azzurro di quegli occhi, e che è per questo che lei non tornerà mai.

«Come fa a saperlo?»

«Me ne ha parlato a lungo.»

«E cos'altro le ha detto?»

«Su quella spiaggia... ci sono papà che corrono dietro il

pallone e mamme che si dissetano con bevande fresche. I ragazzi ascoltano la hit parade o riavvolgono le cassette... A volte lei contrae le dita dei piedi sui ciottoli e la sento mormorare: 'Ahia, i ciottoli sono caldi, oggi!' Oppure: 'Oh, accidenti, ho ingoiato un po' di sabbia'. A volte discute con qualcuno che passa di lì, col gelataio o con una donna che stende il telo da bagno accanto al suo. Hélène dice: 'Viene spesso qui?' Formula le domande, ma solo di rado le risposte. »

Il fantasma rimane a lungo in silenzio. Io riempio la caraffa di acqua fresca.

« Dovrebbe essere lei a leggere i romanzi a noi, non il contrario », dice poi.

Mi viene da ridere, ma mi trattengo per via di quell'azzurro. M'intimidisce sempre di più. Di solito ci si abitua. Ma con lui è diverso: più me lo punta addosso, più mi sento turbata.

« Ma... cosa fa su questa spiaggia? »

« Legge romanzi d'amore, aspettando Lucien e la piccola che sono andati a fare il bagno. »

La mia risposta lo sorprende. Forse non si aspettava nemmeno una risposta. Credo che abbia posto la domanda così, tanto per fare. « Quale piccola? »

« Rose. Sua madre. Lei è il figlio di Rose, vero? »

« Sì. »

Faccio bere Hélène a piccoli sorsi. Ci starà prendendo per due matti, penso.

« Quali romanzi d'amore? »

« Quelli che sua madre le legge a ogni visita. »

« È come se lei mi avesse appena letto un manuale di poesia. »

Se mi dice così, vuol dire che fa parte del nostro mondo, quello in cui non si crede che a ciò che si vede. Quello degli idioti, degli ingenui, degli ottimisti.

12

Quando Hélène apre la porta del negozio dei genitori, nel camerino c'è una donna cui sua madre, in ginocchio, sta segnando l'orlo del vestito. Nel vederla entrare, suo padre, dietro il registratore di cassa, soffoca un grido.

Hélène gli mente di continuo. Tutti quelli che vanno male a scuola fanno così: la menzogna è la loro seconda pelle. Ecco perché hanno più fantasia degli altri. Racconta a suo padre che alcuni studenti l'hanno bendata e poi costretta a ingoiare i gessetti. Gli dice che non vuole più tornare a scuola, che sono tutti crudeli e che forzarla non serve a nulla. Lavorerà nella sartoria. Si comporterà bene. E, se lui le dirà di no, non esiterà a togliersi la vita.

Lascia i suoi genitori discutere in disparte, lascia che prendano una decisione. Sa benissimo quello che stanno per dirsi. Ha già colto frammenti di conversazioni sussurrate: « Monsieur Tribout dice che non avrà mai la licenza elementare... Neanche ripetendo le classi... Non ce la farà mai... Non sa leggere nemmeno l'ora... a nove anni... »

Mentre sale le scale verso camera sua, Hélène sente il gabbiano che si muove nella tasca. Lo tocca, è caldo. Il cuore gli batte a un ritmo normale. Le ali sono integre. Gli dà da mangiare un po' di pane inzuppato nel latte. Non ha mai visto niente di così bello come quell'uccello bianco dal becco arancione. È più bello persino degli alberi. E degli abiti da sposa. E della contessa che a volte si presenta in sartoria col suo macchinone, due gambe ma-

gnifiche e un viso da bambola. E di qualsiasi paesaggio. Non c'è niente di più bello di quel gabbiano. Hélène apre la finestra della sua stanza per liberarlo.

« Tu che tocchi il cielo, potresti chiedere a Dio di guarire i miei occhi e d'insegnarmi a leggere, per favore? »

Il gabbiano si alza in volo e descrive ampi cerchi. La luna piena lo fa brillare come fosse una stella.

13

Stamattina il fantasma mi aspettava davanti alla porta della stanza 19. Ho reagito in modo quasi scortese. Talvolta una bellezza eccessiva, un azzurro troppo intenso, dà fastidio. E a me non piace essere infastidita. In più, sento che sta per incasinarmi la vita in maniera inenarrabile. È il genere di persona capace di scombinare le certezze altrui con uno schiocco di dita.

«Buongiorno, Justine. Posso rubarle cinque minuti?»

Dietro di me, la mia collega Jo ha ridacchiato. «Vai pure, Juju. Sono qui per darti il cambio», ha detto poi, prima ancora che potessi rispondere.

Juju. Sì, mi ha chiamato proprio Juju. È inutile. Se ci troviamo davanti qualcuno che ci piace, finiamo per detestare coloro che amiamo. E il motivo è che ci stanno accanto e a noi la cosa non va giù. Soprattutto in certi momenti poco opportuni.

«Solo cinque, però. Al mattino siamo sempre un po' tirati.»

Sì, ho proprio detto: «Solo cinque». E poi sono arrossita. Per poco non perdevo l'equilibrio, tirandomi il carrello sulle gambe.

Che vergogna. Una vergogna immane.

Gli ho proposto di andare nella piccola sala del personale accanto all'«ufficio»: dentro ci sono una macchina per il caffè, un forno a microonde, un frigorifero, un tavolo e qualche sedia. Di norma non ci lasciamo entrare né i residenti né i loro familiari, ma *lui* non è nella norma. Basterebbe il suo viso a garantirgli un'eccezione a vita.

Abbiamo percorso tre corridoi e, due piani dopo, eccoci arrivati.

Al mattino, nei corridoi, c'è parecchio chiasso. Le porte delle stanze rimangono aperte per consentire al personale di andare e venire. Capita perciò di sentire uno dei « non autosufficienti » delirare, insultare le pareti o chiedere aiuto. Da dietro le porte socchiuse, certi anziani sembrano zombie, con quello sguardo puntato non sulla finestra, ma su un vuoto abissale.

Charles Baudelaire ha descritto l'angoscia di un manicomio al calar della notte, quando si riempie di grida. Nelle case di riposo, invece, è il levar del sole a riscaldare gli animi.

La saletta era deserta. Ho riempito il filtro del caffè e ho fatto scorrere l'acqua. Mentre lui si sedeva, ho preso due tazze sbeccate e le ho messe sul tavolo. Senza tremare.

« Zucchero? »

« No, grazie. »

Prima di sedermi sulla sedia di fronte a lui, ho messo due cucchiaini di zucchero nella mia tazza. Lui, intanto, osservava i manifesti appesi alle pareti e il calendario del 2007, quello coi vigili del fuoco che si sono fatti fotografare seminudi per beneficenza. « Potrebbe dirmi cosa c'è sul comodino di mia nonna? Pensa di ricordare - così, su due piedi - tutti gli oggetti che ci sono sopra? »

Ho chiuso gli occhi. « Una foto di Lucien, una di Rose, e una di Janet Gaynor. Una caraffa d'acqua, alcuni cioccolatini che non mangia, delle ortensie in un vaso di cristallo. »

« Chi è Janet Gaynor? »

Sempre con gli occhi chiusi, ho sentito il suo sguardo attraverso le palpebre, proprio come quando si fissa il sole. «Un'attrice. Ha vinto l'Oscar nel 1929.»

«E nel cassetto? Sa dirmi anche cosa c'è nel cassetto?»

«Un pacchetto di fogli tenuti insieme da un elastico per capelli, un ditale, una foto di Louve, una piuma bianca, qualche fazzoletto di carta e un 45 giri di Georges Brassens, *Les sabots d'Hélène.*»

«Tutte queste cose... le cose che sa di lei... potrebbe scriverle per me?»

Ho riaperto gli occhi. Nei suoi, nient'altro che azzurro. Azzurro perpetuo.

Io sono arrossita.

«Esprima un desiderio», mi ha detto.

«Perché?»

«Ha una ciglia sulla guancia.»

Ho sfiorato la guancia sinistra, e la ciglia è caduta sul tavolo.

In quel preciso istante, è entrata Madame Le Camus. Ci ha guardati senza vederci e si è precipitata ansimando verso la macchina del caffè. Poi, bevendo a piccoli sorsi, si è messa a borbottare: «Ci risiamo. Ci sono giù i familiari. Vogliono spiegazioni e io non ne ho. Ci risiamo...»

Ho chiesto a Madame Le Camus se c'era stata un'altra telefonata.

Lei ha fissato il 1º gennaio 2007 sul calendario dei vigili del fuoco che si erano fatti fotografare seminudi per beneficenza e, dopo un profondo respiro, ha risposto: «Hanno chiamato ieri sera. Alle undici! Per dire che Monsieur Gerard era morto in seguito a un'embolia polmonare».

Mentre lei finiva il caffè, il fantasma mi ha rivolto uno sguardo interrogativo. Gli ho spiegato che qualcuno telefonava ai familiari dei « dimenticati della domenica », dicendo che i loro congiunti erano morti. Un'altra occhiata inquisitoria. Non ho aggiunto altro.

Prima di andarsene, mi ha guardato come se fossi un prestigiatore che aveva appena infilato sua nonna in una scatola e si apprestava a segarla in due. Mi ha lasciato sola col mio capo, che ancora fissava il 1º gennaio e il petto muscoloso di un pompiere.

È da Natale che Madame Le Camus sembra sull'orlo di un precipizio. È così seccata da avere perennemente il fiatone. Continua a fare la spola tra le stanze e la direzione, levando gli occhi al cielo come se i neon dei soffitti potessero darle una spiegazione.

Tutto è iniziato lo scorso 25 dicembre, quando tre famiglie hanno ricevuto una telefonata in cui si annunciava la morte del loro parente, ricoverato alle Ortensie. Così, tutte e tre si sono presentate qui il 26 mattina per organizzare il funerale... scoprendo che il loro nonnetto era vivo e vegeto, nonché contentissimo per quella visita inattesa.

Da allora, la direzione indaga per scoprire l'autore di queste « macabre » telefonate. Così riporta la comunicazione di servizio affissa nell'ambulatorio, in area relax, nell'ufficio e negli spogliatoi del personale. Perché da quel giorno la cosa si è ripetuta altre cinque volte.

Le chiamate sono partite dalla stanza 29, quella di Monsieur Paul, il quale in pratica dorme da quasi tre anni. I medici non hanno il minimo dubbio: è clinicamente impossibile che sia Monsieur Paul a chiamare. Però nessuno ha notato nulla d'insolito. A quanto pare, nessuno è entrato di soppiatto nella stanza 29 per telefonare a quei familiari. I quali hanno un'unica cosa in comune: non hanno mai fatto visita ai loro cari. È come se qualcuno tenesse il conto delle visite ricevute dai residenti e facesse partire quelle telefonate così da riempire le stanze che non hanno mai visto nemmeno un fiorellino.

Tutti sospettano di tutti, come in un giallo di Agatha Christie, ma senza cadavere. Buffo immaginare un romanzo in cui Miss Marple è chiamata a indagare proprio perché il morto non c'è...

Se Miss Marple indagasse su di me, che idea si farebbe? Che le mie biblioteche viventi e tutte le loro storie sono un prezzo troppo alto? Che sono troppo giovane per prendermi cura di persone così anziane?

14

1930

Nel giardino di casa, Lucien annusa una grande rosa rossa. È il suo profumo preferito, gli ricorda sua madre.

Tutte le mattine, Emma si puliva il viso con un batuffolo di cotone imbevuto in un'acqua di rose che preparava da sola. Raccoglieva i petali in autunno e li lasciava a macerare per un anno intero in un catino di smalto bianco. Quando la boccetta era vuota, la immergeva nel catino per riempirla di liquido profumato.

Lucien talvolta affondava le mani e gli avambracci in quel liquido viscoso. Frammenti di petali gli si attaccavano ai peli e sembravano stelle rattrappite. Il padre notava all'istante quel profumo: non si può nascondere nulla a un cieco. Persino la menzogna ha un odore. « Solo le ragazze si profumano, non i ragazzi », gli diceva allora.

Gli manca sua madre.

Lucien apre gli occhi e fissa il fiore rosso. Ha il colore del sangue. È a questo colore che deve il suo profumo meraviglioso? E il sangue che scorre nelle vene di sua madre profuma come le rose?

E lui ha davvero gli occhi della madre? Gli occhi di qualcuno che va via? Lucien è convinto che lei li abbia lasciati perché quella vissuta accanto a un cieco non è vita. Che prima o poi si sente il bisogno di vivere con qualcuno che ti guardi.

15

Il personale delle Ortensie conta tre medici fissi più altri part-time, due fisioterapisti, un tuttofare, due cuoche, dodici aiuto infermiere, cinque infermiere, una direttrice. Ma il Corvo potrebbe benissimo essere un esterno: il sacerdote, un paramedico, l'addetto alle pompe funebri, la parrucchiera, uno dei volontari che mettono a disposizione qualche ora del loro tempo. Potrebbe anche essere il figlio di un residente. Sono quasi tutti di Milly e qui ci si conosce tutti. Potrebbe essere persino una delle infermiere che si rivolgono a noi come farebbero con una serva, per esempio quando si tratta di accompagnare un residente in bagno.

Da un punto di vista medico, è ovvio che le infermiere hanno maggiori responsabilità delle aiuto infermiere, ma io preferisco il mio lavoro, perché noi siamo quelle che stanno più vicine ai residenti.

In modo che i familiari possano distinguerci, indossiamo camici di colore diverso. Quelli delle infermiere sono rosa, quello della direttrice è bianco e i nostri sono verdi, tipo cassonetto dei rifiuti.

Adoro entrambe le mie colleghe, Jo e Maria. Siamo una squadra affiatata. Madame Le Camus ci chiama i Tre Moschettieri.

Invece Mademoiselle Moreau, della stanza 9, ci chiama le Tre Coccinelle perché sulle mani abbiamo sempre qualche puntino di mercurocromo o di eosina. Si diverte a contarli per scoprire la nostra età. E Jo commenta: « Ci porterà fortuna, perché le coccinelle non sono prede: persino gli uccelli le sputano, dato che hanno le ali amare ».

E io, che ho perso i genitori quand'ero piccola, mi dico che, se la vita mi ha risputato in questo modo, allora dovevo essere davvero amara.

Gli altri mi hanno soprannominato Fiorellino perché sono troppo sensibile e faccio molti straordinari non retribuiti. All'inizio, piangevo ogni volta che un residente moriva e Jo mi ripeteva: « Conserva le lacrime per i tuoi cari, perché nessuno li piangerà ». E io pensavo che tutti i miei cari - be', quasi tutti - li avevo già pianti tanto tempo prima.

L'ondata di caldo che ci opprime ormai da tre giorni ha travolto Madame André, la donna della stanza 11. Ironia della sorte, l'avevamo ribattezzata Miss Meteo perché, ogni volta che la incrociavamo in corridoio, ci diceva: « Anticiclone! » Certo che è proprio stronza, la vita. Mai avrei pensato che a portarsela via sarebbe stato un colpo di calore.

I suoi figli sono arrivati stamattina. Troppo tardi. Non hanno avuto modo di dirle addio. Ma non è colpa loro. Credo che a un certo punto i vecchi si spingano troppo avanti, rispetto a noi. E noi non riusciamo a star dietro al loro allungo.

Jo non aveva visto l'anticiclone nella mano di Madame André. Jo ha un dono: legge il futuro nelle linee della mano. I residenti glielo chiedono spesso. Ma lei dice che è impossibile leggere le mani degli anziani, rigate come un vecchio 33 giri. Perciò inventa.

Tutte queste distrazioni - i massaggi che faccio io, Jo che legge la mano, il sacerdote che benedice tutti e a tutti ripete: « Cogliete l'attimo! » - non bastano però a lenire la nostalgia di casa. Spesso i nostri residenti se la svignano. Anche perché noi non possiamo chiudere i cancelli, dato che sarebbe come imporre loro una sorta di reclusione.

Sì, se la svignano. Però non sanno dove andare.

Hanno dimenticato la strada del ritorno. La loro casa è stata messa in vendita per pagare le rate mensili del soggiorno alle Ortensie. Le loro cassette portafiori sono state svuotate e i gatti sono stati affidati a chissà chi. La loro casa esiste solo nella loro testa, nella loro biblioteca personale. Una biblioteca in cui amo trascorrere ore e ore.

Però mi rattrista vederli quando, alle dieci del mattino, si ammassano nell'area dell'accettazione e stanno lì, a fissare le porte che si aprono e si richiudono.

Aspettano.

Se fa bel tempo, portiamo i non autosufficienti nel parco, all'ombra dei tigli. Il vento tra gli alberi, le api, le farfalle e gli uccelli ripagano le loro attese. Diamo loro un po' di pane da gettare ai passeri e ai piccioni. Ad alcuni piace, altri hanno paura, altri ancora tirano calci agli uccelli. Allora cominciano a volare gli insulti. Ma, fintanto che litigano, smettono di aspettare. A casa o altrove, tutte le belle giornate si somigliano.

Quando sono stanca, salgo all'ultimo piano. Mi siedo con la schiena appoggiata contro la vetrata che dà sul tetto. Chiudo gli occhi e mi appisolo per dieci minuti. Se c'è una schiarita, il sole mi pizzica il collo, e questo mi piace.

Spesso il gabbiano si leva in volo e mi osserva dal cielo.

Quando riprendo a lavorare, non ricordo più se quello è il turno della mattina, del pomeriggio o della sera. Le mie non sono ore di straordinario; sono ore in cui non ho voglia di tornare a casa. Non mi va di vedere il nonno furente perché nei suoi occhi c'è un perenne inverno; non mi va di vedere la nonna che cerca il volto di mio padre nel mio, né di bussare alla stanza di Jules, chiuso nel suo silenzio mentre gioca online o bazzica su Beatport, una piattaforma di download di musica elettronica.

Preferisco sfilare le calze elastiche a Hélène e massaggiarle le gambe e i piedi. Lei mi parla della biondona che le siede accanto, che indossa un costume da bagno e si è spalmata sui capelli l'olio di monoi.

E faccio lo stesso quando non sopporto più la routine. Quando il ritmo diventa frenetico, magari perché una collega è assente, e tocca fare tutto di corsa: cure, igiene, pulizia. Non appena capisco che sto per perdere la pazienza con uno dei residenti che m'insulta, che non ha voglia di nulla o che se la fa addosso per dispetto, allora chiamo una collega e vado a rifugiarmi per cinque minuti nella stanza 19. Chiedo a Hélène di parlarmi di Lucien o dei clienti del suo bistrot. Le torna spesso in mente Baudelaire.

L'uomo soprannominato Baudelaire era nato a Parigi. Alla morte della nonna, aveva ereditato la sua casa di Milly e vi si era trasferito, da solo, all'età di quarant'anni. Su richiesta del sindaco, faceva lezione ai bambini per un paio d'ore alla settimana. Conosceva le opere di tutti i poeti, di qualsiasi nazionalità, e tutto Baudelaire a memoria. Ma aveva un labbro leporino. Alcuni bambini lo prendevano in giro, altri invece ne avevano un po' paura, e così i genitori gli avevano chiesto di smettere. Aveva finito per arenarsi al bistrot di père Louis, dove passava le ore appoggiato al bancone a declamare i versi del suo poeta preferito.

Hélène mi recita quelli che lui sussurrava da mattina a sera, tra un bicchiere e l'altro:

Sovente, per diletto, i marinai catturano degli albatri, grandi uccelli marini che seguono, indolenti compagni di viaggio, il bastimento scivolante sopra gli abissi amari.

Appena li hanno deposti sulle tavole, questi re dell'azzurro, goffi e vergognosi, miseramente trascinano ai loro fianchi le grandi, candide ali, quasi fossero remi.

Com'è intrigato, incapace, questo viaggiatore alato! Lui, poco addietro così bello, com'è brutto e ridicolo. Qualcuno irrita il suo becco con una pipa mentre un altro, zoppicando, mima l'infermo che prima volava.

*E il Poeta, che è avvezzo alle tempeste e ride dell'arciere, somiglia in tutto al principe delle nubi: esiliato in terra, fra gli scherni, non può per le sue ali di gigante avanzare di un passo.**

* Charles Baudelaire, *I fiori del male*, versione in prosa di Attilio Bertolucci, Garzanti, Milano, 2012. (*N.d.T.*)

16

1933, prima dell'estate

Un matrimonio a Clermain. Nella piazza della chiesa hanno disposto grandi tavoli coperti da tovaglie bianche. Tutti gli abitanti del villaggio si sono riuniti per celebrare l'unione tra Hugo, il figlio del sindaco, e la rossa Angèle, la figlia del maniscalco.

Per colpa del romanzo Pel di carota, *di Jules Renard, Angèle si vergogna del colore dei suoi capelli e ha chiesto alla sarta, Hélène Hel, di confezionarle un velo di tulle abbastanza spesso da nascondere la chioma. E, nel tentativo di mascherare le lentiggini, ha usato il gesso da sarta, ma ha palesemente esagerato.*

In quello che dovrebbe essere il più bel giorno della sua vita, Angèle è a disagio. E non tanto per i capelli rossi e per le lentiggini, ma perché Frédéric, il cugino di Hugo, non smette di fissarla. Ad Angèle sembra che gli occhi del giovane le si siano appiccicati addosso. Cercando di distrarsi, beve molto vino; tuttavia, ogni volta che si gira verso di lui, incrocia il suo sguardo lascivo.

Non la lascia in pace nemmeno nel giorno del suo matrimonio.

La cosa va avanti ormai da mesi. Mesi in cui lui l'ha aspettata sotto casa, mesi in cui lei, camminando per strada, se lo trovava davanti all'improvviso, come se fosse la sua ombra. Lei era sempre rimasta impassibile, ma lui non si era mai arreso: « Buon-

giorno, carina », « Buonasera! Che bei capelli... » « Buongiorno! Che sorpresa vederti! » « Buonasera! Hai degli occhi stupendi... »

Angèle non ha mai osato farne parola a Hugo. Ha persino temuto che Frédéric potesse interrompere la cerimonia, opponendosi al matrimonio. Non aveva argomenti validi per farlo, ma lei non si sentiva comunque tranquilla.

Non appena Hugo si allontana, Frédéric ne approfitta per raggiungerla. Angèle non ha fatto in tempo ad afferrare la mano del marito per trattenerlo accanto a sé. Scansando gli invitati, Frédéric le si avvicina, sorridente. Un sorriso che sa di cattivo odore. Lei chiude gli occhi e manda giù un lungo sorso di vino che le brucia la gola. Quando li riapre, lui è lì. Le viene voglia di prenderlo a schiaffi, di graffiarlo, di tirargli i capelli. Vorrebbe essere un uomo, forte abbastanza per picchiarlo. Lo sente bisbigliare: « Preferisco il velo rosso dei tuoi capelli ».

Pur di sfuggirgli, Angèle si alza di scatto. Il vestito le rimane impigliato in uno spigolo e le si strappa all'altezza della vita. Angèle guarda l'abito come se, a lacerarsi, fosse stata la sua stessa pelle. Quasi si stupisce nel non vedere il sangue. Due minuscole perle bianche cadono a terra. Il cuore le batte all'impazzata. Alza gli occhi e, in tono quasi di supplica, dice: « Sparisci ».

Poi chiede alla madre di andare a chiamare la sarta, che vive accanto alla chiesa. Lei aspetterà in sacrestia. Per fortuna, pare che nessuno – nemmeno Hugo – si sia accorto di nulla.

La madre di Angèle conosce bene la sartoria di Clermain. È chiusa, dato che è domenica. Quindi s'infila in un portone accostato e imbocca un corridoio che conduce al laboratorio, chiuso da vetrate che danno su un cortile interno.

Hélène è seduta a gambe incrociate, come farebbe un uomo, su un tavolo di legno. È assorta in un dialogo con qualcuno che la madre di Angèle vede solo di schiena.

Bussa. Un uccello vola via. Da dietro la porta a vetri, osserva

Hélène che la fissa senza vederla, come fa chi viene disturbato nel bel mezzo di una conversazione che non intende interrompere. La giovane sarta le fa cenno di entrare.

Quello che la madre di Angèle aveva scambiato per una persona è in realtà un manichino. Hélène è sola. Eppure la madre di Angèle avrebbe giurato che stesse parlando con qualcuno.

Un'ora dopo, il vestito di Angèle è come nuovo. Hélène ha ripreso tutte le cuciture. Le due donne sono l'una di fronte all'altra nell'angusto corridoio, accanto a un attaccapanni a specchio. Hélène ha aperto la porta della sacrestia per far entrare la luce. La giovane sposa ammira il lavoro di Hélène come se fosse davanti a un miracolo.

« Scusa, Hélène. »

« Scusa? E per cosa? »

Angèle osserva il viso della sarta, che ha tre anni meno di lei. Non saprebbe dire se Hélène sembri più giovane o più vecchia. La sua pelle chiara, lo chignon disfatto, gli occhi azzurri, la bocca grande, gli zigomi pronunciati. È una di quelle bellezze slave che si amano o si odiano perché tutto, nel loro viso, è grande, grandissimo. *Gli occhi sembrano voler toccare le tempie. A Clermain, la gente dice che Hélène Hel è matta, e i bambini la guardano con sospetto.*

Angèle prende le mani di Hélène nelle sue. « All'inizio non mi piacevi. È stata mia madre a insistere perché ti scegliessi come sarta... Io avevo paura di te. »

« È normale », replica Hélène. « Anch'io ho paura di me stessa. »

Angèle sorride alla ragazza che ha sempre l'aria di trovarsi ovunque tranne che nel posto in cui si trova realmente. È insieme affascinante e inquietante. C'è un turbamento nel suo sguardo. E poi non sorride mai. Nemmeno quando dice di sì. Angèle le osserva le dita. « Hai le mani... magiche. »

Hélène abbassa gli occhi. Angèle l'abbraccia e ritorna dagli ospiti col suo abito rimesso a nuovo. Lascia scorrere lo sguardo sugli invitati: Frédéric se n'è andato. Sollevata, sorride.

Hélène è rimasta sola nel corridoio. Si osserva le dita e finisce di riordinare gli accessori da cucito. Non si chiude la porta della sacrestia alle spalle: lascia sempre entrare il sole.

Per ritornare al laboratorio, decide di costeggiare la chiesa dal lato del cimitero. Cerca di leggere i nomi sulle lapidi. Spinge la porticina laterale della chiesa. Dentro non c'è nessuno. S'inginocchia e si rivolge a Dio ripetendo instancabilmente: « Insegnami a leggere ».

« Che fai? »

Sussulto. Jules mi ha spaventato. Chiudo il quaderno azzurro. « Sto scrivendo. »

« Ti credi Marguerite Duras? »

« E tu come fai a conoscerla? »

« Un corso di letteratura. L'ho trovata noiosa. Spero tu non scriva come lei. »

« Non c'è questo rischio. Apri la finestra. »

« Sei di cattivo umore? »

« Nah. Lo sai che non sopporto che fumi in camera mia. »

« Diciamo che non sopporti che fumo... Ma non sei mia madre. » Jules apre la finestra e si sporge. Fa il broncio.

Allora gli dico: « Ieri sera c'è stata un'altra telefonata anonima alle Ortensie ».

Si gira, non gli vedo gli occhi. « Per chi? »

« Devi andare dal barbiere. Per i familiari di Gisèle Diondet. La signora minuta coi capelli viola che aveva la merceria. Te ne ho parlato la settimana scorsa. »

« Mi ricordo. »

« Prima trascorreva un sacco di tempo a giocare a carte

in sala relax e partecipava a tutti i laboratori. Dall'inizio dell'estate, però, sta con gli altri nell'area della reception.»

Ed era lì quando i suoi si sono presentati, vestiti di nero e con gli occhi rossi.

Con un buffetto, Jules butta il mozzicone dalla finestra. Domani mattina il nonno, brontolando, lo raccatterà in giardino. Poi lo metterà in una bacinella d'acqua che ha già dentro altre cicche, e con quella innaffierà le rose e ucciderà i pidocchi.

Jules si siede sul mio letto. «E cos'hanno detto quando l'hanno vista lì... viva?»

«Puoi immaginare lo shock. Ma penso che fossero anche un po' delusi.»

«In che senso?»

«Quando i vecchi tirano le cuoia, con loro muore anche il senso di colpa. È complicato. Il dolore si mescola al sollievo.»

«E la vecchietta? Cos'ha detto quando se li è visti davanti?»

«All'inizio non li ha riconosciuti, però era contenta uguale. Tanto più che a pranzo se la sono portata al ristorante. Sai, capita spesso con gli anziani. Sul momento, non si dimostrano molto gentili coi loro familiari, ma dopo le visite cambia qualcosa. Sono meno ansiosi. In ogni caso, oggi pomeriggio Gisèle è tornata a giocare a carte. Era da tre mesi che non veniva più.»

«Allora queste chiamate anonime servono a qualcosa, no?»

«Subito dopo, Madame Le Camus ci ha convocato per annunciare che la polizia avrebbe indagato '*intra muros* – imito la sua voce per strappare un sorriso a Jules – per risolvere il mistero delle telefonate anonime'.»

Ma Jules non sorride. « Ci saranno veri ispettori? »

Adesso sono io che scoppio a ridere. « Scherza, scherza... Saranno Starsky e Hutch a occuparsi del caso! »

Jules ridacchia. Starsky e Hutch sono i due agenti di Milly. Tutti li chiamano i « cowboy »: manca loro solo un paio di anni per la pensione, e sanno già che non verranno rimpiazzati. A quanto pare, li chiamano così da sempre, da molto tempo prima della mia nascita. Uno era bruno, l'altro biondo. All'epoca, voglio dire. Ora hanno entrambi i capelli bianchi. Secondo il nonno, sono le ultime persone cui chiedere aiuto in caso di problemi. Non sono molto amati, a Milly: la stupidità è molto difficile da spiegare, e loro la portano dipinta in volto. Sono arroganti e non salutano mai nessuno. Quando tendono la mano, è per fare una contravvenzione. Per sosta vietata, in genere. Ma chi può vietare cosa, a Milly? Le strade sono vuote. A me fanno ridere, però mi trattengo, dato che sono pur sempre armati. Jules sostiene che si tratta di pistole giocattolo, ma io non ci credo.

« Secondo te, chi telefona alle famiglie? » mi chiede Jules.

Io osservo il suo profilo perfetto. Non ho mai visto niente di più bello del suo viso. Persino coi capelli troppo lunghi. « Non lo so. Potrebbe essere chiunque. Probabilmente è qualcuno che ha accesso all'archivio delle famiglie. E che conosce il nome e le abitudini dei dimenticati della domenica. »

« Il nome di chi? »

17

Domenica

L'ondata di caldo è passata. È durata sei giorni. Sono esausta. Annichilita. Non conto le ore che faccio, è vero; ma, in una crisi come questa, sono le ore a non contare più.

Ho preso servizio alle otto. Questa notte non ho dormito: sono rimasta al Paradis fino alle cinque. Avevo bisogno di sentirmi giovane, di ubriacarmi, di sparare cazzate, di truccarmi, di rimorchiare, di sfoggiare una scollatura, di chiudere gli occhi e ballare. Di far credere a me stessa che sono carina.

Dallo scorso autunno, finisco spesso le mie notti tra le stesse braccia. Quelle di un ragazzo più grande di me. Ha ventisette anni - più o meno - e si chiama... Non mi ricordo. Tra una volta e l'altra, mi capita qualche avventura da una notte, ma poi torna lui, Comesichiama. Una specie di apparizione bimestrale.

La domenica è il giorno delle visite. Ma non per tutti. E io ho bevuto cinque caffè per potermi occupare di quelli che non ne ricevono. La domenica è un giorno da « prendere con le molle ». È un giorno carico di dolore. Si potrebbe pensare che qui è domenica tutti i giorni, e invece no. È come un orologio biologico. Ogni domenica, i vecchi sanno che è domenica.

Dopo il bagno di rito, la messa in TV e il pranzo in versione festiva. Gli avocado coi gamberetti sono ribattezzati « sorprese di mare alla maionese » e gli éclair di cioccolato « delizie di zucchero ».

È un po' come la minestra di verdure.

Cambia nome ogni giorno, ma in fondo è sempre la stessa. Il lunedì si chiama « minestrone di stagione », il mercoledì « vellutata del giardino » e il venerdì « fantasia di verdure ». Ai residenti piace avere il menu della settimana. È la loro mappa del tesoro. A parte i necrologi del *Journal de Saône-et-Loire*, è l'unica lettura che ancora li appassioni.

La domenica a mezzogiorno, il kir in aggiunta al vino fa digerire la mattinata. Ma bisogna fare attenzione che qualcuno non si freghi il bicchiere di un altro, altrimenti cominciano subito a battibeccare, se non a darsele. Il refettorio è un parco giochi in cui molti residenti risolvono i propri problemi picchiando gli altri. Anch'io mi sono beccata qualche schiaffo.

La domenica, a mezzogiorno, apparecchiamo con tovaglie bianche e calici. Come al ristorante.

Dopo pranzo, alcuni tornano in camera loro per le visite del pomeriggio o per vedere il programma di Michel Drucker. Gli altri vanno in sala relax e noi li teniamo occupati come possiamo: spettacolini, karaoke, tombola, carte, proiezioni... Mi piace far vedere loro le comiche di Charlot, li mette di buonumore.

Un'altra cosa che amo è far cantare *Le petit bal perdu* in un microfono collegato a due altoparlanti. È la loro canzone preferita. A turno, si passano il microfono. A volte balliamo pure. Non è *Dirty Dancing*, ma l'entusiasmo non manca.

Oggi pomeriggio, è venuto il nostro mago. È sempre lo

stesso. Un volontario che abita nel mio quartiere e che si porta dietro una sfilza di tortore e conigli bianchi, quasi fossero un mazzo di chiavi. I suoi numeri sono quasi sempre un fallimento: lui è davvero maldestro e i suoi trucchi sono troppo scoperti. Tuttavia, per i dimenticati della domenica, anche solo vedere una tortora o un coniglio in un cilindro è una cosa meravigliosa, e basta ad alleviare il peso della giornata.

Verso le due, ho sentito gli occhi azzurri del fantasma puntati sulla schiena. Stavo facendo accomodare i residenti per lo spettacolo di magia. Ho sentito il suo « Buongiorno ». Una tortora è volata via da una manica del ragazzo.

Stava dietro di me. Mi ha sorriso. Mi ha sorriso. Mi ha sorriso. Mi ha sorriso. Aveva con sé un libro. Indossava un paio di jeans e una camicia un po' troppo grande. « Buongiorno. Sono venuto a leggere qualcosa alla nonna, ma prima volevo salutarla. »

È confermato: quando lo vedo, non capisco più un accidenti.

Ha un sorriso dolcissimo. Ha la pelle chiara e le mani da ragazza, sottili e aggraziate. Di fronte a lui, io, Justine, non esisto. Sono normale. Terrena. Arrossisco subito. Ma sono pure troppo lucida per immaginare che uno come lui possa vedere in me qualcosa di diverso dalla ragazza che ascolta sua nonna parlare del mare.

« Buongiorno. Che pensiero gentile », ho replicato. « Buona lettura, allora. » E poi gli ho voltato le spalle, fingendomi impegnata a cercare la tortora insieme col mago. Ma ho continuato a sentirmi addosso il suo sguardo. Cosa voleva? Bruciarmi il collo come fa il sole da dietro la vetrata dell'ultimo piano?

Dopo lo spettacolo, sono salita da Hélène. Ho bussato.

Lui era lì, col libro ancora aperto. Stava leggendo ad alta voce.

*La mattina si incontravano nella sala della colazione, perché quello che arrivava prima mangiava lentamente per dare all'altro il tempo di arrivare e nonna tutti i giorni aveva paura che il Reduce potesse essere andato via senza avvisarla, oppure che si fosse stancato della sua compagnia e magari cambiasse tavolo e le passasse di fronte facendole un freddo cenno di saluto, come tutti quegli uomini dei mercoledì di tanti anni prima.**

La sua voce, bella, esile e forte nel contempo. Come dita che scorrono sui tasti di un pianoforte, producendo un suono ora grave ora acuto. Non che io ne sappia granché, di pianoforti. E ne so ancor meno di extraterrestri come lui. A parte mio fratello. Ma quello è mio fratello. Non ho paura di arruffargli i capelli.

Non appena mi ha visto, si è ammutolito.

«Cosa le sta leggendo?» ho chiesto ai miei piedi.

«*Mal di pietre*», ha risposto.

Non ho osato dirgli che lo aveva già letto. Che glielo aveva già letto Rose, cioè. Ho alzato lo sguardo su Hélène. L'ho vista sorridere dalla sua spiaggia. «Direi che le piace», ho ribattuto alle pareti.

Lui ha scosso la testa. O almeno così mi è parso.

Sono uscita senza fiatare. Perché io non esisto quando c'è lui. Poi non l'ho più visto. Ho lanciato un'occhiata al tetto: il gabbiano era al suo posto, sembrava addormentato. Lui aveva lasciato *Mal di pietre* sul comodino, tra Ja-

* Milena Agus, *Mal di pietre*, Nottetempo, Roma, 2006. (*N.d.T.*)

net Gaynor e Lucien, col mio nome scritto sopra con la penna stilografica. Ha una bella calligrafia. Non avevo mai visto *Justine* scritto così bene.

Per Justine.

Poi la sua firma: *Roman.*

Si chiama Roman. Un nome del genere mica s'inventa.

Ho dolori ovunque. Monsieur Vaillant mi ha chiesto di massaggiargli le mani. « Stasera », ho risposto. Poi mi occuperò di quelle di Hélène. Monsieur Vaillant mi piace. È qui con noi da poco, e non è felice. Più che della moglie, ha nostalgia di casa. Non fa che ripetermelo, ogni giorno. Dopo Monsieur Vaillant e Hélène, farò il giro per spegnere la TV di quelli che si sono addormentati.

Poi mi metterò a rileggere *Mal di pietre,* prima di scrivere sul quaderno azzurro: sono giorni che non lo tocco, per colpa di tutto questo caldo.

18

1933, prima dell'estate

Stamattina, Étienne ha suonato l'Aria e alcuni preludi di Bach durante la celebrazione di un matrimonio. Era la prima volta che suonava nella chiesa di Clermain.

Come al solito, Lucien ha guidato il padre fino all'organo, reggendogli il braccio sinistro.

Poi lo ha ascoltato a occhi chiusi. Per lui, le note sono da sempre associate ai colori delle rose del suo giardino. Anche prima che sua madre se ne andasse. Non ha aperto gli occhi per osservare gli sposi e i numerosi invitati seduti nei banchi. Evita sempre di guardare ciò che gli accade intorno. Preferisce sentire.

A casa, non accende il lampadario. Vive al buio e fa in modo che Étienne non se ne accorga.

Benché a ventidue anni la sua vista sia ancora perfetta, non riesce a convincersi che non diventerà cieco. Continua a dirsi che la malattia è soltanto in ritardo.

Dopo la cerimonia, Étienne e Lucien si siedono all'imponente tavolata allestita in piazza.

A Lucien i matrimoni piacciono per due motivi: anzitutto perché spesso lui e il padre vengono invitati al pranzo, e poi perché, in tali occasioni, suo padre può stare in mezzo ad altri adulti e non ha bisogno di lui.

Lucien ascolta i rumori delle persone che la circondano. Le sente ubriacarsi e ridere. E sente Étienne fare come gli altri.

Mangia di gusto tutto ciò che gli viene servito, accertandosi di tanto in tanto che il libro in braille che si è messo in tasca sia ancora al suo posto. Li prende sempre di nascosto da suo padre.

La donna grassa che gli siede accanto sta cercando di attaccar bottone, ma Lucien non ama molto parlare. Quand'è solo con Étienne, parla già per due: attenzione al gradino, a destra, no, un po' più a sinistra, il cielo si sta incupendo, c'è una grossa perdita d'acqua in quell'angolo, bisogna ridipingere la porta, le erbacce hanno invaso il selciato, Madame Chaussin sta passando davanti alla staccionata, il bicchiere è pieno, non toccare, è bollente, le tue camicie bianche sono sulla mensola a sinistra, il pane è affettato, questa mela è bacata, il tuo allievo sta entrando in giardino, attenzione, farà rumore. Lucien sorride cortesemente alla donna, annuisce senza ascoltare e basta.

Non si sposerà mai. Non infilerà mai una fede all'anulare di una donna. Né chiederà mai a una donna di promettergli eterna fedeltà. Non dopo quello che è successo ai suoi genitori. Nessun invitato, nessun pranzo di nozze. Suo padre gli dà spesso dell'anarchico perché critica l'esercito, i politici, la pena di morte, i preti e il matrimonio.

Tra gli ospiti che mangiano, bevono e ridono, Lucien è l'unico a sentire il rumore di un tessuto che si lacera.

Nemmeno Étienne sembra averlo notato. Per la prima volta, Lucien alza lo sguardo per posarlo su una cosa precisa: la giovane sposa che, con aria spaventata, osserva il suo abito strappato, per poi scansare un uomo che si era sporto verso di lei.

Lucien vede che l'uomo si allontana dalla sposa, mentre quest'ultima bisbiglia qualcosa all'orecchio di una donna che indossa un vestito color malva e che subito dopo comincia a correre verso il paese. Anche la sposa fila via e sparisce dietro la chiesa, con l'abito stretto a sé. Ma nessuno si è accorto di nulla. Tranne lui.

Pochi minuti dopo, Lucien vede che la donna col vestito mal-

va è tornata indietro, accompagnata da una ragazza che tiene gli occhi bassi e che regge una valigetta con l'occorrente per il cucito. Si dirigono entrambe verso il retro della chiesa.

Per la prima volta da quando sua madre se n'è andata, Lucien cade in preda a una tristezza infinita. A una malinconia feroce come una sera d'autunno in cui il cielo è basso e impenetrabile anche soltanto a un singolo raggio di luce. Si rende conto che, quando diventerà cieco, non potrà più vedere una ragazza abbassare gli occhi. Come farà allora a cogliere la grazia delle cose? Nemmeno le provviste di colori fatte ascoltando Bach possono rispondere a questa domanda.

Proprio mentre sente montare le lacrime, qualcosa gli cade in testa. Lui si passa una mano tra i capelli e poi osserva il liquido bianco, caldo e viscoso che gli luccica sulle dita. L'escremento di un uccello, senza dubbio. Alza gli occhi al cielo, ma non vede niente. Si allontana dal tavolo per sciacquarsi alla fontana posta al centro della piazza.

Immerge la testa nell'acqua gelida e, quando la solleva, scorge l'uomo che era accanto alla sposa nel momento in cui le si era strappato il vestito. Con una sigaretta tra le labbra, l'uomo lo sta fissando. « Sei il fratello della sposa? »

« No. Sono il figlio dell'organista. »

« Il cieco? »

« Sì. »

« Conosci Angèle? »

« Chi? »

« Angèle, la sposa. »

« No. »

« Sono innamorato di lei. Ma non sono suo marito. »

Lucien non replica nulla. Si chiede se sua madre fosse già innamorata di un altro uomo quando ha sposato suo padre. Si chiede in che modo si venga contagiati dall'amore, e se il contagio possa coinvolgere più di una persona. È già andato a letto con alcune prostitute ma, a parte le rose, i libri e la musica, non ha mai amato nessuno. Ha letto molti libri sull'argomento e l'ultimo, Il fidanzamento del signor Hire, *lo ha addirittura divorato. Osserva l'uomo che si allontana verso il paese.*

Lungo il tragitto verso la chiesa, Lucien incrocia la sposa. È una giornata calda ma, una volta dentro, si è avvolti nella frescura. Si sistema nella penombra di un confessionale e apre il suo libro. Non corre il rischio di essere disturbato dal parroco, che si è unito al pranzo e alle danze. Non è giorno di confessioni. Lucien inizia a leggere, scorrendo le righe col dito.

> Negli eventi, Dio consegna agli uomini le sue volontà visibili, testo oscuro scritto in una lingua misteriosa e gli uomini ne fanno subito varie traduzioni; traduzioni frettolose, scorrette, piene d'errori, di lacune e di controsensi. Sono poche le menti che comprendono la lingua divina.*

Cullato da una sorta di mormorio, Lucien si assopisce in fretta. Si ritrova a piedi nudi in riva al mare. C'è una bella luce, il sole è alto. L'azzurro dell'acqua scintilla sotto il sartiame. C'è una ragazza, al suo fianco: cammina con lui, tenendolo per mano. Gli sorride. Lui avverte una sensazione di benessere. Non ha più paura del nero. La ragazza abbassa lo sguardo, e lui non ha più paura di non poterla vedere, un giorno.

Di tanto in tanto, le sue dita delicate gli accarezzano il palmo della mano. Tutt'intorno, ci sono bambini che giocano; altri, più in là, fanno il bagno. Ancora pochi passi e anche loro due raggiungeranno l'acqua. Il mormorio si fa più vicino: è il mormorio

* Victor Hugo, *I miserabili*, trad. it. di Liù Saraz, Garzanti, Milano, 2006. (*N.d.T.*)

delle onde, una musica che suo padre non ha mai suonato in chiesa.

Lucien si sveglia. Si sveglia nel buio del confessionale. La ragazza non c'è più. Il libro gli è caduto per terra. Richiude gli occhi. Deve assolutamente tornare in quel sogno. Ma non funziona. Non ci si può rituffare in un sogno come si fa coi libri. E poi c'è quel respiro, in chiesa. Sulle prime gli sembra un insetto, un fremito di ali contro le vetrate. Invece è un mormorio. Il mormorio delle onde, il mormorio del sogno. Qualcuno sta sussurrando. Lucien apre la porta del confessionale e scorge un'ombra inginocchiata a pochi metri da lui.

Si avvicina. Si avvicina all'ombra nello stesso modo in cui, nel sogno, si avvicinava al mare. E, più si avvicina, più le parole mormorate diventano chiare: « Leggere... gnami leggere... gnami. A leggere. Insegnami a leggere. Insegnami a leggere ».

Ormai Lucien è dietro l'ombra raccolta in preghiera. Lei si gira, lo fissa a lungo. È la ragazza del sogno. La ragazza che poco prima aveva abbassato gli occhi accanto alla donna con l'abito color malva. Il suo volto è parzialmente illuminato da tre candele, una delle quali è quasi completamente consumata. Somiglia un po' a una delle ragazze del bordello di Autun. Lucien non sa nemmeno perché gli sia venuta in mente quella prostituta. Nel buio di una chiesa, la sua mente va al bordello di Autun, dentro una casa che, vista da fuori, sembra una casa qualsiasi. Ci sono persino i fiori alle finestre. Là dentro lui non chiude gli occhi: osserva i corpi delle ragazze. Proprio come adesso contempla la ragazza inginocchiata pochi metri davanti a sé.

Non ha il coraggio di guardarla negli occhi. Come se avesse paura di bruciarsi. Le guarda le mani. Le mani che lei tiene giunte.

« Perché stai chiedendo alle candele d'insegnarti a leggere? »

19

«Come va oggi, Monsieur Girardot?»
«Mia moglie è morta.»
«È passato molto tempo, ormai.»
«Quando perdi la persona che amavi di più al mondo, la perdi di nuovo ogni giorno.»

«Oggi come va, Monsieur Duclos?»
«Zitta, scema.»
«Direi bene, a giudicare dall'energia che ha.»
«Come vuoi che vada?»
«Come alla fine dell'estate.»
«Povera cretina.»
«Ho afferrato il concetto. Su, alziamoci.»
«Ma ti frega qualcosa?»
«Dobbiamo lavarci, Monsieur Duclos.»
«Va' a farti fottere.»
«Ah, non mi dispiacerebbe affatto.»
«E vaffanculo.»
«Va bene, farò il possibile.»

«Oggi come va, Madame Bertrand?»
«Annie è appena morta.»
«Ah. Chi è Annie?»

« Era la mia amica. Quando veniva da me, diceva: 'Offrimi una birretta'. Pensa che ci sarà qualche bistrot nella casa del buon Dio? »

« Se c'è un paradiso, dev'esserci per forza un bistrot. »

« Oggi come va, Mademoiselle Adèle? »

« Bene. Mia nipote mi porterà un po' di frittelle. »

« Lei è fortunata ad avere una nipote che viene a farle visita quasi ogni giorno. »

« Lo so. »

« Come va oggi, Monsieur Mouron? »

« I miei dolori alle gambe... Non ho chiuso occhio tutta la notte. »

« Chiederò al medico di passare in mattinata, va bene? »

« Se non le dispiace. »

« Le accendo la TV? »

« No. Al mattino danno solo roba per casalinghe. »

« Oggi come va, Madame Minger? »

« Mi hanno rubato gli occhiali. »

« Davvero? Ha cercato bene? »

« Ovunque. Sono sicura che è stata la vecchia Houdenot. »

« Madame Houdenot? E perché? »

« Per rompermi le palle, ecco perché. »

« Oggi come va, Monsieur Teurquetil? »

« Ma... dove sono? »

« Nella sua stanza. »

« Eh, no. Questa non è la mia stanza. »

« Ma sì. Adesso ci laviamo e poi, se ne ha voglia, la porto a fare un giro di sotto. »

« Ma è proprio sicura che questa sia la mia stanza? »

« Certo. Guardi le foto alle pareti. Sono i suoi figli e i suoi nipoti. »

« E la mamma? Dov'è la mamma? »

« Sta riposando. »

« Mio padre è con lei? »

« Sì. Riposano insieme. »

« Verranno a trovarmi oggi pomeriggio? »

« Forse. Ma se sono troppo stanchi verranno domani. »

« Buongiorno, Madame Saban. Porto via il formaggio e il prosciutto che ha nascosto nell'armadio a muro. Rischia di avvelenarsi, e ormai puzza. »

« È per via dei tedeschi; requisiscono tutto. »

« Non si preoccupi, Madame Saban, i tedeschi se ne sono andati già da un bel po'. »

« Ne è sicura? Perché li ho visti ieri sera. »

« Sul serio? E dove? »

« In bagno. »

« Buongiorno, Madame Hesme. Buone notizie? »

« Oh, no, mia cara. Vorrei tanto poter prendere il posto di quei bambini! »

« Quali bambini? »

« Non è normale che dei vecchi come noi siano ancora

qui, mentre ogni mese sul *Journal de Saône-et-Loire* muoiono tutti quei bambini.»

«Così è la vita, purtroppo.»

«Il buon Dio dovrebbe venire a fare la spesa qui. Noi vecchi non serviamo più a nulla.»

«Come va, mia cara Hélène?»

«Quando Lucien mi aveva visto pregare in chiesa, il giorno delle nozze di Angèle, mi aveva domandato perché mai chiedessi alle candele d'insegnarmi a leggere. Sembrava un bambino. L'avevo scambiato per un chierichetto. Era bello. E molto più alto di me. Per guardarlo, avevo dovuto alzare la testa. All'inizio non aveva incrociato il mio sguardo: parlava rivolto alle mie mani. Ma poi, quando aveva fissato i suoi occhi nei miei, avevo riconosciuto il blu di Prussia di uno dei miei fili da cucito. Un blu che non usavo quasi mai. Mi aveva guardato come si guarda una bugiarda o una pazza. Allora avevo preso un messale su un banco, l'avevo aperto e avevo cominciato a leggere, perché sentisse ciò che stavo vedendo. Dovevo leggere: 'Ed ecco qual è la volontà di Dio'. Invece avevo letto: 'Edleccoquavelanovoltàdidio'.

«Lui aveva chiuso il messale e aveva detto: 'Io non sono il buon Dio, ma posso insegnarti a leggere con le mani'. Mi aveva dato del tu, come se ci conoscessimo. Avevo pensato alle mie mani magiche, come le aveva appena chiamate Angèle. Nel giro di un'ora, due persone mi avevano descritto le mie mani. Era da tanto che non parlavo con un mio coetaneo. Con qualcuno che mi parlasse di qualcosa di diverso dalle fodere o dalle passamanerie. Abbandonando la scuola, avevo abbandonato anche la giovinezza di chi la frequentava.

«Ci eravamo seduti in un banco, davanti all'altare. Aveva aperto il libro che aveva con sé: sopra non c'era scritto niente, ma mi aveva assicurato che si trattava dei *Miserabili* di Victor Hugo. Me l'aveva mostrato: non era affatto simile a quelli della scuola. Guardarlo non mi faceva paura, dato che le pagine erano bianche.

«Lucien mi aveva preso la mano e me le aveva fatte accarezzare. Era come toccare la pelle di un neonato ricoperta di piccoli foruncoli. Poi mi aveva preso l'indice, l'aveva posato su un punto e aveva detto: 'Senti la A?' Poi l'aveva posato su una M e, sotto il polpastrello, avevo sentito tre bottoncini. Mi aveva fatto toccare una O. Poi una R. Aveva girato diverse pagine prima di farmi toccare la E. Quindi aveva ricominciato. E le mie dita non avevano mescolato le lettere. Per la prima volta in vita mia, avevo capito quello che stavo leggendo. Era un miracolo.

«Tre giorni dopo, Lucien si era presentato nella sartoria dei miei genitori. Si era messo davanti allo specchio. Il colore dei suoi occhi era azzurro cielo, e i capelli neri erano impomatati. Una ciocca ribelle gli ricadeva sulla fronte, come una virgola tra le sopracciglia. Nel vedermi, mi aveva sorriso, e io gli avevo sorriso di rimando. Aveva la grazia delle persone timide che fingono di non esserlo.

«Le sue labbra carnose mi avevano chiesto un vestito di flanella. Di solito non mi occupavo degli uomini: erano appannaggio di mio padre. Però avevo insistito. E mia madre non si era fatta pregare. Aveva capito che quel bel giovanotto era lì per me. Non osava sperare che qualcuno corteggiasse la sua figliola analfabeta e spettinata.

«Mio padre gli aveva chiesto comunque un acconto, perché Lucien aveva veramente l'aspetto di un bambino. Lui aveva tirato fuori dalla tasca tre banconote spiegazzate.

«Gli avevo mostrato i disegni di un opuscolo di cartamodelli. Mentre toccava i diversi tessuti, mi aveva bisbigliato che, se fossi andata a letto con lui, non si sarebbe ammalato, che di certo non sarebbe diventato cieco. Mi aveva detto che, da domenica, non faceva che pensare a me. E io avevo replicato che, da domenica, non facevo che pensare ai *Miserabili* di Victor Hugo. Che ero andata a trovare il mio maestro di un tempo, Monsieur Tribout, per chiedergli se quel libro esistesse realmente.

«Lucien aveva scelto una flanella blu scuro.

«Gli avevo chiesto se mi avrebbe sposato e lui aveva risposto di no, perché nella sua famiglia sposarsi portava male. 'D'accordo, verrò a letto con te. In cambio, però, devi insegnarmi a leggere con le dita', avevo mormorato.

«Quelle che andavano a letto con un ragazzo senza essere sposate venivano chiamate puttane, però a me non importava assolutamente nulla, se farlo mi avesse permesso d'imparare a leggere. Nel 1933 non si parlava di queste cose. Pensavamo che il sangue mestruale uscisse dal medesimo buco da cui facevamo pipì; le donne si sposavano e poi il loro ventre diventava rotondo, ma noi non avevamo la minima idea di cosa succedesse nella camera da letto dei genitori. A scuola, c'era sempre una ragazzina più grande che raccontava a quelle più piccole come baciare un ragazzo con la lingua. A quell'epoca, però, io avevo già smesso di andare a scuola. Quando avevo conosciuto Lucien, pensavo che sarei rimasta zitella. Però ero convinta che una 'zitella' fosse una donna che non sapeva leggere.

«Gli avevo chiesto di togliersi le scarpe e l'avevo fatto appoggiare a una parete perché si tenesse ben dritto. Poi avevo afferrato il metro per prendergli le misure. Avevo iniziato dalla circonferenza del polso per poi passare alla lunghezza del braccio, alla larghezza delle spalle, alla schiena, al collo, al giromanica, alla distanza vita-ginocchio, all'altezza della vita stessa, alla distanza tra la base del collo e la punta delle spalle, e poi il girovita, la lunghezza delle gambe, il cavallo, la circonferenza della coscia e del polpaccio. C'era voluto un bel po'. Avevo così paura che cambiasse idea e non m'insegnasse più a leggere che avevo persino inventato misure di cui non avevo bisogno. Io ero appollaiata su uno sgabellino. Lui teneva gli occhi chiusi: non voleva farmi sapere di che colore fossero in quel preciso momento. Sotto le mani, lo sentivo tremare. Benché prendessi misure da una vita, quel mercoledì avevo avuto l'impressione che lo stessi facendo per la prima volta. 181, 40, 80, 97, 81, 36, 13: le ricordo a memoria, neanche fosse una poesia.

«Anni dopo, mi aveva confessato che quel giorno lì, il giorno delle misure, aveva avuto la sensazione che il mio metro gli avesse portato via la verginità.

«Io non avevo avuto il coraggio di chiedergli 'da che parte pendesse'. È la domanda che qualsiasi sarto pone a un uomo per potergli adattare la cucitura del cavallo. Avevo semplicemente immaginato che 'pendesse' a sinistra.

«La domenica successiva l'avevo incontrato nella chiesa di Clermain. Mi aveva dato appuntamento alle quattro del pomeriggio, cioè in un momento in cui non c'era nessuno. Con un padre organista, Lucien conosceva tutte le chiese della zona, e anche le ore in cui erano frequentate. E infatti, quando avevo aperto la porta, c'era soltanto lui.

«Mi aspettava da ore allo stesso banco della prima volta, quello in cui ci eravamo seduti per leggere il messale. Aveva le mani ghiacciate. Aveva preso le mie e mi aveva porto l'alfabeto braille su un blocco di legno. Avevo riconosciuto immediatamente la A. Era il più bel regalo che avessi mai ricevuto. L'avevo baciato. Non avevo mai baciato un ragazzo. 'Voglio toccarti', mi aveva detto. 'Ti prego, lasciati toccare.' Mi ero slacciata il vestito. Proprio così: l'avevo slacciato. Era un abito bianco della mamma, che avevo stretto in vita. Lui era rimasto a guardarmi. Sembrava stesse contemplando un panorama mozzafiato. Il freddo della chiesa mi aveva inturgidita. Ma so che mi aveva trovato dolce lo stesso. Gli avevo preso la mano e l'avevo posata su di me. Poi l'avevo guidata ovunque, in silenzio, a lungo, fino alle mie labbra. »

« Oggi come sta, Madame Lopez? »

20

Se mi guardo nello specchio del bagno, non mi trovo affatto bella. Ho le sopracciglia dritte, quando invece dovrebbero essere arcuate come quelle di Janet Gaynor.

È come se il mio viso non avesse ancora scelto, come se non avesse ancora finito di disegnarsi. Mi ripeto che ciò che non trovo attraente in me un giorno piacerà a qualcuno. A qualcuno che mi amerà e che diventerà il mio pittore. Sarà lui a continuare il disegno. A trasformare uno schizzo in un capolavoro grazie a una grande storia d'amore. Ciascuno di noi è il Michelangelo di qualcun altro. Il problema è che bisogna trovarsi.

Jules dice che sono troppo sentimentale, che i miei pensieri starebbero bene in un libro.

È vero: quando vado a letto con qualcuno, i miei pensieri potrebbero stare in un libro. Ma non un libro da lasciare in mano a chicchessia.

Il ragazzo con cui faccio l'amore non è mai quello con cui vado a letto. Quello che stringo tra le braccia non è mai quello che abbraccio nella mente. Penso sempre a qualcun altro; a molti altri, per essere precisa. Il copione è sempre diverso; talvolta però possono essere anche in cinque. Sì, se sono in forma, accolgo cinque uomini nel letto della mia fantasia. Il genere di cose che una non farebbe mai nella vita reale. Che non farei io, perlomeno.

L'idea dell'amore mi piace, ma scopare mi annoia. Ho

bisogno di andare altrove con la testa. Un giorno, caccerò i miei finti amanti e farò l'amore col ragazzo che divide il mio letto.

La prima volta che Lucien ha baciato Hélène, lui ha avvertito un fremito di ali sulla bocca. Io aspetto il ragazzo che sentirà un fremito sulla mia. Ma non è detto che arrivi. C'è chi passa una vita intera in attesa di quel fremito.

Ieri notte ho di nuovo fatto l'amore con quel tipo di ventisette anni. Comesichiama.

Ho una regola inflessibile: non vado mai a letto con qualcuno di Milly. Sarebbe come andare a letto con un collega: impossibile non incrociarlo tutti i giorni. Comesichiama vive accanto al Paradis, a trenta chilometri da qui. Prima di lui, avevo una seconda regola: mai andare a letto due volte con la stessa persona. Ma è ovviamente andata a farsi benedire, visto che con lui vado a letto ormai da tempo. Gli ho persino dato il mio numero di telefono. È un tipo irritante; però, se non mi dà sui nervi, mi trovo bene con lui. Da quando andiamo a letto insieme, non fa che pormi domande.

Di solito, le mie « botte e via » si rivestono in silenzio. Va detto però che « di solito » significa « in macchina », visto che non ho un appartamento tutto per me. Il tipo, invece, ha un monolocale. Per cui, dopo aver fatto l'amore, non va da nessuna parte. E non si accende nemmeno la classica sigaretta. Rimane lì a fissarmi e poi attacca con l'interrogatorio: « Allora, che mi dici del tuo lavoro? Cosa ti piacerebbe fare se potessi cambiare?... Ah, sì? No!... Ti farai sentire? Vivi ancora coi tuoi? Ah, mi spiace. Com'è successo? Ma allora vivi da sola? Conosco tuo fratello, di vista ».

« Non è mio fratello; è mio cugino. »

« Però ti somiglia. »

«Oh, be'... credevo di non somigliare a nessuno. Forse è perché mio padre e suo padre erano gemelli. Oppure perché siamo cresciuti insieme. I suoi genitori erano in macchina coi miei.»

«Accidenti, certo che hai una vita proprio assurda, sembra un film. Pensi mai ai tuoi genitori?»

«Tutti i giorni.»

«Te li ricordi?»

«No. I miei ricordi hanno perso la memoria.»

«Allora come fai a pensarli?»

«Ascolto i loro dischi. Quelli di David Bowie e Alain Bashung per mio padre. Quelli di Véronique Sanson e France Gall per mia madre. Oppure vado in cerca di profumi. La crema da giorno, per esempio. Ho cercato a lungo una crema corrispondente al mio ricordo di lei (che non ha memoria). Ne ho annusate un'infinità. Ancora oggi, raccolgo i campioni, nella speranza che... Mah, non so. Di ritrovare il suo profumo.»

Era la prima volta che parlavo di un argomento così personale con una «botta e via». È il genere di cose che tengo per Jules. O per Jo, quando mi sento davvero giù.

Non sono innamorata di Comesichiama. Lo so perché non penso mai a lui. Con lui c'è solo il presente. Non saprei dire nemmeno da quanto lo conosco. Non ho legami con lui nel passato, né progetti per il futuro. Non gli dico mai «a domani», «alla settimana prossima», «a dopo» o «ci sentiamo».

21

1933, dopo l'estate

*Il padre di Lucien si è risposato grazie all'*Arte della fuga, Contrappunto 3 *di Bach eseguito nella cattedrale di Saint-Vincent-des-Prés. Dopo la messa, una donna aveva chiesto d'incontrare l'uomo che l'aveva interpretato così meravigliosamente. E aveva salito le scale che portavano all'organo. Un'ora dopo, aveva chiesto a Étienne di sposarla. Lui aveva accettato e, per seguirla, si è trasferito a Lille.*

Étienne lascia la casa (con tutti i mobili, le stoffe, il vasellame e i libri in braille) a Lucien, che invece non ha intenzione di trasferirsi. Quando aveva chiesto al figlio perché mai volesse tenersi anche i libri, la risposta era stata: « Per conservare le tue impronte ». Lucien aveva guardato il padre mentre saliva sulla lussuosa automobile della nuova moglie. Sembrava felice. Lo aveva abbracciato e, per l'ultima volta, gli aveva dato un'indicazione su ciò che vedeva e che Étienne, invece, non avrebbe mai visto: « Sembri felice ».

Lucien comincia a lavorare nel bistrot di père Louis, che poi è l'unico bistrot in tutta Milly. Serve ai tavoli, scarica e carica le casse di bottiglie e i fusti di birra, riconsegna ogni sera gli uomini ubriachi alle rispettive mogli e fa in modo che pavimenti, finestre e bicchieri siano sempre puliti. Dà anche una mano a père Louis nei giorni di grande affluenza, cioè mai.

Ogni sabato, dal giorno in cui gli ha preso le misure, Lucien sale sul treno per raggiungere Hélène a Clermain. A volte copre la distanza in bicicletta, sempre col suo vestito blu scuro di flanella. Corre dritto in chiesa, senza mai fermarsi lungo la strada; rivolge un'occhiata alla statua davanti cui Hélène pregava la prima volta che l'aveva vista e s'infila nel confessionale. Lei arriva verso le sei del pomeriggio. Poi, in silenzio, aspettano di rimanere chiusi dentro la chiesa.

Lucien infila le mance della settimana nella cassetta delle elemosine e accende le candele per illuminare il corpo di Hélène. Poi guida le dita di lei nella lettura e le sue verso l'amore. Hélène ha una predilezione per le storie ambientate in riva al mare, anche se il mare non l'ha mai visto.

È molto cambiata dal giorno del loro primo incontro. Leggere l'ha resa libera. Come se la luce del giorno potesse finalmente entrare e uscire dai pori della sua pelle. Adesso si muove come una donna che ha tirato fuori gli abiti leggeri dopo un inverno senza fine.

Mentre stanno per addormentarsi, lei gli parla della sua infanzia, ed è come una ninna nanna. Gli racconta della scuola femminile. Dei giorni di febbre, delle parole che rifiutavano di rendersi comprensibili allo sguardo, della sua bocca che risputava suoni impazziti, della disperazione e della solitudine. Dell'unica cosa che sapesse fare prima che arrivasse lui: vestiti e pantaloni.

Gli racconta di quella notte in cui ha leccato via le parole dalla lavagna che credeva avvelenata. E del piccolo gabbiano che si è scagliato contro la finestra per salvarle la vita. Gli dice che ogni essere umano è legato a un uccello. E che alcune persone ne hanno uno in comune. Basta guardare il cielo per rendersi conto che il proprio uccello non si allontana mai. Gli dice che gli uccelli non muoiono, che si donano all'infinito. Che, non appena un uccello finisce in gabbia, un uomo perde la ragione.

Lucien replica che la ama. Che non ha mai sentito niente di più bello della sua voce. « Non smettere mai di parlare... »

Mentre lei parla, lui la respira: profuma come un bouquet di rose e biancospino. Una fragranza domestica e selvatica. Non appena tace, lui accende altre candele per vedere il piacere che le sta donando.

La domenica mattina vanno via presto, perché alle otto inizia la messa. Se Lucien deve prendere il treno, Hélène lo accompagna in stazione. Se invece riparte in bici, rimane a osservare l'orizzonte che lo fagocita.

Una volta rimasta sola, Hélène torna a casa senza passare dal laboratorio, dove ormai non lavora più molto spesso. Da quando conosce Lucien, ha ripreso a mentire ai suoi genitori, come al tempo in cui andava male a scuola. Inventa terribili mal di testa, così si chiude nella sua stanza e passa ore a leggere in punta di dita.

Non è amore, quello che prova nei confronti di Lucien; è piuttosto una forma di riconoscenza. L'ha tirata fuori da una prigione cui lei credeva di essere condannata a vita. È solo grazie a Lucien se sente il vento tra i capelli, il sole le brucia la pelle e i sorrisi le screpolano le labbra. Lui è il suo migliore amico, il fratello che non ha mai avuto, un dono della provvidenza. È la fortuna che si riversa su di lei ogni sabato.

La bellezza, l'abilità e la dolcezza di Lucien le procurano un godimento meccanico, slegato dall'amore. Non è l'amore come lo immaginava, quello che ti sconvolge. Lucien non è un principe azzurro, è un regno. Potrebbe chiederle qualsiasi cosa e lei non gliela negherebbe.

Lui è innamorato pazzo di Hélène. Non fa che pensare a lei. Vorrebbe respirarla giorno e notte. Le sue cosce, il suo sesso, le sue braccia, la sua pelle, le sue labbra, i suoi occhi, i suoi fianchi, il suo culo, le sue mani, le sue dita, la sua voce. Non ha posto per nient'altro. Nemmeno per la paura della cecità. Ha smesso di leggere, di ascoltare la musica, di nuotare. Mangia così poco che ormai sembra fluttuare nel vestito di flanella.

Nel bistrot, lava le piastrelle e i bicchieri puliti più volte al giorno per tenere occupate le mani, per non impazzire. Non pensa che al sabato. A quando lei entrerà in chiesa e lui riconoscerà i suoi passi, e lei immergerà la mano nell'acqua santa, saluterà il Signore col segno della croce, aprirà la porta del confessionale, gli sorriderà e, sollevando la gonna, non aspetterà che una cosa da lui: il libro in braille che le avrà portato.

Al bordello pagava le ragazze coi soldi. Lei, invece, la paga in libri. Sa benissimo che lei non lo ama e che gli si dà come fanno le puttane di Autun. L'amore è l'arte di essere egoisti.

L'ultimo sabato del 1933, il 30 dicembre, Lucien Perrin fa la sua proposta di non matrimonio a Hélène Hel.

22

«Stai leggendo l'oroscopo, Armand?»

Il nonno fa spallucce, Jules gli gira intorno e si sporge a dare un'occhiata. «'Ariete: state per fare un incontro decisivo.'»

Altra scrollata di spalle. «Non leggo 'ste stronzate, io», mugugna il nonno.

Ma Jules insiste: «Il che non impedisce che tu stia per fare un incontro decisivo».

«Finisci le tue patate, invece d'infastidire il nonno», borbotta la nonna.

Jules riprende il proprio posto a tavola e inonda di ketchup le uova al tegamino. A casa nostra si cena alle sei e mezzo. Come le galline: un'espressione che odio perché, quand'ero piccola, le mie amiche la usavano per prendermi in giro. In effetti non erano proprio amiche, ma vicine in vacanza da altri vicini.

A tavola siedo sempre allo stesso posto, di fronte al nonno, con Jules alla mia sinistra e la nonna a destra. È sempre stato così, anche perché siamo certi che il nonno altrimenti si metterebbe a strillare. Un giorno, quando avrò una casa tutta mia, mangerò soltanto su tavolini da caffè in colori pastello. Non avrò neanche una tovaglia cerata e non siederò mai allo stesso posto. A casa nostra, tutto è in legno di quercia, quindi marrone scuro. Il nonno dice che è bello perché è un legno nobile. Io lo trovo orrendo. E poi tutto è coperto, tutto è protetto. Fodere sui divani, fodere sulle poltrone. E tovaglie su ogni tavolo. È come se casa nostra avesse qualcosa da nascondere.

Ogni sera, dopo cena, Jules sale in camera sua a ripassare e io, se non sono di turno, mi chiudo nella mia per scrivere sul quaderno azzurro. Il nonno rimane a guardare la TV. E la nonna va in camera sua per leggere un romanzo di Danielle Steel che impiegherà un anno a terminare perché, puntualmente, crolla addormentata dopo un paio di pagine.

A Natale le regalo sempre un po' di libri. Quelli di Danielle Steel hanno spesso copertine color pastello, come i tavolini da caffè della mia futura casa, e titoli del tipo: *Ora e per sempre, Stagione di passione* o *L'anello*. Non so cosa accenda la fantasia della nonna: forse le copertine.

Intorno ai sei anni, ho scoperto che la nonna e il nonno avevano un nome. La nonna si chiama Eugénie e il nonno Armand. A Jules capita spesso di chiamarli per nome: « Eugénie, sono finiti i sottaceti! » « Armand, ho trovato i tuoi occhiali! »

Con loro, Jules è molto più insolente di me.

Fa un po' strano vederli giovani nella foto del matrimonio. E ancor di più vedere che la nonna indossa un vestito aderente. Il tempo ha trasformato il suo vitino di vespa in quello di un labrador. La nonna non ha più un corpo: sembra intagliata nel tronco di un albero. Ormai è impossibile capire dove si trovino il seno, la vita, i fianchi, le chiappe. Non che sia grassa: è massiccia, tutta d'un pezzo. Le gambe e i piedi sono compressi dalle calze elastiche – sempre, anche in estate – e le mani sono perennemente ruvide, come se nessuno le avesse mai accarezzate. Non riesco a vedermi il nonno che corteggia la nonna. Non riesco a figurarmi lui che la butta su un letto. Non riesco nemmeno a concepire l'idea che la nonna possa aver fatto un pompino al nonno. Quando Hélène mi parla di Lucien, invece, certe cose le immagino benissimo.

Il nonno e la nonna non si rivolgono quasi mai la parola. L'unica cosa che fanno insieme è la spesa. Non litigano mai. Sembra che abbiano deciso di comune accordo di non rompersi le palle a vicenda. Non li ho mai visti baciarsi sulla bocca. Giusto un bacetto sulla guancia, a Natale, come ringraziamento per i regali. E per esserci, sempre. Certa gente si bacia di nascosto, per pudore. Con loro è il contrario.

Non si può certo dire che ci trattino male: sono assenti e basta. Sono sempre in casa, ma mai nelle stanze. Sono sempre a tavola, ma mai sul menu del giorno.

La sera, il nonno raggiunge la nonna in camera da letto verso le dieci e mezzo. Tranne la domenica. Tutte le domeniche, il nonno guarda il *Cinema di mezzanotte* su France 3. Quando va a dormire, lei già ronfa da un pezzo. Ha appoggiato il bastone contro il comodino, ha messo la dentiera in un bicchiere d'acqua con una compressa effervescente e si è sistemata una reticella sulla testa. Fa paura, giuro. Quand'ero piccola, ero terrorizzata all'idea di entrare nella loro stanza di notte. Anche malata, con quaranta di febbre, aspettavo che ritornasse la nonna del mattino, quella con tutti i denti.

Non riesco nemmeno a immaginare che abbia avuto una vita «da giovane», senza tentativi di suicidio o un vaso da notte ai piedi del letto.

Una volta, un paio di anni fa, ero rientrata a casa prima del previsto. Il nonno era a Mâcon, per un check-up totalmente a carico della previdenza sociale, un regalo di compleanno per le sue settantacinque primavere. A un certo punto, avevo sentito un rumore che veniva dal bagno di sopra. Come se qualcuno stesse picchiando sui tubi con un martello. Avevo subito pensato all'idraulico, perché quella mattina c'era stata una grossa perdita tra la doccia e il lavandino. E infatti le piastrelle del pavimento erano bagnate.

Entrando in bagno, avevo trovato la nonna in tuta da lavoro, sdraiata sulla schiena, con la testa sotto il lavandino: si vedevano solo le gambe, avvolte dal cotone blu. Aveva appoggiato il bastone alla vasca da bagno. Inoltre indossava un paio di scarpe che non avevo mai visto. Parevano da uomo, però della sua misura. Lì accanto c'era una cassetta degli attrezzi, e la mano della nonna andava dai tubi alla cassetta con una destrezza sorprendente. Sono rimasta a fissarla mentre prendeva chiavi inglesi e cacciaviti. Essendo sdraiata sotto il lavandino, lei non poteva vedermi. Scoprire quella doppia vita della nonna - una vita in cui leggeva romanzi all'acqua di rose e un'altra in cui faceva l'idraulico - mi aveva fatto sentire come una bambina impicciona.

A lasciarmi interdetta era stato soprattutto vederla in pantaloni, con le gambe divaricate e un'agilità tale da far credere che non fosse poi così vecchia. Confusa e imbarazzata come se l'avessi trovata a letto con un amante, ero uscita di nuovo per andare a bere un caffè all'agenzia di scommesse ed ero rientrata un'ora dopo, annunciando rumorosamente il mio ingresso. Lei era in cucina, col suo vestito grigio ordinato tre anni prima sul catalogo della Blancheporte. Le avevo guardato i piedi e lei si era di certo domandata perché mai esaminassi con tanta attenzione le sue vecchie ciabatte consunte.

Il bagno brillava come uno specchio.

La sera, Jules aveva chiesto se poteva farsi una doccia di sopra e la nonna gli aveva risposto che, sì, poteva, perché l'idraulico era riuscito a passare e la perdita era stata riparata. Il nonno aveva chiesto quant'era costato, e lei aveva risposto: trenta euro in nero. Ero andata a cercare le tracce del perfetto travestimento da piccola bricoleuse della nonna nel capanno in giardino, nel ripostiglio e in cantina, ma non avevo trovato nulla. Mi ero detta che forse si era trattato di un'allucinazione, che tutto era nato dalla mia fantasia debordante. A meno che l'idraulico di Milly non sia un sosia della nonna.

Da quando ho iniziato a scrivere sul quaderno azzurro, non scendo più in cantina per ascoltare la musica. E così Jules studia. O finge di studiare, mentre di fatto gioca online e scarica musica techno.

Nel corso degli anni, credo di aver pianto la musica come ho pianto i miei genitori. Credo di aver cominciato a mixare per far riecheggiare il suono delle loro voci intorno a me: tutti i dischi che abbiamo appartenevano a loro, che li vendevano per mestiere.

Dopo la loro morte, il nonno e la nonna hanno smesso di pagare l'affitto del negozio che mio padre e mio zio avevano a Lione. Si erano portati via tutti i vinili e i CD però, non sapendo che farsene, li avevano messi in cantina, lasciandoli negli scatoloni finché io e Jules non li avevamo scoperti. Allora avevamo comprato un piatto per i 33 giri e poi, dopo qualche anno, un mixer, pagato da Magnus e Ada, i nonni di Jules. A quel tempo, Jules ancora rivolgeva loro la parola.

L'anno prossimo Jules non sarà più qui, a casa. Non riesco a crederci. Come non riesco a credere che il nonno stia per fare un incontro decisivo.

23

Entro nella stanza 19. Roman è seduto accanto a Hélène.
« Buongiorno. »

Si alza. « Buongiorno, Justine. » Il suo sguardo si appunta su *Mal di pietre*. L'avevo rimesso sul comodino perché lo ritrovasse al suo ritorno. « Ti è piaciuto? »

« L'ho divorato. »

Sorride. « Spero non ti abbia fatto troppo male. »

Arrossisco. « Fa venire voglia di andare in Sardegna. »

Mi guarda. « Ho una casetta, lì, nel Sud dell'isola, dalle parti di Muravera. Ti presto le chiavi quando vuoi. »

Abbasso lo sguardo. « Davvero? »

« Davvero. »

Silenzio.

« E s'incontrano i personaggi del libro, lì? » domando.

Mi guarda. « Tutti i giorni. »

Lo guardo. « Anche il Reduce? »

« Soprattutto il Reduce. »

Prende il romanzo, ma lo rimette giù subito. Poi si alza. « Ho fatto tardi, devo andare se non voglio perdere l'ultimo treno. Oggi Hélène non mi ha detto una parola. »

Guardo Hélène. Penso alla casa in Sardegna e dico: « La prossima volta ».

E lui, con voce triste: « Sì. Forse. Ciao ».

« Ciao. »

Quando esce da una stanza, è come se si lasciasse dietro un velo d'ombra. Non mi chiede mai se ho iniziato a scrivere per lui. Hélène gira la testa verso di me e sorride.

« Allora, mia bella Hélène, viviamo nel mondo del silenzio, oggi? »

« Lucien mi ha non sposato il 19 gennaio 1934 a Milly, il suo paese. C'era un sacco di neve, quel giorno. Ha scelto di proposito il giorno più freddo dell'inverno perché non venisse nessuno... Justine? »

« Sì? » Mi avvicino e le prendo la mano.

« Sai perché Lucien non mi ha mai voluto sposare? »

« Perché la fede nuziale circonda l'unico dito con una vena che conduce al cuore. »

Ride come una bambina. « L'anulare sinistro. »

Mi siedo accanto a lei.

Poi riprende il suo monologo: « Abbiamo mascherato la casa di père Louis da municipio. Era una grande casa squadrata a tre piani, proprio di fronte alla stazione. Con una scala, Lucien ha appeso una bandiera blu, bianca e rossa sulla grondaia e un grosso cartello con la scritta MUNICIPIO sopra l'ingresso. I miei genitori, che non avevano mai messo piede a Milly, non si sono accorti di nulla. E poi era tutto coperto di neve.

« In strada non c'era anima viva. Abbiamo aspettato i miei genitori davanti al finto municipio, finché non sono spuntati dalla stazione. Io indossavo un abito bianco molto semplice, senza pizzo.

« Abbiamo detto loro che ci saremmo sposati in chiesa più avanti, col bel tempo, e che per l'occasione avrei aggiunto il pizzo e un velo di tulle. Mia madre era delusa dal fatto che l'unica figlia dei sarti di Clermain indossasse un vestito così dimesso nel giorno delle sue nozze. Quanto a Lucien, sfoggiava con orgoglio il suo primo vestito di flanella blu scuro. Essendo dimagrito tantissimo, avevo dovuto apportargli diverse modifiche.

« Quando mi ha preso il braccio e siamo entrati nel finto municipio, mi ha baciato con gli occhi. Quel giorno non gli ho concesso la mia mano. Gliele ho concesse entrambe.

« Avevo iniziato a leggere il braille da sola, senza il suo aiuto. Gli dovevo tutto... Justine? »

« Sì. »

« Sai che cosa significa, quando devi tutto a qualcuno? »

« So cosa significa, ma non ho mai incontrato qualcuno cui potessi dire di dovere tutto. »

Silenzio.

« Al piano terra, père Louis aveva sgombrato i mobili per far posto a un'ampia scrivania e a qualche sedia. Lucien aveva appeso alle pareti finte ordinanze comunali e, su una porta chiusa col chiavistello, aveva scritto STATO CIVILE. Père Louis si era divertito un sacco a impersonare il sindaco. E aveva preso il suo ruolo molto seriamente, pur senza comprendere il motivo per cui Lucien si stesse dando così da fare per non sposarmi. Lui gli aveva spiegato e rispiegato che il matrimonio impediva al sangue di raggiungere il cuore, rendendo uomini e donne schiavi di promesse impossibili da mantenere, ma Louis continuava a non capire.

« Era un omone con la voce da baritono. Sfoggiando la fascia tricolore, ci aveva letto le norme del codice civile che regolano l'unione matrimoniale. Articolo 212: gli sposi sono tenuti alla fedeltà e al sostegno reciproco. Articolo 213: gli sposi assicurano insieme la direzione morale e materiale della famiglia, provvedono all'educazione dei figli e preparano il loro futuro.

«I miei genitori sono ripartiti subito dopo la cerimonia: in quel periodo dell'anno, la notte scendeva in fretta e loro non volevano viaggiare al buio.»

S'interrompe.

«Hélène?»

«Sì.»

«Per quale motivo oggi non ha detto nemmeno una parola a Roman?»

Alza le spalle, come a dire che non lo sa. Poi, prima di ritornare alla sua spiaggia, apre la bocca un'ultima volta: «Dopo il bacio di rito, Baudelaire, il nostro finto testimone, ha recitato una poesia:

«Mia fanciulla e sorella,
pensa come sarebbe bello
vivere laggiù!
Amarsi senza fine,
amarsi e morire nel paese
*che ti somiglia!»**

* Charles Baudelaire, *op. cit.* (*N.d.T.*)

24

Nel 1935, Lucien e Hélène acquistano il bistrot di père Louis per un tozzo di pane. Non gli cambiano nome, tanto la gente avrebbe continuato a chiamarlo così. Cambiare nome al bistrot sarebbe stato come ribattezzare un vecchio, che ormai ha le sue abitudini. Si limitano a ridipingere le pareti.

La porta in legno e vetro smerigliato rosso, blu e verde si apre su una sala luminosa. Due delle grandi finestre si affacciano sulla strada; la terza dà sulla piazza della chiesa romanica. Il pavimento è di assi di legno scuro. Quattro colonne rivestite di specchi restituiscono immagini caleidoscopiche dei clienti appoggiati al bancone di zinco.

Dietro il bancone, una piccola rimessa cieca funge da ripostiglio. A destra, quattro gradini conducono a una stanza che fa da cucina e da bagno, perché ha un lavello, un fornello, un tavolo e due sedie.

Da questa stanza, una scala a pioli porta a una camera da letto, allestita alla bell'e meglio.

Hélène impara a memoria i nomi degli alcolici da servire.

Non potendo fare riferimento ai nomi scritti sulle bottiglie, si orienta grazie ai disegni sulle etichette, al colore dei liquidi e alla forma delle bottiglie stesse.

All'inizio, sono i clienti a spiegarle in quali bicchieri servire il Byrrh Violet, il Saint-Raphaël, l'Amer Cabotin, l'Eau d'Arquebuse, il Dubonnet, la genziana, il vermouth, lo cherry, il pastis Olive, la malvasia Saint André.

Nessun cliente è disonesto con la quantità, col prezzo da pagare o col contenuto dei bicchieri. E poi, tra i clienti abituali, ci sono anche consumatori di limonata e aranciata, perché il colore degli occhi di Hélène attira i giovani del paese come l'assenzio.

25

In genere, i nostri anziani puzzano. Non amano più lavarsi. Se ne infischiano di arrivare sporchi in paradiso.

Al mattino, durante la toeletta, spesso bisogna sgridarli. E, quando si fa notare agli autosufficienti che è arrivato il momento di una doccia, tocca insistere.

Hélène non puzza. Mai. Odora di neonato.

La prima volta che mi sono ritrovata sola con lei era la vigilia di Natale. Lavoravo alle Ortensie da un mese. Ero di turno. L'infermiera mi aveva detto di tenerla d'occhio perché aveva qualche linea di febbre. Così sono salita per misurarle la temperatura. Quando mi aveva preso la mano, mi era venuta voglia di piangere, perché nessuno aveva mai fatto un gesto così tenero nei miei confronti. Era un atteggiamento materno che non conoscevo. Da bambina, quando mia nonna mi toccava, lo faceva sempre con un guanto da bagno.

«Com'è il tempo sulla sua spiaggia?» avevo domandato.

«Bello. In questo momento è agosto. C'è un sacco di gente.»

«Mi raccomando, si protegga dal sole.»

«Ho un cappello grande.»

«C'è una bella vista?»

«È il Mediterraneo. E il Mediterraneo è sempre bello. Come ti chiami?»

« Justine. »
« Vieni qui spesso? »
« Quasi tutti i giorni. »
« Vuoi che ti parli di Lucien? »
« Sì. »
« Vieni qui. Incolla l'orecchio alla mia bocca. »
Mi ero chinata su di lei. E avevo sentito ciò che si sente dentro una conchiglia: quello che si ha voglia di sentire.

26

Nel 1936, chiudono il bistrot dal 20 al 31 agosto. Su un grande cartello, Lucien scrive:

CHIUSO PER FERIE

Persino il gabbiano scompare dal tetto.

Per undici giorni, gli uomini di Milly sono condannati a bere in solitudine. A riparare una perdita d'acqua, a zappare il loro orto, a tagliare la legna, a dare il grasso alla carrucola del pozzo, ad accompagnare la moglie in chiesa.

È la prima volta in vita loro che il bistrot del paese è chiuso. Persino per quelli che sono così anziani da non ricordarsi quanti anni hanno.

Quando Lucien e Hélène riaprono l'attività, la mattina del primo settembre, Baudelaire è davanti alla porta e pesta i piedi per l'impazienza: in mano ha un ritratto di Janet Gaynor ritagliato da una rivista. Entra nel bistrot con la sua nuova compagna come se stesse entrando in una cattedrale per sposarsi.

Quel 1º settembre, tutti i clienti tengono un po' il broncio, soprattutto a Hélène. Ce l'hanno con lei per aver chiuso il bistrot. Gli uomini stanno in silenzio, tranne quando mostrano a turno il ritratto di Janet Gaynor, spiegando a Hélène che è la donna più bella del mondo. E che bisognerebbe prenderla a modello, pettinarsi meglio. Hélène ignora la rivale patinata e riprende le sue abitudini, rammendando tasche e gomiti.

Quella sera, col bistrot chiuso da più di un'ora, Hélène trova il ritratto di Janet Gaynor abbandonato in un angolo del bancone. Quella donna saprà leggere? si chiede, guardandolo. È la prima cosa che si domanda quando conosce qualcuno.

Lei ha imparato a leggere all'età di sedici anni. Quando ha toccato l'alfabeto, le è sembrato di nascere, d'imparare a respirare. Poi sono arrivate le parole, infine le frasi. Non dimenticherà mai la prima frase che è riuscita a leggere: un passaggio di Una vita *di Guy de Maupassant, un romanzo che aveva poi riletto venti volte, se non trenta: « Da piccola, siccome non era bella né allegra, nessuno la baciava; se ne stava tranquilla e buona negli angoli ». E la riempiono di esultanza frasi cupe quali: « Allora l'umido e duro paesaggio che la circondava, con la lugubre caduta delle foglie e le nubi grigie trasportate dal vento, l'avvolse in una così profonda desolazione che tornò in casa per non singhiozzare ».**

Non c'è lettura che la intristisca. Ogni parola è una sorsata di calore che la inebria di gioia. Prima d'imparare a leggere, Hélène somigliava a Jeanne, l'eroina di Maupassant rinchiusa in un convento.

Aveva sempre la sensazione di rimanere alla superficie delle cose, delle persone. Leggendo, invece, addenta un frutto desiderato per anni, sente finalmente il suo dolce nettare colarle in bocca, lungo la gola, sulle labbra, sulle dita.

Prima d'imparare a leggere, la sua vita era un susseguirsi di gesti meccanici, che a fine giornata la portavano a un sonno profondo, come un cavallo da tiro abbrutito dalla fatica. Ora le sue notti sono popolate da sogni, personaggi, musica, paesaggi, sensazioni.

Hélène osserva Janet Gaynor, i suoi begli occhi assorti, pro-

* Guy de Maupassant, *Una vita*, trad. it. di O. Del Buono, Rizzoli, Milano, 2006. (*N.d.T.*)

vocanti e lontani. Le sopracciglia perfette, la bocca perfetta, i capelli perfetti, il collo nudo. Hélène non ha il coraggio di sbarazzarsene, perciò la incastra fra due bottiglie di malvasia Saint-André.

In seguito, la foto di Janet Gaynor verrà incollata, affissa, attaccata con lo scotch tra le bottiglie di limonata e i bicchieri dietro il bancone. E rimarrà quasi sempre lì, per anni. Sarebbe finita appesa alla macchina per il caffè arrivata dopo la guerra, insieme con le bottiglie di Coca-Cola. E, a ogni getto del beccuccio, Baudelaire avrebbe osservato che il vapore acqueo spettinava un poco Janet.

27

Sta arrivando l'autunno. Stamattina, prima di andare a lavorare, sono andata al cimitero. Adesso che non sono più obbligata a farlo, ci passo volentieri.

Le foglie morte coprivano le date sulla tomba. Un giorno, sarò più vecchia dei miei genitori. Loro avranno sempre trent'anni. Mi domando cosa farò quando avrò trent'anni. Sarò sposata? Avrò dei figli? E come se la passerà Jules? Sarò già stata sull'isola di Muravera? E Hélène ci sarà ancora? E io? Avrò già incontrato il mio Lucien? E la nonna luciderà ancora il salotto due volte al giorno ascoltando la radio?

Non voglio saperlo. Di tanto in tanto, Jo mi propone di fare una seduta spiritica; così, per scherzo, dice lei, ma io ogni volta le rispondo che il futuro non scherza affatto. Soprattutto quando hai ventun anni.

Non vado mai ai funerali dei residenti. Mi prendo cura di loro da vivi. Quando passano « dall'altra parte », mi fermo sull'uscio.

Poco fa, Rose è arrivata con Roman. È la prima volta che vengono insieme.

In superficie, Hélène non si è mossa, non ha aperto gli occhi, non ha detto una parola.

Roman è venuto a chiedermi un vaso per le ortensie di Rose, dato che nell'altro c'erano le rose bianche che aveva portato lui.

Nell'ufficio ho scovato uno dei nostri orribili vasi, probabilmente vecchi quanto me. Lui ha bisbigliato: « Hai iniziato a scrivere? »

« Sì. »

Quel « sì » lo ha fatto sorridere. Sulle sue labbra c'era solo dolcezza.

Gli ho allungato il vaso, dicendomi che l'azzurro dei suoi occhi avrebbe composto un bel bouquet. Anche in un vaso così orrendo. So che sto sproloquiando, ma non posso fare altrimenti.

« Grazie. »

Dopo non l'ho più visto.

Nel pomeriggio, Comesichiama mi ha telefonato due volte. La prima non ho risposto, la seconda nemmeno. Ieri ho passato la notte a casa sua.

Con lui, continuo a saltare di palo in frasca. Dal freddo al caldo. A un certo punto ho voglia di baciarlo e, tre secondi dopo, se diventa troppo appiccicoso o s'infila un dolcevita orribile, ogni scusa è buona per cacciarlo via.

Sono sempre stata così. Sogno l'amore, ma se me lo danno mi ritiro, schifata. Divento cattiva e odiosa. Comesichiama è molto tenero e io mi sono convinta di aver bisogno di un amore che gratti come carta vetrata negli angoli. Forse perché la vita non mi ha mai regalato nulla, chissà.

Stasera sono di turno.

E ho nostalgia, nostalgia di ciò che non ho ancora vissuto.

28

A volte Lucien chiede a Hélène se vorrebbe cambiare vita, partire, chiudere il bistrot, smettere di respirare il tabacco degli uomini e di ascoltare i loro sproloqui. Le chiede se vorrebbe fare qualcosa di diverso. A volte, Lucien chiede a Hélène se vorrebbe conoscere un altro uomo. Uno che la sposi davvero, che la ami davvero. « Perché mai? » risponde lei. « Assolutamente no, tu mi rendi felice. »

Nel 1941, il bistrot di père Louis ha ancora i suoi clienti abituali. Gli uomini sono quasi tutti troppo vecchi per essere assegnati allo STO e le trincee non esistono più se non nelle loro cicatrici, nel loro tremito, nelle loro gambe di legno e nel monumento ai caduti eretto sulla piazza.*

Quando i tedeschi arrivano in paese, si abbandonano a qualche razzia, ma non si fermano.

Durante il loro passaggio, porte e persiane rimangono chiuse. Poi gli uomini tornano a lavorare la terra. E i vecchi alzano il gomito per annegare il dolore o per annaffiare il magro pasto sotto lo sguardo chiaro di Hélène, che intanto rammenda loro i pantaloni.

* Benché ufficializzato solo nel 1942, le premesse di quello che diventerà il Service du Travail Obligatoire (STO) ci sono già nel 1940. Alla fine, nel 1944, saranno circa seicentomila gli uomini e le donne francesi costretti a trasferirsi in Germania così da aiutare col loro lavoro lo sforzo bellico del Reich. (*N.d.T.*)

Dopo tre bicchieri – o dopo cinque, a seconda della corporatura dell'avventore –, lei passa alla limonata. I clienti, credendo che abbia sbagliato bottiglia perché non sa leggere le etichette, non osano dirle nulla. Chiedono con discrezione a Lucien che venga lui a servirli « come si deve ».

Nel 1939, Lucien era stato chiamato alle armi e aveva partecipato alla « guerra farsa » facendo ritorno a Milly nel giugno 1940. L'aggiramento della Linea Maginot da parte delle forze tedesche aveva riportato a casa la maggior parte degli uomini.*

Poco prima della sua partenza, Hélène aveva scoperto che Lucien non era stato battezzato. Si era proposta come sua madrina, ma lui non credeva in Dio e prendeva in giro i bigotti, un atteggiamento che mandava Hélène su tutte le furie. Quando gli faceva notare che stava bestemmiando, lui rispondeva: « La mia bestemmia sei tu ». Hélène lo aveva supplicato e Lucien aveva ceduto. Bisognava però trovare un padrino. Alla fine, era stato deciso di estrarlo a sorte tra i clienti del bistrot.

Lucien aveva scritto i nomi su pezzetti di carta della stessa dimensione. Quel giorno, erano presenti tutti gli uomini del paese, anche quelli che di solito bevevano unicamente l'acqua del loro pozzo. Jules, Valentin, Auguste, Adrien, Émilien, Louis, Alphonse, Joseph, Léon, Alfred, Auguste, Ferdinand, Edgar, Étienne, Simon. Quando pronunciavano il loro nome era come se si spogliassero in pubblico, dato che per chiamarsi tra di loro usavano i soprannomi – Titi, Lulu, il Grande, Quinquin, Féfé, Caba, Mimile, Dédé, Nano – oppure non si chiamavano affatto. Davano il buongiorno in silenzio. L'unico a bene-

* La definizione *drôle de guerre* (« guerra farsa ») indica il periodo fra il 3 settembre 1939 e il 10 maggio 1940 in cui i combattimenti furono assai limitati. (*N.d.T.*)

ficiare di una « deroga » era stato Baudelaire. Sul rettangolo di carta, Lucien aveva infatti scritto: Charles Baudelaire.

Il nome estratto era stato quello di Simon. Delusi per aver perso alla lotteria del buon Dio, gli altri avevano raggiunto la chiesa. Tutti, senza eccezioni, perché era la prima volta che assistevano al battesimo di un adulto.

Il parroco aveva chiuso un occhio sul fatto che Simon era ebreo. In tempo di guerra, tutti chiudono gli occhi. Anche lo Spirito Santo.

Aveva asperso la testa di Lucien con l'acqua santa. « Il bambino Lucien che voi presentate, padrino e madrina, sta per ricevere il sacramento del battesimo: nel suo amore, Dio gli darà una nuova vita. Rinascerà dall'acqua e dallo Spirito Santo. Abbiate cura di farlo crescere nella fede, perché questa vita divina non sia indebolita dall'indifferenza e dal peccato, ma si sviluppi in lui di giorno in giorno. »

Il parroco aveva dato il libretto di battesimo di Lucien a Hélène il 7 maggio 1939.

Tre giorni dopo, la mattina della partenza, Lucien si era svegliato e non aveva visto Hélène addormentata accanto a lui. Non era mai successo. Si era chiesto se non fossero le avvisaglie della malattia di suo padre. Si era strofinato gli occhi a lungo. L'aveva cercata e chiamata, ma invano.

Alla fine, aveva trovato un foglio bianco sul tavolo della cucina. Era pieno di buchi, fatti da Hélène con un ago da cucito. Facendoci scorrere le dita sopra, Lucien aveva letto: « Ritorna, figliolo mio caro, mio tenero fratello, mio caro amico, ritorna ».

Il giorno del sorteggio, Lucien aveva barato. Hélène aveva visto i due berretti. Il primo in cui mettere il nome di tutti; il secondo già precedentemente riempito di foglietti con un unico nome: Simon.

Poco prima del sorteggio, Lucien aveva offerto un giro a tutti e, nella ressa, aveva scambiato i berretti sotto il bancone.

Hélène aveva affondato le dita nel secondo berretto e Lucien aveva finto di scoprire il nome del suo padrino.

Quella sera, spazzando la segatura, Hélène aveva trovato ventinove bigliettini con su scritto Simon *nascosti dietro le bottiglie vuote. Non era stata in grado di leggerli, ma li aveva spazzati via e fatti sparire nel canaletto di scolo, perché nessuno li trovasse. Quello che Hélène non poteva sapere era che i nazisti stavano per fare esattamente la stessa cosa.*

Simon era arrivato in un giorno di neve nel 1938. Era entrato dalla porta sbagliata, quella sul retro, quella della rimessa, quella di chi chiede scusa. Aveva bevuto il caffè e, con un pesante accento straniero, aveva spiegato a Lucien che era fuggito dalla Polonia per cercare rifugio nel Paese dei diritti umani e che, da allora, aveva preso l'abitudine di non entrare più dalle porte principali. Il suo unico bagaglio erano una custodia con dentro un violino e una giacca.

Simon aveva cinquant'anni. Faceva il liutaio, ma il suo laboratorio era stato saccheggiato e bruciato. Prima di lasciarlo tra le rovine, e credendolo morto, qualcuno gli aveva inciso sulla fronte con un coltello żydowski, *ovvero « giudeo ».*

La cicatrice era ancora visibile, soprattutto se esponeva la fronte al sole per qualche tempo. Proprio per evitarlo, indossava sempre un cappello. Era alto e allampanato, e le mani robuste contrastavano col resto del corpo fragile. I capelli grigi e crespi erano così densi che la pioggia non riusciva neppure a inumidirgli il cranio.

Prima di parlare, sorrideva. Come se nessuna parola potesse uscire dalla sua bocca senza la compagnia di un sorriso.

Lucien e Hélène gli avevano proposto di rimanere lì con loro per qualche giorno. Poteva occupare la stanza del bambino, un bambino che prima o poi sarebbe arrivato ma che, intanto, sembrava prendersela comoda.

Gli avevano offerto vitto e alloggio e, in cambio, lui avrebbe suonato il violino nel bistrot per intrattenere i clienti, sempre più depressi per via della guerra imminente. Ma Simon aveva paura. Paura che il suono del violino potesse attirare i predatori.

Si era tolto il cappello – per la prima volta –, si era grattato la testa e, alla fine, si era offerto di suonare il violino per loro due soltanto. Nel giro di qualche ora, era diventato un amico. Un vero amico, uno di quelli che emanano bontà con la loro semplice presenza.

Per Simon, Lucien era un intellettuale trasformatosi in cameriere per amore. Quel ragazzone avrebbe potuto benissimo insegnare, invece che servire vino tutto il giorno. Ma aveva scelto di avere un'unica studentessa, Hélène.

Dal canto suo, per comprendere la dedizione di Lucien, aveva solo dovuto aspettare che Hélène gli si avvicinasse per dare qualche punto al maglione mangiato dalle tarme.

29

« Cognome. Nome. »

« Neige. Justine. »

Lui scrive sul computer. Con due dita. Non credevo nemmeno che esistesse ancora qualcuno capace di scrivere con due dita. Pensavo che gli ultimi esemplari si fossero estinti alla fine degli anni '80.

« Data di nascita? »

« 22 ottobre 1992. »

« Da quanto tempo lavora alle Ortensie? »

« Da tre anni. »

« Come... »

« Aiuto infermiera. »

S'interrompe e mi scruta. « Neige... Il suo cognome mi dice qualcosa... Cosa fanno i suoi genitori? »

« Sono morti in un incidente stradale. »

« È successo da queste parti? »

« Sulla strada nazionale, all'uscita di Milly in direzione Mâcon. »

« In che anno? »

« Nel 1996. »

Si alza di scatto, facendo sbattere la sedia con le ruote contro una scaffalatura in ferro. « Neige. Ma certo, Neige. L'incidente stradale. Sono andato sul posto, quel giorno... Il sottufficiale Bonneton aveva anche condotto un'indagine. »

Troppe informazioni in una sola frase. Starsky ha visto i miei genitori. Morti. E il sottufficiale... Coso aveva avviato un'indagine. Ma per quale motivo? « Un'indagine? »

« Sì. C'era qualcosa che non quadrava sulle circostanze dell'incidente... »

« Credo che lei si stia confondendo. I miei genitori sono slittati su una lastra di ghiaccio. »

« Forse. »

Insisto: « È scritto sul giornale ».

Mi guarda, recupera la sedia, si rimette seduto e preme INVIO. « Bene. Torniamo nella stalla, prima che scappino i buoi! I nostri buoi anzianotti! Si è fatta un'idea su chi possa essere l'autore di queste telefonate? »

« No. »

« Eppure nelle ultime settimane le chiamate anonime sono raddoppiate. Non ha notato nulla d'insolito sul posto di lavoro? »

« I miei nonni... lo sanno? Sanno che avete aperto un'inchiesta dopo l'incidente? »

« Come si chiamano i suoi nonni? »

Ha gli occhi di una cavalletta. Di quelle verdi che entrano in casa d'estate e ti pizzicano se provi a prenderle. Non sono forse le cavallette che uccidono i maschi dopo l'accoppiamento? « Armand ed Eugénie Neige. »

« Non credo. Si è trattato di un'indagine interna. »

« E allora? »

« 'Allora' cosa? »

« L'indagine. Che esito ha dato? »

« Nessun esito. Abbiamo chiuso il dossier. Lei invece... Ho saputo che fa molte ore di straordinario, alle Ortensie. » Mi guarda con aria di disprezzo. Come se d'un tratto avessi cominciato a puzzare. Lo immagino più comprensivo verso i rapinatori di banca che verso i dipendenti che fanno ore di straordinario non retribuite.

«È perché mi ci trovo bene... Questo dossier invece... Potrei vederlo?»

Lui tira su col naso e poi, come in un pessimo telefilm poliziesco tedesco, mi dice: «Sì. Se scopre chi è il Corvo delle Ortensie».

Uscita dalla stazione di polizia, vado direttamente alle Ortensie senza passare da casa. Voglio vedere Hélène. Ho bisogno di abbracciarla. Di respirarla. Dopo, mi sento sempre meglio. Come alla fine di una lunga passeggiata.

Mi precipito negli spogliatoi per cambiarmi. Prendo servizio alle cinque perché, ancora una volta, ho accettato un cambio di turno con Maria.

Passo davanti alla porta della stanza 12 e sento che Madame Dreyfus mi sta chiamando. Vuole notizie di Micione, un enorme gatto selvatico cui dava da mangiare prima di essere ricoverata qui. Adesso sono io che mi occupo di riempirgli la ciotola di croccantini tre volte alla settimana. Le prometto di scattargli una polaroid quanto prima.

Proprio in quel momento mi telefona Comesichiama. Sembra che faccia apposta a non pronunciare mai il suo nome di battesimo. Dice solo: «Sono io».

Ho il turno di notte, oggi non posso «vederlo».

«Non importa, passo a prenderti domattina», replica.

«Ma io finisco alle sei.»

«Non importa, ti aspetto lì davanti alle sei e cinque.»

Sono tentata di rispondergli che va bene, perché sarebbe la prima volta che una persona con meno di ottant'anni mi aspetta da qualche parte. Però gli dico di no. Quando finisco il turno di notte, ho bisogno di tornare a casa. Da sola.

30

Annette è nata a Stoccolma nel 1965. Jules ha conservato il suo passaporto. Nella foto somiglia ad Agnetha, la biondina degli ABBA. È sicuramente per questo che mia madre, Sandrine, l'aveva scelta come amica di penna nel 1977, ai tempi delle medie. Mia madre aveva scelto lo svedese come materia facoltativa perché era una fan degli ABBA, anche se può sembrare strano, visto che cantavano in inglese. Quanto ad Annette, desiderava un'amica di penna francese perché la Francia vantava la più ampia superficie di vetrate al mondo (90.000 m^2), e lei voleva diventare maestra vetraia.

Jules ha conservato la loro corrispondenza: sette anni di lettere in inglese. All'inizio, l'una descriveva all'altra la sua camera, il suo gatto, il suo pesce rosso oppure i suoi gusti e i suoi hobby e rivelava quanti figli avrebbe avuto. Ogni volta che viaggiavano, si spedivano una cartolina.

Per come vanno normalmente queste cose, avrebbero dovuto smettere di scriversi abbastanza in fretta perché, alle scuole medie, c'è ben altro da fare che scrivere lettere in inglese a una sconosciuta. Ma quelle due ragazze non erano affatto normali. Avevano iniziato a scriversi nel 1977 e si erano incontrate nel 1980. In seguito, si erano riviste ogni anno. Finché non erano morte insieme.

Col passare del tempo, le lettere diventano sempre più personali. Entrambe raccontano delle loro famiglie, dei loro amori; riversano sulla carta gioie, delusioni e desideri. Si spediscono fotografie, soprattutto polaroid che io e Jules ci siamo divisi. Alcune le abbiamo tagliate in due, perché ciascuno potesse tenersi la parte che gli interessava.

Grazie ad Annette, ho imparato cose su mia madre che nessun altro mi avrebbe potuto raccontare. Ho scoperto, per esempio, che aveva trascorso l'infanzia nella portineria di un palazzo in rue du Faubourg Saint-Denis, dato che sua madre era portinaia. Non aveva mai conosciuto suo padre. Nelle lettere, racconta la vita in quel palazzo, descrive gli inquilini, i proprietari, lo spazio angusto in cui ballava ascoltando *Gimme! Gimme! Gimme!* degli ABBA, *Let's All Chant* della Michael Zager Band, *Everybody's Got to Learn Sometimes* dei Korgis, *Fade to Grey* dei Visage.

Mia madre ha sempre amato la musica, di ogni genere. È dunque piuttosto ovvio che si sia innamorata di mio padre, dato che lui ha sempre desiderato aprire un negozio di dischi.

La mamma faceva parte di una compagnia teatrale chiamata Plume Paradis. Credo fosse spiritosa e allegra, perché nelle foto è sempre quella che ride di più. Ha i capelli scuri tagliati all'altezza delle spalle, è bassa e rotondetta, e con un sorriso da attrice hollywoodiana.

Nel 1983, compiuti diciott'anni, Annette e Sandrine erano andate in campeggio dalle parti di Cassis. Avevano piantato la tenda vicino a una cala a venti minuti dal porto. Passavano le giornate a nuotare e a mangiare frittelle di mele.

Jules ha un piccolo diario su cui Annette ha scritto un sacco di frasi in svedese che abbiamo tradotto grazie a Internet. Frasi del tipo:

La luce è bianca.
È come se qualcuno avesse strofinato le case con la candeggina: non c'è una macchia.
Ha un buon profumo.
Ci asciughiamo senza asciugamani.
C'è lo zucchero sulle frittelle.
Gli insetti cantano.
Non mi ero mai presa una scottatura: è come uno schiaffo, ma dura di più.

Sei giorni dopo, mentre comprano un gelato al porto, incontrano Alain e Christian Neige.

Sul diario di Annette, si legge:

Ho subito notato la differenza tra i due: l'uno non fa che guardarmi e l'altro no.
Ripartono domani.
Ripartono dopodomani.
Ripartono la settimana prossima.
Rimangono con noi sino alla fine della vacanza.

L'anno dopo, Sandrine e Annette avevano incontrato Christian e Alain a Lione; dovevano trascorrere l'estate con loro. Alla stazione di Lione-Perrache, i gemelli le aspettavano a bordo di una Due Cavalli verde decappottabile. La cosa aveva suscitato grandi risate.

C'erano stati altri incontri dopo Cassis, però non si erano mai ritrovati tutti e quattro insieme. Alain era andato due volte a Stoccolma, ospite della famiglia di Annette. Christian, invece, era diventato un assiduo frequentatore di rue du Faubourg Saint-Denis. Dopo la sua seconda visita a Stoccolma, Alain aveva chiesto la mano di Annette, cosa che lei aveva trovato molto romantica ma un po' affrettata. Del resto, aveva solo diciannove anni.

In ogni caso, Annette aveva deciso di trasferirsi in Francia per studiare l'arte vetraria. Aveva trovato un maestro da cui fare apprendistato nella zona di Mâcon, ad appena un centinaio di chilometri da Lione. A quel punto, anche Sandrine aveva deciso di stabilirsi a Lione con Christian. Dovevano soltanto trovare un appartamento per quattro.

I gemelli erano iscritti alla facoltà di musicologia a Lione: si erano messi in testa di diventare compositori e di aprire un negozio di dischi in cui vendere, tra l'altro, le rarità discografiche che erano la passione di Christian.

Avevano impiegato tre giorni per raggiungere Milly, benché distasse solo centosettanta chilometri da Lione. Infatti, tutte le volte che vedeva una chiesa, Annette gridava: « Stop! »

Mentre lei esaminava e fotografava ogni vetrata, gli altri tre ne approfittavano per bere qualcosa.

Decine di chiese dopo, la Due Cavalli si era finalmente fermata davanti al cancello. Era il 14 luglio e i bambini facevano esplodere petardi sui marciapiedi.

Alla radio davano in loop *Smalltown Boy* dei Bronski Beat.

Il padre del mago che si è esibito alle Ortensie è un mio vicino di casa. E mi ha raccontato che erano uno spettacolo, insieme. E che la cosa più bella erano i capelli biondi di Annette. E anche il suo viso. Non aveva mai visto una ragazza così carina: fino ad allora, donne di quel livello erano state esclusivo appannaggio delle foto nella guida TV. Mi sono poi ricordata che, quand'ero piccola, era stato proprio lui a dirmi: « Era un bel bocconcino, tua zia ». Io non sapevo cosa significasse « bel bocconcino » e, pensando ai dolci della nonna, mi ero convinta che lui avesse trovato chissà quale somiglianza tra lei e un bocconcino alle fragole.

Erano scesi tutti e quattro dalla Due Cavalli cantando *Run away, turn away, run away, turn away, run away,* imitando la voce di Jimmy Somerville. Poi avevano abbracciato la nonna. Anzi, per essere precisi: i gemelli avevano abbracciato la nonna e la nonna aveva stretto la mano di Sandrine e Annette. Quindi si erano piazzati sotto il gazebo (è così che lo chiamiamo, qui, benché siano solo quattro assi di legno con un canniccio di vimini sopra).

Sul tavolo in ghisa, la nonna aveva posato una bottiglia di porto, cubetti di ghiaccio e sei bicchieri, aggiungendo che Armand stava per rientrare.

Quel giorno, la nonna aveva preparato il cuscus di pesce. Non è un piatto tipico del 14 luglio, ma i gemelli avevano insistito.

31

L'ora solare.

« Buongiorno, Madame Mignot. Stanotte è cambiata l'ora. Bisogna portare indietro la sveglia. »

« Le dirò, per me qui è sempre la stessa ora. »

32

La domenica più folle da quando lavoro qui. Nemmeno Jo e Maria avevano mai visto niente del genere.

Anche la replica della messa ne ha risentito: alle undici, davanti al grande schermo della sala TV non c'era nessuno.

Ieri, tra le due e le tre e mezzo del pomeriggio, dalla stanza di Monsieur Paul sono partite quindici telefonate. Dirette esclusivamente a quei familiari che vivono a più di trecento chilometri da qui. A quanto pare, il nostro telefonista anonimo è veramente organizzato. Inoltre, secondo Madame Le Camus, utilizza qualcosa per modificare la voce.

« Buongiorno, chiamo dalla casa di riposo Le Ortensie di Milly, siamo dolenti di dovervi informare del decesso di... Siete pregati di presentarvi in accettazione domani mattina entro le undici, ora del trasferimento del corpo alla camera mortuaria, al numero 3 di rue de l'Église, a Milly. Le nostre più sentite condoglianze. »

Alle famiglie residenti in zona, invece, la telefonata è arrivata ieri sera dopo le undici: così nessuno poteva presentarsi prima di stamattina.

Ieri sera ero di turno. Sono passata da Monsieur Paul verso le dieci, ed era solo. Se Peter Falk fosse ancora tra noi, sono sicura che risolverebbe il mistero in quattro e quattr'otto.

Madame Le Camus è indaffaratissima, e Starsky e Hutch stanno perquisendo le stanze delle «vittime». Sembra di stare in una serie americana. Con gli sbirri un po' meno sexy, però.

Tutte le famiglie coinvolte hanno deciso di sporgere denuncia contro le Ortensie. E le Ortensie hanno sporto denuncia a carico d'ignoti. Si ha il diritto di sporgere denuncia a carico d'ignoti quando si è tra i dimenticati della domenica?

Ma è stata la domenica più bella che ricordi: l'accettazione, i corridoi, la sala relax e la sala TV erano vuoti. Il nostro mago se n'è tornato a casa col suo stuolo di pennuti, Chaplin è rimasto nel suo DVD e *Le petit bal perdu* nel microfono.

Roman è venuto a trovare Hélène. Ma non l'ho incrociato. Ero troppo occupata a dare notizie dei vivi ai vivi.

Quando sono passata a salutare Hélène, prima di uscire, lei aveva ancora addosso il suo profumo. Così mi sono trattenuta per qualche minuto. Mi sono seduta accanto a lei e le ho letto alcuni brani dal mio quaderno.

A partire dal 4 ottobre 1940, tutti i «cittadini stranieri di razza ebraica» rischiano di essere internati in «campi» a loro destinati. Simon non esce più dalla cantina del bistrot. Hélène e Lucien hanno fatto credere ai clienti che se n'era andato così, dall'oggi al domani, senza lasciare un recapito.

Il comune di Milly si trova nella zona di occupazione. La polizia francese vigila, perlustra, perquisisce. Ufficiali tedeschi entrano nel bistrot, prendono qualcosa e ripartono.

Quando arrivano, è sempre Lucien a servirli. Non appena

aprono la porta, lancia un segnale di avvertimento a Simon assestando una pedata contro una botola di acciaio posta dietro il bancone. Dalla cantina si sente ogni minimo colpo.

A quel punto Simon corre a nascondersi – non senza difficoltà e con l'aiuto di un predellino – dentro un controsoffitto realizzato dal padre di père Louis. E rimane lì, sospeso, finché Lucien non viene a liberarlo. Da quel nascondiglio, infatti, non può tirarsi fuori da solo: una volta richiuso, il portello va sbloccato dall'esterno.

Dopo aver allertato Simon, è la volta di Hélène. Per avvisarla che è meglio restare in disparte, ci sono due codici: abbassare il volume della radio posata su una mensola dietro il bancone o staccare la foto di Janet Gaynor dagli scaffali e appenderla alla porta della cucina. Come se, per spolverare, fosse necessario spostare il ritratto. Abbassare il volume della radio significa: i tedeschi si stanno facendo un goccetto. Spostare Janet: polizia francese, milizia, Gestapo, sconosciuti dall'aria losca.

La sera, quando il bistrot è chiuso e le sedie sono disposte sui tavoli, Lucien e Hélène raggiungono Simon in cantina. Cenano insieme con una zuppa di topinambur e un pezzo di pane nero, e intanto ascoltano la radio.

Simon ha smesso di suonare il violino. Guarda lo strumento chiuso nel suo astuccio come se fosse una parte di sé infilata in una bara.

A tarda sera, Lucien e Hélène tornano nella loro stanza. Lucien vuole un bambino. Sogna di fare un figlio con lei. Ma Hélène non rimane incinta, e lui dice che è perché non lo ama davvero.

Hélène si è addormentata.

Fine della giornata. Fine della domenica.

Hélène si è ritirata sulla sua spiaggia, e io sto per rintanarmi in quella che un tempo era la camera di mio padre.

Nello spogliatoio, mi accorgo di tre chiamate perse sul cellulare da parte di Comesichiama. Io non gli telefono mai. Se è al Paradis, può essere piacevole. Se non c'è, non c'è.

Ma vedere questi falsi orfani sfilarmi davanti tutto il santo giorno non mi ha lasciato indifferente. È come se Ferragosto fosse piombato sul giorno di Ognissanti per fargli una sorpresa.

Digito il suo numero per la prima volta. Uno squillo e poi mi dice, diretto: « Vieni? »

« È tardi, sono stanca morta. »

« Vieni? »

« Non mi reggo sulle gambe. »

« Ti reggo io. Vieni? »

33

« Come va, Hélène? »

« Nel 1943, ho detto a Lucien: 'Non ti preoccupare, non abbiamo nemici'. Lui mi ha risposto: 'Finché vivrò con una donna bella come te, di nemici ne avrò un sacco'. E il giorno dopo si è fatto arrestare. »

Chiude gli occhi.

« È stato tanto tempo fa. Adesso siamo in vacanza. »

Mentre mi racconta la sua vita per la centesima volta, passo lo strofinaccio sul pavimento della stanza, cercando d'immaginare la sua spiaggia.

Roman apre la porta. Cammina in punta di piedi, evitando le zone ancora bagnate. Panico improvviso, gambe molli, stupida goffa imbranata che non sono altro, calcio maldestro al secchio, pozzanghera, io che mi chino ad asciugare.

Da sotto la frangia, lo guardo adagiare tenerezza sui capelli di Hélène. Li guardo entrambi da questo mondo, lei nel suo limbo, lui nel suo stato di grazia.

« Parto domani. Starò via per due mesi. »

Le sue parole mi colpiscono dritte al cuore. « Due mesi? » farfuglio.

« Un servizio fotografico in Perù. »

« In Perù? »

« Nelle isole Ballestas. Devo fotografare le sule. »

« Un esule per motivi politici? »

Mi guarda come se fossi un'imbecille totale. «No... intendevo gli uccelli.»

Se la vergogna potesse uccidere, sarei già morta e sepolta accanto ai miei genitori.

«Fotografo gli uccelli marini in tutto il mondo. Gabbiani, cormorani, albatros, sule, fregate.»

Riprendo a pulire la camera. Vorrei dirgli che non è necessario che vada in capo al mondo per fotografare gli uccelli marini, che ce n'è uno sul tetto delle Ortensie, che quell'uccello in particolare avrà chissà quali storie da raccontare: ben altro rispetto a quello che scrivo nel quaderno azzurro. Ma non lo faccio. Viviamo tutti due esistenze separate, una in cui diciamo ciò che pensiamo e un'altra in cui ce lo teniamo per noi. Una vita in cui le parole passano sotto silenzio. «Torni per Natale?»

Sorride. Un sorriso timido. Quasi una smorfia. Abbassa lo sguardo. «Sì. Almeno spero. E tu? Ci sarai?»

«Io sono sempre qui.»

«Ma non ti annoi mai?»

«Mai.»

«Eppure il tuo mi sembra un lavoro duro...»

«Altroché. E ho solo ventun anni. Le mie colleghe sono più vecchie di me. E hanno tutte iniziato più tardi. Questo è spesso un secondo lavoro. Alla mia età, non è normale vedere tutti questi corpi malridotti. Ecco, volevo dire che... è una violenza. E poi c'è la morte... Nei giorni in cui c'è un funerale, chiudo le finestre perché le campane della chiesa si sentono fin qui...»

«Qual è la cosa più difficile?»

«È sentire frasi come: 'Non si ricorda mai le mie visite, quindi non verrò più'.»

Silenzio.

«Perché non cerchi un altro lavoro?»

«Perché in nessun altro lavoro potrei ascoltare le storie che mi raccontano gli anziani che vivono qui.»

«Posso farti una foto?»

«Uh, è una cosa che odio...»

«Tutto torna. La gente che ama farsi fotografare non m'interessa.» Tira fuori un'enorme macchina fotografica dalla borsa e ci si nasconde dietro.

«Ma... sono spettinata.»

«Justine, se posso permettermi... tu sei sempre spettinata.»

Lo dice come se mi conoscesse da una vita.

Jules potrebbe dirmi cose di questo genere. Ma lui, in fondo, lo conosco da così poco tempo. Però è vero che i miei capelli resistono a pettini, spazzole, elastici, forcine. Ho sempre l'aria di uno straccivendolo. Almeno così dice la nonna. Ci sono ragazze che sembrano sempre appena uscite dal parrucchiere. Per me vale il contrario.

«Non ho avuto una madre, perciò non so farmi le trecce e compagnia bella.»

«Come sarebbe a dire che non hai avuto una madre?»

«Se n'è andata quando avevo quattro anni. Non ha avuto il tempo d'insegnarmi le cose... da ragazza.»

«Io ti trovo molto bene.»

Avrebbe potuto dire: io ti trovo molto bella o molto carina o non importa o tu mi piaci così come sei o così puoi andare.

Invece ha detto: molto bene. Molto bene. Come una valutazione a una prova scritta.

«Devo... togliere il camice?»

«Assolutamente no. Continua a parlare.»

«Sai, anch'io ho una macchina fotografica. Una Polaroid. Scatto foto a mio fratello e le appendo sopra il letto dei residenti che non hanno una famiglia. Perché è bello.

E, appeso al muro, sembra il figlio perfetto. Fotografo anche paesaggi. Animali. Hai finito? Ma sono pochi i residenti che non hanno più una famiglia. Hai finito? »

« Sì, ho finito. Guarda, ho messo via la macchina fotografica. » Lo dice come se dentro la borsa portasse un fucile.

Hélène comincia a gridare: « Vengo con voi! Portatemi con voi! »

Roman mi rivolge uno sguardo interrogativo.

Io abbasso gli occhi. « Sta parlando dell'arresto di Lucien. »

« Sai com'è avvenuto? »

« Te lo scriverò. Preferisco che Hélène non mi senta. »

34

Dovresti abbinarci il top rosso, staresti meglio, ma come ti sei pettinata, oggi? Rimetti a posto camera tua, non lasciare le tue cose in giro, sei stata tu a fregarmi il rossetto? Va bene, tesoro, va bene, aiutami a sparecchiare, vieni con me al negozio, torno a prenderti per le quattro, mi hai chiesto un parere e io te l'ho dato, adesso non ho tempo, hai fatto i compiti? E quello cos'è? Hai visto che bello? Non ci vai, te l'ho comprato io, ti avevo detto di non cominciare, apparecchia la tavola, no, no, no, va bene, ma solo una volta, non fare troppo tardi, niente cioccolato, niente bibite gassate dopo le sei, non esci se prima non fai colazione, metti la giacca, fuori fa freddo, ma cos'è 'sto casino, ti sei lavata i denti? Forse è arrivato il momento di crescere, va' a farti una doccia, non ti preoccupare, niente di grave, ti voglio bene, buonanotte, ma come siamo belle stamattina, mi piace come ti sta, ha appena chiamato il prof di storia e geografia, è tardi, va' a dormire, la matematica è importante, va bene, tesoro, e questo ragazzo chi è? So che non ami leggere, ma ti piacerà, a che ora devo venirti a prendere? I suoi genitori cosa fanno? Spegni la luce, non andare in giro a piedi nudi, andiamo dal medico, non discutere, vieni qua, abbracciami, se non obbedisci chiamo tuo padre.

Avere una madre, anche rompiscatole, anche suonata, anche madre.

E invece non so mai se sto bene. Se sono a posto oppure no. E se abbia senso pensarci.

Ieri sera ho cenato con Comesichiama. Poco prima di andare al ristorante, mentre ero in bagno a sistemarmi, avrei tanto voluto fregare il rossetto a mia madre. La nonna non ce l'ha. Sulla mensola dello specchio ci sono solo una vecchia bomboletta di lacca Elnett, dei guanti da bagno e un vasetto di Nivea.

Comesichiama mi ha dato appuntamento in un ristorante giapponese. Mentre cercavo di mangiare il sushi con le bacchette, mi ha tempestato di domande. I miei genitori, mio fratello, i miei nonni, le Ortensie, le colleghe, la mia infanzia, le scuole medie, le superiori, gli ex...

Niente tempi morti, con lui; nessuna paura di passare per una di quelle coppie che a tavola non scambiano una parola, magari fingendo di ammirare il lampadario o il bouquet di girasoli stampato sul tovagliolo.

Poi mi ha detto che ero bella. E aveva un'aria talmente sincera, nel dirlo, da spingermi a interromperlo immediatamente, visto che lui invece non mi piace. Non mi piace fino a quel punto, cioè. Ma nessuno mi piace fino a quel punto. A parte Roman.

«Devo proprio andare. Ho promesso a mia madre che le avrei dato una mano, domattina.»

Mi ha fissato. «Credevo che tua madre fosse...»

«Morta. Ma mi aspetta al cimitero. Alle otto.»

«Vivi coi vecchi e coi morti. Sei proprio una tipa alternativa...»

«E tu non rientri in nessuna delle due categorie.»

«Ma non vivi ancora con me.»

«...»

«...»

«Dobbiamo smettere di vederci.»

«Domani sera al Paradis?»

«No. Domani sera sono di turno.»

«Ti riaccompagno?»

«No. Sono venuta con la R4 del nonno...»

In macchina, ho pensato a Comesichiama per la prima volta.

Passo il mio tempo a interrogare i residenti delle Ortensie, i miei genitori nella tomba, i miei nonni in cucina. Con lui, è il contrario. Sono io che rispondo alle domande.

E qualcosa dentro di me non è ancora capace di sbarazzarsene.

Comesichiama somiglia a uno di quei motivetti irritanti che ti ritrovi a canticchiare per ore perché non riesci a togliertelo dalla testa. Un giorno mi dico che è finita, che non voglio più vederlo e poi, quando arriva sulla pista del Paradis e mi bacia sul collo, non riesco a dirgli di levarsi dai piedi.

Non sono rientrata subito. Al cinema davano di nuovo *Il favoloso mondo di Amélie*. Lo adoro e ho un debole per Monsieur Dufayel... Un altro vecchietto.

La sala era vuota. Sono sprofondata in prima fila, al centro, e sono entrata nel mondo di Amélie leccando un pinguino cioccolato e fragola.

La felicità.

35

1943

Colpi di arma da fuoco. Dev'essere stato questo a svegliarla.

Sono solo le cinque del mattino. Hélène sussulta. Sente il rumore degli stivali al piano di sotto e poi quello del suo cuore, ancora più assordante. Lucien non è a letto. La cantina, pensa subito. Sarà sceso in cantina, come al solito. Il fatto che non ci sia luce non è certo un ostacolo: è da una vita che Lucien sa orientarsi al buio.

Hélène è nuda. La sera prima, hanno letto fino a tardi. Prende un vestito. Si abbottona saltando un'asola e scende a piedi nudi.

Sono al piano di sotto, in cucina. Sei in tutto: due indossano un'uniforme, due portano abiti civili e gli altri sono gendarmi che Hélène non ha mai visto. Puzzano di sudore e tabacco. La spogliano con gli occhi gelidi. Uno di loro ha un'arma. Dicono parole che lei non capisce.

In quel preciso istante, altri quattro uomini, due civili e due ufficiali, emergono dalla cantina con Lucien. Un filo di sangue gli cola dalla bocca. È pallidissimo. La guarda. Le sembra pelle e ossa. Come se fosse via già da tantissimo tempo. Come se mancasse da anni e non avesse appena trascorso la notte al suo fianco.

« Non scendere! Torna in camera! » le grida Lucien.

Senza dargli retta, scendendo i gradini due alla volta, Hélène replica: « Vengo con te ».

Ma Lucien le dice di no.

Ed è la prima volta che lo fa.

Allora lei si rivolge ai quattro uomini stretti intorno a lui: « Vengo con voi. Lasciatemi venire con voi ».

Uno va verso di lei e le assesta uno schiaffo d'inaudita violenza. Hélène sbatte la testa contro la ringhiera delle scale e si accascia, mentre in bocca avverte il sapore del sangue. Sente urlare Lucien. Sente gli spari.

Hélène è a terra, sdraiata. Vede i piedi di Lucien che si allontanano. Solo i piedi che si trascinano, senza scarpe, a terra, come fossero attaccati alle gambe di un fantoccio disarticolato. Non ha la forza di alzarsi.

Sente i suoi ululati nel petto. Sono quelli che sta trattenendo perché Lucien non li senta. I due gendarmi francesi che non aveva mai visto prima ridiscendono in cantina.

Cerca un appiglio alle pareti del corridoio per tirarsi su, ma le gira la testa. Prima di battere di nuovo il capo a terra, vede Simon. Un gendarme lo tiene per un braccio, l'altro per i piedi. I proiettili gli hanno fatto esplodere il cranio. Ha ancora addosso il maglione grigio, a punto grana di riso, che lei gli aveva fatto a maglia. Un punto dritto, uno rovescio. Uno dei gendarmi dice: « Dov'è che si seppelliscono gli ebrei? »

« Non so se questo va seppellito », borbotta l'altro.

Alle cinque e mezzo, silenzio.

Alle sei, Baudelaire la trova stesa in corridoio e l'aiuta a rialzarsi. « Un punto dritto, uno rovescio » è l'unica cosa che riesce a dirgli.

Hélène e Baudelaire scendono in cantina e trovano il violino e il cappello di Simon a terra. I pochi indumenti che lei aveva confezionato per lui sono stati bruciati. Il piatto vuoto della cena è posato su una cassetta di legno. Hanno mangiato tutti e tre in cantina, la sera prima. Una minestra acquosa di rape e patate. Per Simon, ogni pasto era motivo di gioia. Anche se il cibo era disgustoso, lui sorrideva.

Hélène guarda l'impronta del suo corpo sul vecchio materasso e l'accarezza col dorso della mano. Rivede il sangue e i brandelli di carne al posto del suo sorriso. Il suo sorriso, un punto dritto, uno rovescio. Si sdraia sul letto, sull'impronta di Simon, per offrire al ricordo ciò che non ha mai offerto a lui.

Nel corso degli anni, aveva sentito l'amore che Simon nutriva per lei trasformarsi e crescere, come cresce un bambino. Il bambino che lei e Lucien non riuscivano ad avere. L'amore di Simon era passato dall'infanzia all'adolescenza e, dopo qualche mese, aveva raggiunto la maturità. Era diventato adulto. Lucien se n'era accorto, ma aveva avuto la discrezione di rimanere in silenzio. Di tipi che lanciavano sguardi innamorati a Hélène ce n'erano già tanti, dall'altro lato del bancone.

Dove avranno portato il corpo di Simon? E perché non hanno arrestato anche lei?

Per giorni, gli abitanti del paese cercano una traccia di Lucien, una qualsiasi.

Lui e i suoi aguzzini hanno lasciato il paese a bordo di una camionetta il giorno stesso dell'arresto. Hélène domanda, implora, ma non ottiene risposte. In bici, si reca persino al quartier generale tedesco più vicino a Milly. È una villa requisita, in aperta campagna, in una località chiamata Breuil. Dopo aver pedalato per ore, riesce a incontrare un ufficiale che, in un francese approssimativo, le abbaia addosso che Lucien è stato arrestato per alto tradimento, avendo nascosto un ebreo. Ma Hélène non capisce le parole che l'uomo continua a ripeterle in tono minaccioso: « Royallieu, Royallieu ».

In preda al terrore, sente che deve andarsene. Sente che Lucien non è morto e che lei deve fare soltanto una cosa: rimanere in vita. Risale in bici e si avvia per tornare al bistrot. Intanto scende la notte, perciò le ci vogliono diverse ore per rientrare: ogni volta che sente il rumore di un'auto, si nasconde nel fosso al margine della strada per non farsi vedere.

Finalmente arriva al bistrot. Sono ormai le tre o le quattro del mattino. Il paese è silenzioso. Eppure le sembra di sentire parlare qualcuno. Che sia il responsabile della soffiata? Ma chi può essere stato, dei loro clienti?

Ha le ginocchia sbucciate dai rovi. Sanguina, ma non sente male. Ha bucato la ruota posteriore. Entra nel bistrot blu notte. Spalanca le finestre e poi si siede a un tavolo, in attesa che il sentore mascolino di sudore e tabacco si disperda. Ripensa alle parole dell'ufficiale: Royallieu. *Che significa? Ripensa a Simon, al fatto che nessuno sappia dove sia il suo cadavere.*

Nel silenzio del bistrot, trafitto dal vento che entra dalle imposte aperte, comincia pian piano a rendersene conto. Poi, d'un tratto, capisce: il gabbiano non c'è più. È talmente abituata alla sua presenza da non essersene nemmeno accorta. Però è da un giorno intero che non lo vede. Che non lo sente. Hélène esce di nuovo. La chiesa è immersa nell'oscurità. Il cielo è nero. Il quarto di luna è nascosto da un nuvolone. Niente. Lo chiama, fa un passo indietro e guarda il tetto del bistrot. Niente.

Il gabbiano se n'è andato. È la prima volta da quel giorno, a scuola. Ha dovuto seguire Lucien.

Hélène riflette, ma le basta un istante per capire. Finché non rivedrà il gabbiano, Lucien sarà ancora vivo.

36

Entro in camera di Jules. Sta giocando online. Non mi può sentire, ha le cuffie. Lo guardo disintegrare un ufficiale tedesco dopo l'altro. Almeno mi pare siano tedeschi. Alla fine gli tocco una spalla. Lui sobbalza. Si gira. Si toglie le cuffie.

« Ho bisogno che tu mi faccia una ricerca su Internet. »

« Adesso? »

« Mi serve una data. Scrivi: 'Kommando Dora'. Kommando con la K. Dora come *Dora l'Esploratrice.* »

« Che diavolo è? »

« Una fabbrica sotterranea allestita dai nazisti. I prigionieri ci fabbricavano razzi. »

Jules mi guarda come se non avesse capito. « E perché lo cerchi? »

« Perché conosco qualcuno che è stato deportato lì nel dicembre del 1943. »

« Chi? »

« Tu non lo conosci. Faceva parte di un convoglio partito da Compiègne. »

Se prima non gli spiego tutto, Jules non cercherà nulla.

« Lucien Perrin, l'amante di Hélène Hel, è passato da un campo di transito chiamato Royallieu-Compiègne. In seguito, è stato deportato a Buchenwald. »

Jules digita *Kommando Dora.* Appare l'elenco dei deportati.

«14 dicembre 1943. Il convoglio è arrivato due giorni dopo a...» - ha qualche difficoltà a pronunciarlo - «... Buchenwald.»

«Sì. E da Buchenwald è stato immediatamente trasferito nella fabbrica sotterranea di Dora.»

Jules legge i passaggi che descrivono le condizioni di vita laggiù. Mai il cielo di giorno.

Su di noi cala il silenzio. L'ultima volta che ricordo un silenzio simile, tra me e Jules, è stata quando gli altoparlanti hanno smesso di funzionare.

All'improvviso, dalle cuffie prorompe una serie di detonazioni. È *Faces of War,* il suo videogame.

«Lucien era in grado di fare qualsiasi cosa al buio. Avrà sicuramente tollerato l'oscurità meglio degli altri prigionieri.»

Jules non sembra molto convinto. «Ma quei prigionieri... sono morti quasi tutti. Lui come ha fatto a venirne fuori?»

37

Se non ci fosse stata la guerra, avrebbe fatto la pipì in tutta calma, si sarebbe rasato, l'avrebbe svegliata con un bacio sul collo, si sarebbe infilato una camicia qualsiasi, avrebbe aperto il bistrot sollevando leggermente la porta – dato che il legno aveva ceduto a causa dell'umidità –, avrebbe acceso la radio, fischiettando una canzonetta sciocca, oggi è domenica, e allora andiamo a farci un bagno nella Saône.

Sulla camionetta che lo conduce a Royallieu, non fa che pensare a tutto ciò che sarebbe successo se la guerra non gli avesse fatto quel mostruoso sgambetto.

Quando il telone si solleva di qualche centimetro, scorge un tratto di strada, un frammento di cielo, un gabbiano o un albero. E, quasi fosse un pittore, ridisegna i giorni per come avrebbero potuto essere, ricucendo gli ultimi anni.

Non ci sarebbe stato nessun Simon alla porta sul retro, nessun Simon padrino e violinista, non ci sarebbe stata nessuna vita a tre, senza un bambino a inorgoglire i giorni di Lucien. In cantina ci sarebbero state solo bottiglie stipate l'una sull'altra, formaggio di capra e prosciutto crudo, che avrebbe tagliato a fette spesse con mano sicura.

Se non ci fosse stata la guerra, Simon non avrebbe mai guardato Hélène, non avrebbe mai abbassato gli occhi in sua presenza. Non avrebbe dormito nella camera da letto del bambino prossimo venturo, né sarebbe finito su un materasso in cantina. Non avrebbero cenato insieme ogni sera, per un anno, per due anni e poi per tre. Se non ci fosse stata la guerra, Hélène non avrebbe trascorso ore in cantina quando gli aerei tedeschi sorvolavano Milly. Se non ci fosse stata la guerra, non avrebbe riaperto gli occhi lentamente per guardare Simon suonare il violino durante i bombardamenti. Non sarebbe rimasta seduta su un portabottiglie, dritta come un fuso, con le palpebre chiuse e con le mani incollate alle orecchie, pregando quel suo Dio da quattro soldi. Se non ci fosse stata la guerra, lei non avrebbe trascorso ore intere a guardare le mani del violinista, le sue braccia, il suo profilo, il suo corpo in movimento. Se non ci fosse stata la guerra, non avrebbe fatto quel maglione, stringendo i ferri sotto le ascelle. Quel maglione da cui il musicista non si separava mai e che sfiorava di continuo con la punta delle dita. Se non ci fosse stata la guerra, lei non avrebbe sistemato i pantaloni che lui, Lucien, non usava più per darli a Simon.

Se non ci fosse stata la guerra, lui non avrebbe sentito quegli uomini bussare con violenza contro la porta del bistrot alle cinque del mattino, per poi precipitarsi in cantina e agguantarlo. Non avrebbe visto la disperazione negli occhi di Simon quando avevano aperto la botola, facendolo stramazzare a terra come un sacco di patate, tanto era magro. Non li avrebbe visti tempestarlo di calci e poi spargli neanche fosse un cane. D'altronde, non aveva mai visto nessuno sparare, nemmeno a un cane. Se non ci fosse stata la guerra, non sarebbe arrivato il mattino in cui avrebbe lasciato Hélène da sola. Non sarebbe sceso in cantina per parlare con Simon.

Non lo avrebbe visto pregare alla luce di una candela, gli occhi chiusi, le labbra intente ad articolare parole silenziose. Non si sarebbe domandato cosa mai stesse raccontando a Dio. Se gli stesse parlando di Hélène. E Simon, avvertendo la sua presenza, non avrebbe aperto gli occhi né sorriso. E lui non avrebbe odiato il sorriso di Simon, quello specchio di forza e di bellezza che attirava sempre di più Hélène in cantina. Se non ci fosse stata la guerra, non sarebbe diventato il genere di stronzo che si riempie il bicchiere di alcol adulterato, che si fa rodere il cervello da una gelosia inconfessata, e che racconta a Dominique Latronche, il Giuda del paese, come nella sua cantina ci sia modo di nascondere qualcuno dietro una botola costruita anni prima dal padre di père Louis. E che lo ripete, lo ripete, lo ripete, fissando Latronche, che continua a versargli da bere e glielo fa ripetere. Se non ci fosse stata la guerra, non sarebbe seduto su quella camionetta, tutto coperto di lividi, schifato di se stesso e in preda alla disperazione, pensando che, se il gabbiano sorvola il suo convoglio, allora vuol dire che Hélène lo ama.

38

Da piccola, a Lione, vivevo in un palazzo con uno scivolo tritarifiuti. Ricordo solo questo. Aprivo le sue fauci nere e ci scaricavo dentro i sacchetti dell'immondizia.

Li sentivo ruzzolare contro le pareti. Quella voragine spalancata aveva un alito di cesso e mi terrorizzava perché ero sicura che, un giorno o l'altro, la bestia che nutrivamo di spazzatura mi avrebbe risucchiato e trascinato via.

E infine era successo. Una mattina in cui mi sono risvegliata a casa dei nonni. Nel giardino c'era stato un incendio. Ancora in pigiama, avevo raggiunto il nonno di sotto. Lui aveva gli occhi rossi e io avevo pensato che fosse a causa del fumo. Gli avevo detto: « Ma, pépé, perché stai bruciando il giardino? »

Lui aveva risposto: « A ottobre si bruciano le erbacce. Prima del cambio dell'ora. È quasi inverno, bisogna aiutare la terra, questo fuoco è come un cappotto, ieri i tuoi genitori hanno avuto un incidente, tu e Jules verrete a stare da noi ».

L'aveva detto in un sussurro. L'avevo guardato e ricordo benissimo, nitidamente, di essermi detta: *Tanto meglio, così non dovrò più andare all'asilo.*

In seguito, avevo scoperto che non stava bruciando le erbacce, bensì i due alberi da frutto che aveva piantato il giorno in cui erano venuti al mondo i suoi figli. Il nonno li aveva abbattuti, cosparsi di benzina e dati alle fiamme.

Qualche tempo dopo Thierry Jacquet, un compagno di classe, mi aveva chiesto come ci si sentiva ad avere i genitori morti, e io gli avevo risposto: « Ti fa vedere il fuoco a ottobre ».

« Mémé? »

L'ho svegliata. Si era assopita mentre le toglievo i bigodini.

« Sì. »

« Se Jules prende il diploma, bisognerà iniziare a cercare un appartamento a Parigi, da luglio. Forse anche da prima. »

« Certo. »

« Poi se la sbrigherà da solo. Farò un bonifico sul vostro conto e voi gli girerete un assegno dicendogli che è l'eredità dello zio Alain. »

« Va bene. »

« E non saprà mai che quei soldi arrivano da me. »

« Se è così che vuoi... »

« Nel modo più assoluto. Mi ucciderei, se mio fratello dovesse giurarmi gratitudine eterna. Non me lo toglierei più dalle palle. »

« Justine! Modera i termini! »

« Come? I termini? Meglio quelli che usi tu per mentirmi? » Ho urlato così forte che lei ha alzato la testa piena di bigodini e si è voltata, come per accertarsi che fossi stata proprio io a parlare. Io che in quella casa non avevo mai detto nulla di fuori posto. Nemmeno quella volta in cui mi ero spaccata la testa cadendo dalla bici e avevo imbrattato di sangue tutta la cucina.

« Che ti prende? »

« Mi prende che... Tu lo sapevi che la gendarmeria

aveva avviato un'indagine dopo l'incidente in cui sono morti i tuoi figli? »

Lei esita. Pare sbigottita. In genere, non bisogna contrariare la nonna per via delle sue tendenze suicide. Non so se abbia messo su il muso per la domanda in sé o solo perché l'ho contrariata. « Come? » riesce ad articolare in tono piatto.

« Proprio così! Un'indagine! »

Ecco che spunta il nonno, col suo *Paris Match* sottobraccio. « Cosa sono queste urla? » chiede, benché sia chiaro che non gliene frega niente della risposta.

Con un cenno, la nonna mi intima di tacere. La solita storia: proibito parlare dell'incidente sotto questo tetto, troppo doloroso per il nonno e letale - con tanto di diagnosi a testimoniarlo - per la nonna.

E poi la sento mentire: « No, niente. Justine mi ha tirato i capelli e mi ha fatto male ».

« Non è vero, pépé, non le ho tirato i capelli, le stavo solo chiedendo se sapeva che la gendarmeria aveva aperto un'inchiesta dopo la morte dei vostri figli, perché le circostanze dell'incidente non erano chiare. »

Il nonno mi fulmina con lo sguardo: ho appena profanato la tomba dei suoi ricordi. Il senso di colpa mi fa tremare le gambe. Ma non abbasso gli occhi, ben piantati nei suoi.

« Chi te l'ha detto? » chiede lui.

« Starsky. »

Mi fissa come se fossi uscita di senno.

« Mi ha convocato per la storia delle chiamate anonime dalle Ortensie. E, quando ha scoperto che mi chiamo Neige, si è ricordato dell'incidente e mi ha detto che c'era qualcosa che non quadrava. »

Benché non abbia ancora finito la messa in piega, la

nonna agguanta il bastone e si alza di scatto. Io la prendo per le spalle e la spingo sulla poltrona. Credo di averle fatto male. È la prima volta in vita mia che oso comportarmi così. Lei non si muove più. Ha la testa incassata nelle spalle. Probabilmente la violenza della mia reazione le ha messo paura. Ne ho vergogna. Comincio a pensare ai miei dimenticati, e alla facilità con cui gli adulti maltrattano gli anziani. Alle storie che si leggono sui giornali: gli operatori sanitari che menano le vecchiette, gli insulti nei reparti geriatrici. Sento che gli occhi si riempiono di lacrime. « Mi dispiace. Avrei voluto solo qualche risposta da parte vostra. Per una volta. »

Ho perso la partita. Non mi risponderanno. E io non alzerò mai più la voce. Spruzzo la lacca sulla testa della nonna. L'odore riempie la cucina. Poi le copro i capelli grigi con la reticella che toglierà solo domattina.

Il nonno ha lasciato *Paris Match* sul tavolo per uscire a raccogliere gli ultimi mozziconi che Jules ha gettato dalla finestra.

Mentre metto via il casco asciugacapelli, penso che non mi rimane altro da fare che tornare da Starsky.

Devo scoprire la verità, a costo di fargli un pompino.

39

Nel 1944, quattordici mesi dopo l'arresto di Lucien, un gruppo di tedeschi abbandona un cane sul ciglio della strada. È una femmina, un bestione affamato, fulvo e nero.

Rimane a lungo immobile all'uscita del paese, come una statua che scruta l'orizzonte.

Una sera, il cagnone segue Hélène fino all'ingresso del bistrot di père Louis. Hélène lascia entrare la bestia, che si adagia sulla segatura. Poi le mette davanti un po' di zuppa da lappare. Infine la chiama Louve, « lupa ».

Il giorno della Liberazione, Hélène offre da bere a tutti gli abitanti di Milly. Per l'occasione arrivano anche le donne, persino quelle che non hanno mai visto Hélène di buon occhio, forse perché è troppo bella per gestire un locale. Louve, unica sopravvissuta tedesca nel raggio di centinaia di chilometri, li guarda bere e brindare fino a tarda notte.

Beve anche Hélène, quel giorno. Beve in attesa di Lucien. Beve pensando ai sussulti quotidiani che nascono dal silenzio della sua assenza. Alle porte che sente sbattere anche se poi, in realtà, non sbattono affatto. Alla federa del cuscino che rimane immacolata e che lei prende a pugni tutte le mattine, prima di rifare il letto. Ai capelli neri che non trova più tra le lenzuola bianche. Alle pagine dei libri che sfoglia da sola, ai pasti che consuma in piedi accanto a un angolo del tavolo, dando la schiena alle sedie vuote.

Beve sperando di vederlo tornare; ferito, magari, ma vivo. Sa che non è morto, sente il suo cuore che batte, anche se non sa né dove né come. E poi il gabbiano non è ancora tornato. Beve pensando che forse il delatore è in mezzo alla gente che affolla il bistrot e brinda e balla, festante. Ma lei non vuole odiare. Vuole solamente sperare. Come aveva sperato d'imparare a leggere.

Dal quel giorno, i clienti tornano al bistrot. Il paese li recupera un poco alla volta. Non tutti, ma alcuni. Quelli che hanno fatto la guerra del '14-'18 parlano coi reduci del '39-'45. Quando alzano il gomito guardando la foto di Janet Gaynor, i contadini che hanno combattuto in entrambe le guerre sembrano sconcertati all'idea di essere ancora vivi.

Il giornale riporta i dati della guerra. Come se i proiettili sparati anni addietro avessero raggiunto il bersaglio solo adesso. È un susseguirsi di statistiche sui morti, di foto di esecuzioni di massa e di campi di concentramento. Testimonianze che Hélène non sa leggere. Perché non ci sono notizie in braille. Perciò domanda a Claude, un ragazzino che ha assunto al bistrot, di leggergliele la sera, di nascosto, perché nessuno capisca che lei non può farlo da sola. Cosa che invece tutti sanno benissimo.

Claude zoppica fin dalla nascita: la gamba sinistra più corta della destra gli aveva permesso di sottrarsi allo STO. Così, mentre gli altri uomini diventavano schiavi, Claude aveva imparato a leggere e a scrivere. Ed era proprio per questo motivo che Hélène aveva scelto lui, preferendolo ad altri ragazzi con più esperienza.

Ogni sera, in religioso silenzio e con le dita affondate nella pelliccia di Louve, Hélène ascolta Claude che legge diversi articoli sulla guerra. A volte, quando le parole sono troppo crude, dice al ragazzo: « Aspetta ».

Respira profondamente e poi gli fa un cenno col capo per invitarlo a riprendere.

Ogni tanto – lei lo scoprirà solo molto tempo dopo – Claude evita i passaggi più insostenibili, quelli che descrivono le condi-

zioni in cui versano i prigionieri dei campi. Trasforma le parole e s'inventa che alcuni sono trattati meglio di altri, che mangiano a sazietà e che dormono in letti puliti.

Di notte, dopo che Claude è tornato a casa, Hélène apre l'armadio della sua stanza e guarda i vestiti di Lucien appesi alle grucce. Se n'è andato senza portarsi via niente. Nemmeno un « Ti amo » da parte sua. Fortuna che il gabbiano l'ha seguito. Hélène spera che lui sappia interpretarla come prova del suo amore.

Anche in sua assenza, Hélène continua a confezionargli vestiti: pantaloni, giacche, camicie. A mano a mano, sistema i nuovi accanto ai vecchi. Al suo ritorno, sarà lui a decidere cosa tenere e cosa no. Nel corso degli anni, la moda è cambiata. Gli americani hanno portato tessuti nuovi. Chissà se gli piaceranno.

Nel 1946, Hélène riceve una lettera in braille. Arriva da Lille ed è di Étienne, il padre di Lucien. Il governo francese lo ha informato che suo figlio, Lucien Perrin, nato il 25 novembre 1911, è stato deportato a Buchenwald e che probabilmente è morto nel campo. All'anagrafe, Lucien Perrin è ormai iscritto nel registro dei prigionieri di guerra « caduti per la Francia ».

Buchenwald. Hélène sfiora più volte la parola con le dita.

Claude le indica la località su una carta geografica. Con un metro, calcola la distanza da Milly: circa mille chilometri. Hélène osserva quella minuscola macchiolina a nord di Weimar. È più piccola della cruna di un ago. Un puntino nel cuore della Germania. Rifiutandosi di crederlo morto, fissa la mappa, quasi che fosse stata disegnata apposta per farle vedere dove si trova Lucien. Cerca un segno, una luce, un gabbiano.

Come se la speranza lo avesse contagiato, Claude si mette a fare ricerche. Scrive a tutti gli ospedali che hanno accolto i prigionieri di guerra, alla Croce Rossa, a tutte le associazioni e a tutte le organizzazioni che si occupano d'individuare e schedare i deportati.

In tutte le lettere che Claude spedisce, Hélène infila un ritratto a carboncino di Lucien, perché di lui non ha fotografie che non siano sfocate o scattate da troppo lontano.

Sotto ogni ritratto, chiede a Claude di scrivere:

Lucien PERRIN
Conoscete quest'uomo?
Sto cercando qualsiasi informazione utile a trovarlo.
Se ne avete, scrivete a Hélène Hel,
presso il bistrot di père Louis,
sulla piazza della chiesa di Milly.

40

« Mémé? »

« Sì? »

« Il giorno dell'incidente... perché non ci hanno portato con loro a quel battesimo? »

« Non lo so. Credo sia stato il nonno a non volerlo. »

« Pépé? »

« Sì. »

« Perché? »

« Non lo so. Mi sembra di ricordare che Jules avesse qualche linea di febbre. »

« Mémé? »

« Sì? »

« Cosa ti hanno detto il papà e la mamma prima di salire in macchina? »

« 'A stasera.' »

Ripenso alle mie eterne domande mentre aspetto Starsky davanti al piccolo locale che ospita gli agenti di Milly. Ho messo il lucidalabbra e un po' di fard. Come prima di andare al Paradis. Quando mi si avvicina col piglio da cowboy, col berretto calcato in testa, mi chiede subito se ho informazioni su quel « maledetto Corvo » che glieli sta « triturando ». Gli rivolgo il mio sorriso migliore (tre anni di apparecchio per ridurre le fessure tra un dente e l'altro...) « No, voglio vedere il dossier che avete aperto dopo l'incidente dei miei genitori. Sa, sono rimasti uccisi, in quell'incidente.»

Lui mi guarda con disprezzo e non fa il minimo sforzo per dimostrare un po' di comprensione. Non sono il suo tipo, è chiaro. «Io ho il sindaco alle costole, quindi ho bisogno del suo aiuto, porca miseria. Soprattutto dopo quello che è successo domenica scorsa.»

Si riferisce alle chiamate che avevano piantato quel gran casino alle Ortensie. «Ma... è stato bello, domenica scorsa: erano tutti contenti.»

«Contenti? Mi sta prendendo per il culo?»

«Non c'erano mai state così tante visite. Sì, è stato bello.»

«E tutti quelli convinti che la loro madre fosse morta? Erano contenti anche loro?»

«Di solito mi metto più nei panni dei residenti che in quelli dei loro familiari.»

«Be', io mi metto nei panni del sindaco che mi sta scassando le palle! Per cui: niente Corvo, niente dossier Neige.»

«Ma io non ho idea di chi sia!»

«Su, faccia un piccolo sforzo.»

Mentre sono impegnata a parlare con quel panzone di merda sul marciapiede, osservo l'esterno dell'edificio. A un certo punto smetto di ascoltare Starsky ed elaboro un piano: tornare qui di sera e spaccare il vetro della finestra sul retro. È a tre metri di altezza ed è l'unica senza sbarre. Userò la scala del nonno.

«Lei è la più giovane, lì dentro, quindi anche la più sveglia. Veda di arrangiarsi.»

Che delusione. Non ho più voglia di sorridergli e di essere carina con lui. Per non parlare poi di fargli un pompino: no, nemmeno a occhi chiusi, nemmeno immaginando che sia Roman.

« Arrivederci. »

Vado a dar da mangiare al Micione di Madame Dreyfus. Mi aspetta sul marciapiede. Gli verso mezzo chilo di croccantini al pesce in una ciotola e gli cambio l'acqua.

Lo faccio ogni tre giorni. Mentre mangia, gli scatto una foto da mostrare a Madame Dreyfus. È di un rossiccio schifoso, pieno di cicatrici. Non posso toccarlo, non si fida di me. Quand'ero piccola, mi sarebbe tanto piaciuto avere un cane o un gatto. Io e Jules - ma soprattutto io - abbiamo implorato il nonno e la nonna per anni. Ma la nonna rispondeva sempre che il nonno era allergico al pelo degli animali. Tutte palle, ne sono sicura. Il punto era che gli animali erano « sporchi ».

Al momento, con Jo e Maria stiamo facendo firmare una petizione a tutti i residenti per avere un cagnolino alle Ortensie. Nelle case di riposo, gli animali domestici dovrebbero essere obbligatori. E rimborsati dal Servizio sanitario nazionale.

Dopo aver fotografato Micione, mi fiondo in camera di Jules e cerco *effrazione* su Internet.

La cosa buona è che a Milly arrivi dove vuoi in cinque minuti. È il vantaggio di vivere in un buco.

Leggo un po' di suggerimenti e mi precipito al negozio di père Prost per ordinare un piede di porco e un grimaldello. Invento che sono per mio nonno e, perché la cosa non sembri strana, ordino pure qualche prodotto per la messa in piega della nonna e le batterie per la mia Polaroid. Père Prost mi dice che per la consegna ci vorranno tre settimane.

Io non ho fretta. Aspetterò anche due mesi prima di entrare in quell'edificio. In perfetta coincidenza col ritorno di Roman.

41

1945

Parigi. Gare de l'Est. Un uomo cammina sulla banchina. È alto un metro e ottantuno, pesa cinquanta chili.

Ha mal di testa. Un male cane. Qualcosa gli rimbomba nel cranio, gli impedisce di pensare. Ogni minuto cancella il precedente.

Intorno a lui c'è baccano. Troppo. I treni, gli altoparlanti, la folla.

Nel pugno destro, stringe fogli di carta da giornale. Non vuole lasciarli. Non può lasciarli.

Qualcuno sta cercando di prendergli il braccio per farlo sdraiare su una barella. Però lui non vuole saperne. Respinge quella persona, rifiuta, le dice « no ». Ma dalla sua bocca dolorante non esce nessun suono.

Ancora quel baccano, quei treni, quegli altoparlanti, quella folla.

Una donna lo prende per mano. La mano sinistra, quella libera. Lui la lascia fare, perché è delicata, rassicurante. La donna lo guida. Lui la segue, docile, barcollando.

Lei adatta i propri passi ai suoi. Lui ha l'impressione che stiano camminando da ore.

Ma finisce subito. Lei lo aiuta a salire su un camion. Lui non oppone resistenza. Ha paura ed è tutto un dolore. Dolore. Alla fine si sdraia. Chiude gli occhi.

La donna non gli lascia la mano.

Accanto a lui, altre figure. Benché il motore del veicolo sia rumoroso, regna il silenzio. Sono tutti spaventosamente silenziosi.

Nessuno guarda l'altro negli occhi. Ma quella mano non l'ha ancora lasciato.

Si assopisce, ma non sogna. È tutto nero.

Quando esce da quello stato letargico, il camion si sta addentrando in una foresta di querce secolari. È primavera, il sole è dolce. E il vento sa di perdono.

Disteso sulla barella, guarda il cielo. Sempre quella mano nella sua. Sempre quel dolore, quel silenzio. Lo portano all'interno di un grande edificio. C'è odore di cavolo e di carta, e ci sono lunghi corridoi rischiarati dalla luce del giorno.

Gli piace l'odore della donna che lo tiene per mano. Nel lasciargliela, mentre lui viene sistemato in un lettino, lei gli dice: « Mi chiamo Edna, sono infermiera. Mi prenderò cura di lei ».

Allentando un dito dopo l'altro, Edna gli apre delicatamente la mano destra, tutta annerita d'inchiostro. Fatica a rimuovere la carta che, in certi punti, sembra essersi incollata alla carne. Da quanti giorni, settimane, mesi, quell'uomo stringe quei fogli di giornale? Lui vorrebbe urlare, ma non lo fa. Vorrebbe impedire all'infermiera di sottrarglieli, ma non lo fa. È allo stremo.

Una lacrima gli scorre lungo la guancia. Quella che non è sfregiata. E, nonostante la magrezza, nonostante le ferite, nonostante il silenzio, Edna non vede che una cosa, in quell'uomo: la bellezza dei suoi occhi.

Per rassicurarlo, sistema immediatamente ciò che rimane dei fogli in una scatola di cartone. Li maneggia come se fossero una parure di diamanti. Chiude la scatola con un coperchio e gliela posa accanto, bene in vista su un carrello per le medicazioni.

Il respiro dell'uomo è sempre più faticoso. Il dolore al cranio è insostenibile, lancinante.

Un medico si avvicina e lo saluta. Gli posa lo stetoscopio sul cuore, mentre Edna comincia ad allentare il bendaggio intorno alla testa. Lui cerca di toccare le bende, ma Edna glielo impedisce.

Un tanfo di carne putrefatta invade la stanza. Edna impallidisce. È quasi impercettibile. Eppure, mentre gli sorride, impallidisce.

Lui vuole dormire. Chiude gli occhi. Un battito d'ali ed è il buio.

Il coma.

42

Per colpa del Corvo, le Ortensie sono finite in TV. Ne hanno parlato al telegiornale regionale di France 3. Quello che il nonno guarda immancabilmente ogni sera, col volume al massimo.

Ieri mattina è arrivata la troupe televisiva.

Tutte le infermiere si erano truccate, Jo e Maria erano fresche di parrucchiere e Madame Le Camus indossava un abito fucsia. Via i camici; sembrava il festival di Cannes. Anche i residenti erano in ghingheri. Madame Le Camus ci aveva chiesto di « dedicare particolare attenzione alla loro igiene ».

La giornalista ha scelto d'intervistare due residenti, un uomo e una donna, Monsieur Vaillant e Madame Diondet.

La cosa ha scatenato la gelosia degli altri: « Perché loro e non noi? »

Monsieur Vaillant non è una « vittima », a differenza di Madame Diondet.

Prima di confermare la scelta, la giornalista si è accertata che i due fossero abbastanza lucidi. Cognome, nome, data e luogo di nascita, numero di figli e professione esercitata in passato. Poi ha fatto incipriare loro il viso, il collo e le mani. Monsieur Vaillant non riusciva a capacitarsene. E tutti gli altri lo prendevano bonariamente in giro.

Quindi il fonico ha nascosto un microfono nei loro vestiti. E lui non osava muoversi: è stato davvero divertente.

La giornalista ha iniziato con le domande. Parlava a voce alta, scandendo le parole con foga esagerata.

Odio la gente che si rivolge agli anziani come se fossero ritardati.

La giornalista ha « tentato di analizzare la sofferenza psicologica inflitta dal Corvo ai residenti ».

Monsieur Vaillant ha risposto che la cosa non lo toccava in nessun modo e che comunque non era sordo.

La giornalista ha quindi « tentato di comprendere le ripercussioni negative del trauma causato alle famiglie colpite ».

In quanto vittima, Madame Diondet ha risposto di sentirsi abbastanza bene, a parte qualche dolorino alle gambe.

Infine, dopo una ripresa panoramica di tutti i residenti, la troupe ha levato le tende.

Monsieur Vaillant mi ha chiesto immediatamente di rimuovergli il trucco. Mentre gli strofinavo un dischetto struccante sulla pelle, lui lanciava gridolini di orrore.

In serata, tutti i residenti erano in sala TV per il telegiornale e, quando si sono visti, hanno riso un sacco. Madame Diondet mi ha confidato di sentirsi improvvisamente invecchiata. Per lei, ha aggiunto, la TV è ancora più crudele dello specchio del bagno.

43

Nel 1947, a Milly apre uno stabilimento tessile. La nuova fabbrica porta una cinquantina di clienti in più al bistrot di père Louis. Così, di colpo.

Grazie ai guadagni, Hélène assume ufficialmente Claude, acquista tavoli e sedie nuovi e un flipper. Claude serve i clienti, mentre Hélène trasforma la vecchia rimessa sul retro in una piccola sartoria e riprende la sua attività. Come se cucire fosse l'unica cosa in grado di rendere sostenibile l'attesa di Lucien.

Sono tanti gli uomini che, pur di poter accedere a quell'angusto laboratorio e sentire il tocco delle sue mani tra i vestiti, si scuciono l'orlo di una manica o dei pantaloni, si strappano il colletto della camicia o un bottone dalla giacca. La osservano, china, in ginocchio, accovacciata, intenta a ricucire un bottone o un orlo o a mettere una pezza, con qualche spillo in bocca e le sopracciglia inarcate.

Il massimo della vita, poi, è farsi confezionare un abito su misura. Le prove vanno avanti per ore. Hélène cinge i loro corpi col metro. Comincia dal girocollo, poi passa alle spalle, alla schiena, alla vita, al bacino, quindi percorre le gambe, misura ovunque, in lungo e in largo. Traccia linee col gesso e il fortunato di turno freme come uno sposino ogni volta che sente la pressione delle sue dita su un muscolo.

Tutti gli uomini di Milly e dei dintorni sfoggiano abiti di ottima fattura. Persino i contadini. Si potrebbe tranquillamente sostenere che, dal 1947 fino all'avvento del prêt-à-porter, gli uomini di Milly fossero più eleganti dei parigini.

Talvolta qualcuno si azzarda a dirle che è giovane e bella, e che potrebbe rifarsi una vita. Ma lei non ha nessuna voglia di rifarsi una vita. Le basterebbe continuare la sua. Con Lucien al suo fianco.

I ritratti di Lucien spediti da Claude alle associazioni che si occupano d'identificare i prigionieri di guerra non hanno sortito nessun risultato. Non sono arrivate notizie. Comunque, seduta alla macchina per cucire, Hélène tesse propositi per il futuro: per esempio dire a Lucien che lo ama.

Da quella stanza senza finestre, sente spingere la porta d'ingresso del bistrot sapendo, ogni volta, che quello appena entrato non è lui: Lucien ha un modo tutto particolare di tirar su il saliscendi senza fare rumore. Lei lo sa, non fa che ripeterselo: Lucien non è morto. Ritornerà.

Hélène sente gli uomini che ordinano da bere. Sente Claude che si dà da fare per servirli. Di rado: « Cosa prende? » Spesso: « Il solito? » A volte Claude serve senza nemmeno chiedere, perché conosce fin troppo bene la strada attraverso cui certi avventori sprofondano nell'oblio. Bottiglie che tintinnano, bicchieri che vengono riempiti e poi svuotati in corpi che non sono quello di Lucien. Gli uomini risputano l'alcol bevuto in frasi sconnesse, mentre lei disegna linee rette col filo bianco.

All'inizio, l'argomento più frequente nelle conversazioni è la guerra. Il fantasma di chi non c'è più scioglie la lingua. Poi la vita si riprende ciò che le spetta, e così si comincia a parlare di un matrimonio, di un bambino appena nato, di un centenario morto nel suo letto, della fabbrica in cui ogni giorno cercano nuova manodopera, della vecchia Michèle che ha perso il gatto.

Dopo un paio di bicchieri, alcuni si spingono fino alla rimes-

sa e fanno un timido cenno con la mano. Hélène e Louve sollevano la testa nello stesso istante.

Nel 1950, la nuova macchina per il caffè fa lo stesso rumore della locomotiva che le riporterà Lucien. Perché lei ne è certa. Ritornerà.

Edna gli ha detto: « Se non ha un posto dove andare... Vuole venire a stare con me, giusto il tempo di trovare un lavoro? »

Lui ha accettato.

Entra nella casa di Edna per la prima volta. Lei gli ha sistemato una stanza in mansarda. Ha appeso la copia di un dipinto di Paul Gauguin a una parete e un crocifisso sopra il letto. Gli ha comprato del sapone da barba e un sapone di Marsiglia. Dentro l'armadio ha messo asciugamani puliti e qualche rametto di lavanda per profumare la biancheria. Si è ben guardata dall'appendere uno specchio, perché si è accorta che lui non riesce a sostenere la visione della propria immagine riflessa, quel volto sconosciuto e devastato che lo fissa da ogni superficie vetrata.

Lui ha ripreso qualche chilo. Non può più cingergli il polso col pollice e con l'indice. La chioma nera è ricresciuta, tranne nei punti in cui la scatola cranica è stata schiacciata. I medici erano convinti che avesse ricevuto colpi molto violenti col calcio di un fucile e che gli avessero tagliuzzato il viso con un coltellaccio simile a quello usato dai cacciatori per finire le prede di grossa taglia. Una cicatrice gli attraversa il volto dalla fronte al labbro superiore, passando dal lato sinistro del naso.

Edna gli dice: « Sei un soldato senza piastrina di riconoscimento né documenti d'identità. Non figuri nel registro delle persone ricercate. Hai bisogno di un nome e di un cognome. Come ti piacerebbe essere chiamato? »

Poi gli mostra un elenco di nomi maschili.

Un berretto con dentro pezzetti di carta e un nome. Ed è tutto. Un ricordo furtivo: nomi in un berretto. Dove? Quando? Perché? Era un sogno? Il sogno? Quello che gli fa visita tutte le notti? Quello di cui non ha mai parlato a nessuno, nemmeno a Edna?

« Simon », risponde. « Vorrei chiamarmi Simon. »

Edna lo fissa per qualche istante. Come se non si fidasse di lui. No, non si tratta di diffidenza. Si tratta di paura. Lui ha la sensazione che Edna non voglia *che ricordi. E ha paura anche lui. È terrorizzato, ossessionato da una domanda:* Chi sono io?

Parla e scrive in francese. Sa a cosa servono un pennello da barba, un rasoio, una penna, un paio di forbici. Fuma le Gitanes. Sono le sue uniche certezze. In genere, ai pazienti affetti d'amnesia si mostrano fotografie, immagini, volti e luoghi. A lui non è possibile mostrare nulla. Lui ha perso le sue stesse tracce. È come caduto dal cielo, e nessuno lo cerca.

È in grado di leggere, scrivere, camminare, correre, afferrare e sollevare oggetti, riflettere e ricordare un evento appena avvenuto. La memoria a breve termine è integra. Il resto è buio. La sua mente indossa il velo nero delle vedove. Ne ha incrociata qualcuna, ogni tanto.

E ne ha avuto paura. Sono come fantasmi, spettri. E lui non si fida: teme che lo trascinino là dove non c'è più guarigione.

Per fortuna c'è il sogno, tutte le notti. Una presenza familiare, una risposta, una ribellione contro l'amnesia. Quando si sveglia, chiude gli occhi nel tentativo di farvi ritorno, ma la luce lo risucchia verso la veglia, verso Edna. Deve alzarsi, bere un caffè, rieducare il corpo, rimuovere il gusto di salsedine dalla bocca.

Da quand'è uscito dal coma, Edna dorme accanto a lui. Prima nel dispensario, adesso in casa. Ma lui non l'ha mai spoglia-

ta. A volte, le sembra di cogliere il riflesso di un ricordo di Lucien negli occhi di Simon. Repentino come un battito di ciglia.

Edna Fleming aveva ricevuto la lettera nel 1946. Il 29 maggio, per l'esattezza.

La busta bianca era spessa e grande. Quella mattina, aveva controllato lei la posta e i farmaci in arrivo. Capitava molto di rado. Proprio quella settimana, però, il direttore del dispensario era assente. Essendo la capoinfermiera, toccava a lei.

E lei l'aveva preso come un segno. Quella lettera era destinata a LEI. A LEI e a nessun altro: così aveva disposto la mano di Dio.

La vista del ritratto di Lucien Perrin le aveva procurato un conato di vomito. Un tremito le aveva scosso le mani. L'uomo che le altre infermiere del dispensario chiamavano « il malato di Edna » aveva un nome, un cognome e un indirizzo:

Lucien PERRIN
Conoscete quest'uomo?
Sto cercando qualsiasi informazione utile a trovarlo.
Se ne avete, scrivete a Hélène Hel,
presso il bistrot di père Louis,
sulla piazza della chiesa di Milly.

Una donna lo stava cercando. Ma non aveva il suo cognome. Era sua madre, una sorella, una figlia?

Aveva guardato il ritratto appena abbozzato. Nessun dubbio. Nonostante le cicatrici, i chili in meno e gli anni in più, era sicuramente lui. I suoi occhi azzurri. Nel ritratto, sorrideva. Lei non lo aveva mai visto sorridere. Si limitava a dire « grazie ». Sembrava fosse l'unica parola che sapesse pronunciare. Grazie. L'unica parola in grado di riaffiorare dalla memoria.

Milly, in Borgogna. A quattrocento chilometri dal dispensario, che si trovava nell'Eure.

Conoscete quest'uomo? *Certo che lo conosceva. Lo conosceva meglio di chiunque altro. Lo conosceva già sulla banchina, alla Gare de l'Est. Forse perché lui aveva dimenticato tutto. Era come un neonato. Lei lo aveva nutrito. Gli aveva bendato la testa più volte al giorno. Gli aveva tenuto la mano quando, due settimane dopo il suo arrivo, era uscito dal coma con un febbrone da cavallo. Lo aveva assistito tutte le volte in cui doveva svuotare la vescica o lo stomaco, lasciandolo soltanto se doveva curare gli altri pazienti. Quando il chirurgo le aveva detto che non sarebbe sopravvissuto, perché era messo troppo male, aveva pregato per lui, come mai aveva fatto. Gli aveva parlato. Aveva letto a voce alta, per lui. Lo aveva aiutato a muovere i primi passi fuori dal dispensario. Gli aveva ridato la voglia di rimettersi in piedi, di camminare, di mangiare, di dormire. Chi si prenderà cura di lui come aveva fatto lei? Chi potrà amarlo come lo aveva amato, come lo ama lei?*

La famiglia che stava cercando quell'uomo, quel Lucien Perrin, non conosceva che il sorriso abbozzato a carboncino prima della guerra. Una vita intera separa il dopo dal prima. Nessuno poteva saperlo meglio di un'infermiera. Quanti sopravvissuti aveva restituito alle famiglie, sconvolte alla vista di quelli che un tempo erano fratelli, figli e mariti? Quel Lucien era morto e sepolto. E dalle sue ceneri era nato Simon.

Simon non era che l'ombra di Lucien. E Hélène Hel non stava cercando un'ombra: stava cercando il passato.

44

Ha appena chiuso la porta al pianterreno.

Mi sono infilata nel ripostiglio, tra secchi e spazzoloni. Di tanto in tanto scrollo via le formiche dalle gambe, saltellando silenziosamente sul posto. Muoio di freddo. E ho il cuore che batte all'impazzata. Se Starsky e Hutch ritornano, è la fine.

Se lo sapesse Jules... Ma non potrei mai rivelargli le mie ricerche sulle circostanze dell'incidente. Sarei obbligata a mentire. A raccontargli che voglio sapere quali elementi hanno in mano gli agenti sul caso del Corvo. Proprio come ho mentito al nonno quando gli ho regalato il piede di porco e il grimaldello. Ha fatto una faccia strana e ha detto: « Mi stai chiedendo di svaligiare una banca? » Quando sono andata a ritirare il piede di porco e il grimaldello da père Prost, ho capito che non avrei mai saputo come usarli. E che sarebbe stato meglio fare come Hélène, quando si era lasciata chiudere dentro la scuola, il giorno in cui era stata salvata dal gabbiano.

Nel tardo pomeriggio, innocente come un agnellino, mi sono intrufolata nel centro civico. « Buongiorno. »

Il centro civico è ospitato in un piccolo edificio quadrato a due piani, in cemento. Anno di costruzione: 1975. Quand'ero piccola, ricordo che tutti gli uffici erano occupati. Che al primo piano c'erano « veri » poliziotti, e che una volta ci ero venuta con la nonna. Ormai da diversi anni, però, lì dentro non ci sono che Starsky e Hutch.

Starsky mi ha chiesto se avessi novità: nomi di colleghi o di residenti da spifferare. Gli ho risposto che, dopo il servizio del telegiornale, non c'erano più state telefonate anonime. Ma lo sapeva già. Mi ha rivolto un'occhiata stranita. Ho capito che gli stavo rompendo le palle. O che mi aveva messo nell'elenco degli indiziati.

Poi il telefono del centralino ha squillato e Starsky è parso sorpreso. Come se non credesse che potesse succedere.

Mi sono pizzicata il palmo della mano per non ridere, perché l'autrice della telefonata era Jo. Le avevo detto: « Telefona alle quattro in punto per denunciare una bega di quartiere, un divieto di sosta, insomma, farfuglia quello che ti pare e riaggancia. L'importante è che la conversazione duri cinque minuti ».

« E perché? » mi aveva chiesto.

E io: « Per favore, fallo e basta ».

Nell'istante in cui Starsky ha risposto con un « centro civico, buongiorno », ho finto di andarmene.

« Arrivederci. »

Ho chiuso la porta del suo ufficio, ho disattivato la suoneria del cellulare, inserendo la vibrazione, e sono salita al piano di sopra, quello lasciato libero ormai da un pezzo dai veri gendarmi. Se Hutch mi avesse beccato, avrei sempre potuto dire che stavo cercando il bagno. Ma lungo le scale non ho incontrato anima viva.

Mi sono chiusa nel ripostiglio delle scope alle 16.04. E sto ancora aspettando. In linea di principio, alle sei non c'è più nessuno.

Hai un sacco di tempo per pensare, chiusa dentro un ripostiglio. Per pensare a tutto. Io ho pensato a Roman. A

Roman, così bello mentre fotografa le sule in Perù. Ho pensato alla sua vita senza confini e alla mia esistenza così ristretta. A quel suo sguardo che non ha paragoni nell'universo e a me, una ragazza spettinata che il sabato sera dimena le chiappette al Paradis e che spinge carrelli pieni di disinfettanti. Chissà quante copie di me ci sono al mondo.

Non siamo tutti uguali. Non nasciamo tutti uguali. Non è possibile. Roman ne è la prova.

Soltanto nei sogni potrei vivere con un ragazzo come lui. Non riesco neppure a immaginare noi due che, la sera, torniamo a casa e ci diciamo: «Tutto bene, tesoro? Com'è andata oggi?»

Di sicuro, a lui è sempre riuscito tutto bene. E poi ha una madre, lui.

Persino le nostre case non potrebbero essere più diverse. La mia, piena di mobili svedesi; la sua, di mobili acquistati in giro per il mondo. La mia, tutta piastrelle bianche; la sua, piena di tappeti persiani verdi e blu sopra il parquet.

Mi sa che pure fare la spesa al supermercato con Roman abbia un afflato artistico. Se hai la fortuna di svegliarti accanto a uno come Roman, tutta la tua vita avrà un afflato artistico. Almeno credo.

Quanto a me, mi sveglio periodicamente accanto a Comesichiama. Non so che lavoro faccia, ma in questo periodo arriva sempre poco prima che il Paradis chiuda. Il fatto che io puzzi di alcol e di sudore non sembra infastidirlo.

In effetti, continua a farmi un sacco di domande e io, invece, niente. A volte mi sento come se fossi il soggetto di una ricerca o un caso che non riesce ad archiviare. In casa sua c'è un mucchio di libri e, spesso, al mio risveglio, lo trovo già alla scrivania, intento a lavorare. Forse sta stilando un rapporto su di me, sulla ragazza cui piacciono solo i vecchi. Quando mi vede aprire gli occhi, mi prepara una spremuta d'arancia e mi porta il caffè a letto, come negli spot. Poi, sorridente, mi osserva mentre faccio colazione.

Oggi è il 20 dicembre. Roman mi ha detto che sarebbe tornato per Natale. Mi chiederà a che punto sono con la storia di Hélène. Vado avanti. Le pagine del quaderno azzurro si riempiono che è una meraviglia. Non so fino a che punto lui la conosca. Non so cosa gli abbia raccontato la madre e cosa, invece, gli abbia taciuto.

Clic. Starsky se ne va. Gli sento chiudere a chiave diverse serrature. Non c'è più luce sulle scale. È buio e fa freddo. Non oso muovermi. E infatti non mi muovo. Per riscaldarmi, mi soffio sulle mani e dentro il collo del maglione.

Prima di tornarsene a casa, Hutch potrebbe ripassare. Nell'istante in cui mi decido a muovermi, il telefono del centralino squilla di nuovo. Sussulto, sbatto la testa e la torcia elettrica mi scappa di mano. Sento le batterie che rotolano per terra. Per fortuna riesco a ritrovarle grazie alla luce del cellulare.

Le rimetto nella torcia e scendo le scale. Mi sono premurata di attenuare la luce. Ho le gambe molli. Devo fare pipì. Non vedo a più di trenta centimetri dal naso. Entro nell'ufficio di Starsky. Puzza di fumo e alcol, ma sulla scrivania non ci sono né posacenere né bottiglie.

L'archivio è nella stanza dietro gli uffici di Starsky e Hutch. Che però è chiusa a chiave. Mi domando se sia rimasta chiusa da quando i veri gendarmi hanno levato le tende, o se quei due abbiano comunque la chiave.

In tal caso, devo trovarla assolutamente. È buio pesto.

La mia torcia non illumina praticamente nulla. Il silenzio all'intorno è agghiacciante. Poi - chissà cosa è successo nella mia testa - comincio a pensare a mio padre. E non penso a lui come al gemello di un gemello, o al volto in una cornice sulla credenza, o a un fatto di cronaca o a una lapide coperta di fiori. No. Penso che era un uomo e che è rimasto ucciso in un incidente all'età di quarant'anni, una domenica mattina, dopo aver affidato una bimba - sua figlia - ai propri genitori. Una bimba che aveva paura di un tritarifiuti. Tutti quelli che hanno un padre si rendono conto di quanto sono fortunati?

E dove saranno quelle cazzo di chiavi?

La luce della torcia si posa su un mobile alto, chiuso da un'anta scorrevole. Trovo una chiave in una scatola di graffette vuota. Non è quella giusta.

Un rumore.

Qualcuno ha aperto la porta dell'ingresso principale. Mi nascondo sotto la scrivania di Starsky. Sento bisbigliare, ma nessuno accende la luce. Due persone entrano nell'ufficio di Starsky. Indovino il freddo dei loro vestiti. Sanno d'inverno, di notte e di clandestinità, proprio come me.

Mi rannicchio nel tentativo di sparire, di farmi piccolissima. Maledizione, sono fregata, finirò in galera. Domani la mia faccia sarà sul giornale. Sto per trascinare il nome dei Neige nel fango. Il nonno e la nonna moriranno di vergogna...

Una donna dice: «Ho freddo».

Un uomo replica che ci penserà lui, a darle una scaldata. L'uomo è Hutch, lo riconosco dalla voce nasale. Poi sento baci e sospiri. Lei ridacchia come un'oca, finché non cominciano a gemere entrambi.

Sono sdraiati sul pavimento, ma non hanno acceso la

luce. Ce li ho proprio accanto: se allungassi un braccio, potrei toccarli.

Ho voglia di ridere e piangere nel contempo. Se mi scoprissero, non credo si limiterebbero a schiaffarmi dentro. Per quel che ne so, potrebbero anche ammazzarmi, per essere sicuri che non dica nulla a nessuno. Chiudo gli occhi e mi tappo le orecchie. Provo persino a trattenere il respiro.

Ma non dura troppo. Hutch è un eiaculatore precoce. Si rivestono in fretta e furia.

« Devo rientrare, non vorrei che si spazientisse », dice lei.

« Quando ci rivediamo? »

« Ti chiamo io. »

« La prossima volta ti ammanetto. »

« Non vedo l'ora. »

« Anzi, perché non subito? »

Oddio, vuoi vedere che ricominciano? Per fortuna, lei risponde che è davvero ora di andare, e infatti escono subito.

Dieci minuti di silenzio nel buio. Mai fumato in vita mia eppure, d'un tratto, in questo preciso momento, sarei capace di far fuori un pacchetto intero. Riaccendo la torcia. E finalmente le vedo: le chiavi sono appese sotto la scrivania di Starsky, in un angolino. Se non mi fossi nascosta, non le avrei mai trovate.

« Padre nostro che sei nei Cieli, sia santificato il tuo nome, venga il tuo regno, sia fatta la tua volontà come in cielo così in terra... sono quelle giuste. »

Il polo nord. Fa meno freddo nel congelatore delle Ortensie che in questa stanza. La torcia illumina una cinquantina di faldoni, una divisa impolverata, due casse di oggetti vari, bottiglie vuote, libri e manifesti accatastati.

C'è puzza di umidità. Sotto le scarpe sento lo scricchiolio del terriccio, come succede in qualche cantina.

I faldoni non sono disposti in ordine alfabetico, ma per anno. Dal 1953 al 2003. C'è di tutto: incidenti di caccia, incendi, suicidi, sparizioni, annegamenti, tentati omicidi, furti con scasso, furti di biciclette, omissioni di soccorso, inondazioni, sabotaggi, liti, violazioni di domicilio, aggressioni verbali. Non manca nulla. Non credevo che in un paesello come il nostro succedessero così tante cose.

Col passare degli anni, i faldoni diventano più snelli. Alla fine, dentro c'è davvero poco. È la prova che, passo dopo passo, il paese si è andato svuotando. Soprattutto dopo la chiusura della fabbrica tessile, nel 2000.

Prendo il faldone del 1996, l'anno dell'incidente. Lo apro. Include tre denunce di furto d'auto. E poi questo.

Il 6 ottobre 1996, alle ore 09.40, la squadra riceve comunicazione da parte di Monsieur Pierre Léger, residente a Milly, sulla strada per Clermain, del fatto che un'autovettura ha appena impattato contro un albero sulla N 217.

Ci rendiamo immediatamente sul luogo dell'accaduto.

Arrivati sul posto, intorno alle ore 10, vi troviamo il suddetto Pierre Léger e un'unità dei vigili del fuoco, giunta intorno alle 09.50.

Constatiamo che il veicolo incidentato, una Renault Clio nera targata 2408ZM69, è andata in parte distrutta dall'impatto.

Alle ore 10.30, i vigili del fuoco procedono al sezionamento del tettuccio del veicolo al fine di estrarre dall'abitacolo quattro corpi senza vita.

Il suddetto Pierre Léger è l'unico testimone oculare dell'incidente. Di seguito i fatti per come ci sono stati succintamente esposti: il veicolo è uscito di strada a grande velocità dopo aver zigzagato, finendo per centrare in pieno un albero.

Il suddetto Pierre Léger ha immediatamente allertato col cellulare i vigili del fuoco.

Mentre i vigili del fuoco procedevano all'estrazione dei quattro cadaveri, veniva inoltrata una richiesta al Pubblico registro automobilistico al fine d'identificare il proprietario del veicolo.

Alle ore 12, riceviamo comunicazione che il veicolo è di proprietà dei signori Alain e Christian Neige, domiciliati a Lione (69).

Alle ore 12.30 gli specialisti della Scientifica ci raggiungono sul posto. Il gendarme Claude Mougin scatta diverse fotografie all'esterno e all'interno del veicolo.

Alle ore 12.45 i quattro cadaveri – due uomini e due donne – che presentano evidenti lesioni mortali vengono trasferiti nella camera mortuaria dell'ospedale Poinçon di Mâcon (71), dopo che il medico legale Bernard Delattre ha constatato il decesso.

Tracce di pneumatici: essendoci stato riferito dal suddetto Pierre Léger che il veicolo era uscito di strada a gran velocità, ci accertiamo della presenza di tracce di pneumatici. Tali tracce, però, non risultano evidenti. Gli pneumatici, per via della forte accelerazione, sembrano aver pattinato sul posto. I punti in cui le tracce risultavano comunque più visibili sono stati fotografati (foto numero 13).

Andiamo quindi in cerca di altre persone che potrebbero essere state svegliate dall'impatto o che potrebbero aver assistito a un qualsiasi fatto connesso all'incidente.

Alle ore 14, di ritorno in sezione, riportiamo verbalmente al comandante di compagnia e al comandante di sezione lo stato dell'indagine in corso.

Una volta fatto il punto, vengono date disposizioni per ripartire tra il personale le diverse verifiche urgenti necessarie all'identificazione delle altre tre vittime, ovvero dei «passeggeri trasportati».

Alle ore 15, il comandante di compagnia e il sottoscritto ci rechiamo presso l'abitazione di Monsieur Armand Neige, padre del proprietario del veicolo, Christian Neige, domiciliato in rue Pasteur, a Milly (71). Quest'ultimo conferma al comandante che i suoi due figli Christian e Alain Neige, accompagnati dalle rispettive consorti Sandrine Caroline Berri e Annette Strömblad, avevano lasciato l'abitazione del suddetto Armand Neige, in cui si trovavano a soggiornare per il fine settimana, verso le ore 08.10 di domenica 6 ottobre.

Alle ore 17, il riconoscimento dei quattro corpi viene eseguito da Monsieur Armand Neige presso l'ospedale Poinçon di Mâcon (71). Il suddetto riconosce entrambi i figli, Alain e Christian Neige, e le due nuore, Sandrine e Annette coniugate Neige.

Non è stato possibile stabilire chi, tra Christian e Alain Neige, entrambi proprietari del veicolo Renault, fosse alla guida dello stesso.

L'analisi tossicologica eseguita post mortem sulle quattro vittime ha dato esiti negativi.

Il veicolo Renault è stato trasportato presso il garage Millet, a Milly. Lì è stato constatato che il sistema frenante risultava difettoso; tuttavia non è stato possibile stabilire se tale stato fosse anteriore all'incidente o causato dalla violenza dell'impatto.

Sembra peraltro che il conducente abbia frenato prima che il veicolo uscisse di strada, ma le tracce degli pneumatici non risultano sufficientemente evidenti per certificarlo nella misura in cui, relativamente alla giornata del 6 ottobre 1996, Météo France ha riferito la presenza di patine di ghiaccio nella zona. Il conducente potrebbe aver accusato un improvviso malessere o essersi distratto per qualche istante all'interno del veicolo.

Riletta personalmente la dichiarazione di cui sopra, dichiaro di confermarne il contenuto senza nulla da rettificare, aggiungere o sottrarre a essa.

Redatto in duplice copia.

La prima destinata al procuratore della Repubblica a Mâcon.
La seconda per archivio.
Scritto e redatto a Milly, 9 ottobre 1996

IL SOTTUFFICIALE BONNETON (UPG)
IL GENDARME TRIBOU (UPG)
IL GENDARME RIALIN (UPG)
IL GENDARME MOUGIN (APG)

A mezzanotte del 20 dicembre, a Milly, anche i caminetti dormono ormai da un pezzo. Dalle case non trapela più nemmeno una luce.

Faccio pipì dietro un bidone della spazzatura. Fa un freddo cane.

45

Ogni mattina, i guardiani notturni ci aggiornano. Invece Madame Le Camus ci comunica chi è assegnato a quale piano.

Svegliamo i residenti. Li aiutiamo a lavarsi. Li portiamo giù, in mensa. Li facciamo sedere e somministriamo loro i farmaci preparati dagli infermieri. Serviamo loro la colazione e li riportiamo di sopra, ciascuno nella sua stanza. Facciamo il letto. Poi, se ci viene chiesto, uno shampoo o una manicure. A mezzogiorno, li riaccompagniamo giù per il pranzo.

Questa è la routine se ti tocca il piano degli «autosufficienti». Io, Jo e Maria ci occupiamo spesso dell'altro piano. In quel caso, svegliamo i residenti, li laviamo e diamo loro da mangiare. Poi li portiamo giù con gli altri, in giardino se fa bel tempo, oppure da qualche altra parte, se è inverno come adesso.

Se non facessi gli straordinari, non potrei mai ascoltare le storie che hanno da raccontare. Ciò significa che le mie ore di straordinario sono come piccoli solstizi d'estate. Ogni volta che lavoro, le mie giornate si allungano. Massaggio le mani e i piedi delle donne, oppure stendo loro sul viso una crema giorno e intanto le tempesto di domande. Gli uomini sono assai meno numerosi, alle Ortensie, come del resto in tutte le case di riposo del mondo.

A loro lavo i capelli, spunto i peli del naso o delle orecchie e faccio le stesse domande che rivolgo alle donne.

Potrei riempire centinaia di quaderni. A volte mi dico che potrei trasformare ogni residente in un racconto. Ma mi servirebbe una gemella.

È incredibile come le figlie si prendano cura dei genitori. Quand'ero piccola, desideravo tanto avere un maschio, un giorno. Lavorando alle Ortensie, però, ho cambiato idea. A parte qualche eccezione, i figli fanno giusto un salto ogni tanto. Il più delle volte in compagnia delle mogli. Le figlie, invece, passano sempre. Quasi tutti i dimenticati della domenica hanno solo figli maschi.

Rifaccio la stanza di Hélène sempre per ultima, così da avere un po' di tempo. Stamattina, quando sono arrivata col mio carrello, Roman era già lì.

Ieri ho scopato tutta la notte con Comesichiama. Se sono depressa, o bevo come una spugna o scopo.

Dopo essere saltata giù dal primo piano del centro civico, sono andata dritta a casa sua, ma lui non c'era. L'ho aspettato sul pianerottolo per un'ora. Non potevo tornare a casa. Non dopo quello che avevo appena letto. Le foto dell'incidente erano in una bustina grigia. Che ho rubato. Ho guardato soltanto la prima, però. Mentre aspettavo Comesichiama sul pianerottolo, ho sollevato un lembo della bustina.

Ho visto solo un groviglio di lamiere e ho immaginato che le foto successive fossero terribili. Che mostrassero i cadaveri insanguinati dei miei genitori.

Non appena è arrivato, Comesichiama mi ha tolto la bustina di mano e le ha dato fuoco con l'alcol nella doccia. Quando ha finito di bruciare, non è rimasto altro che un pessimo odore in tutto l'appartamento.

Abbiamo spalancato le finestre. E confesso di aver pianto.

Poi abbiamo cercato Pierre Léger, l'unico testimone oculare dell'incidente, sull'elenco telefonico. Non avevo mai sentito parlare di lui. Non veniva citato nell'articolo del giornale.

Comesichiama ha trovato sette Pierre Léger. Li ha chiamati l'uno dopo l'altro, finché non ha beccato quello giusto. « Non riattacchi, le passo Mademoiselle Neige », ha detto.

Quindi mi ha allungato il telefono.

« Pronto? Buonasera... Sono Justine Neige, la figlia di Christian e Sandrine Neige, morti in un incidente d'auto a Milly nel 1996. È stato lei a chiamare la gendarmeria? »

Un lungo silenzio. Poi Pierre Léger ha risposto: « All'epoca dei fatti ho chiesto ai giornalisti che il mio nome non figurasse da nessuna parte. Come ha fatto a rintracciarmi? »

Prima bugia: « È stato mio nonno, Armand Neige, a farmi il suo nome ».

« E come fa a conoscermi? »

Seconda bugia: « Non lo so. Milly è un paesino, si sa sempre tutto ».

Silenzio. Il suo respiro nel telefono. C'era la TV accesa, nella stanza in cui si trovava. Il telegiornale, probabilmente: sentivo un rumore di missili.

« Che cosa vuole? »

« Voglio sapere cos'ha visto, quella mattina. »

« Ho visto la macchina uscire di strada e centrare una quercia. L'impatto è stato così violento che l'albero si è quasi piegato. »

« L'auto andava veloce? »

« Come un razzo. »

Silenzio. Nodo alla gola. Faticavo a parlare. « C'era ghiaccio sulla strada? »

« L'auto mi ha sorpassato: il conducente andava così veloce che gli ho urlato contro e ho suonato il clacson. Non sono riuscito a vedere chi c'era dentro. Solo dopo ho saputo che erano in quattro. Duecento metri davanti a me, la macchina ha preso a zigzagare e si è... incastrata nell'albero. » Dopo una pausa, ha ripreso: « All'inizio non osavo nemmeno scendere... Mi sono detto che dovevano essere ridotti a brandelli, là dentro... Lei non mi crederà, ma la sera prima, per il mio compleanno, mi avevano regalato il mio primo cellulare... E il primo numero che ci ho digitato sopra è stato quello dei vigili del fuoco... Dopodiché l'ho buttato e non ne ho più voluto un altro... Dal momento in cui ho telefonato all'arrivo dei vigili del fuoco sarà passata una decina di minuti... Sono sceso dall'auto che le gambe nemmeno mi reggevano... Mi sono avvicinato all'ammasso accartocciato di lamiere... Tutti i finestrini erano esplosi... Era come se ci avessero messo una bomba, là dentro... Dall'interno non proveniva nessun suono... Ho subito capito che erano... »

« Li ha visti? »

« No. E, se anche avessi visto qualcosa, non glielo direi. Parlare dei morti non li riporta indietro. »

« Invece un po' sì, Monsieur Léger, glielo assicuro. »

Temo di avere un aspetto orribile. Ma anche Roman non scherza. È pallidissimo. Credevo ci fosse un po' più di sole, in Perù. Nei suoi occhi, però, sempre quell'azzurro perpetuo. Darei la vita per annegarci dentro. E soprattutto vorrei che il mio corpo non venisse più ripescato.

« Come stai, Justine? »

« Bene, grazie. »

« Hai l'aria stanca. »

« Ho avuto una notte difficile. »

« Hai lavorato? »

« Sì. Il viaggio è andato bene? »

« Come tutti i viaggi. S'impara come a scuola, solo che in questo caso l'insegnante è coinvolgente e non si dimentica. »

Sorrido.

Lui tiene la mano sinistra di Hélène tra le sue. « Mia nonna non ha mai indossato gioielli. »

« No. Ne ha sempre avuto orrore. »

« Sai tantissime cose su di lei... Stai ancora scrivendo per me? »

« Sì. »

« Non vedo l'ora di leggerle... Trovo rassicurante sapere che tu le stai sempre accanto... Se fossi vecchio... mi piacerebbe che a prendersi cura di me fosse una ragazza come te... Sei tanto dolce. Si sente e si vede. »

Mi viene voglia di convincerlo che è un ultracentenario. Mi sorprendo quasi a desiderare che lo sia. Solo che... « Devo chiederti di uscire per una decina di minuti, il tempo di lavarla. »

Le lascia la mano. « So che non sarebbe permesso farle visita al mattino, ma non posso fare altrimenti... Prima il tratto in treno, poi l'auto... Questo posto è troppo lontano. »

« Lo so, lo dicono tutti. »

« Vado a bere un caffè. »

« Al secondo piano c'è un distributore nuovo. Il caffè è buono quasi quanto un caffè vero. »

Lui esce dalla stanza e io prendo la mano sinistra di

Hélène nella mia. È calda. La bacio. Bacio le impronte di Roman. Va già bene così.

Lei apre gli occhi e mi guarda.

«Hélène, capisco perché ha aspettato Lucien. Capisco tutto, adesso.»

Lei tiene sempre gli occhi su di me, ma non dice niente. Sono tre settimane che non dice una parola. Sono io che parlo al suo posto nel quaderno azzurro.

Appendo il cartello alla porta.

CURE IN CORSO, SI PREGA DI NON ENTRARE

«Ieri sera ho letto il rapporto dell'incidente dei miei genitori.»

Le tolgo la camicetta con gesti delicati, per evitare di farle male.

«Ho fatto una cosa da pazzi. Mi sono introdotta nell'ufficio degli sbirri. Dei gendarmi, insomma. Lo so che non le piacciono i poliziotti francesi.»

Rimuovo i cuscini e sollevo la testata del letto. Riempio la bacinella. Con Hélène metto l'acqua sempre un po' più calda. «Ho fatto come lei a scuola, la sera in cui il gabbiano è venuto a salvarla. Mi sono nascosta in un ripostiglio e ho aspettato che se ne andassero tutti. E sono riuscita a trovare il dossier sull'incidente dei miei genitori. Correvano come matti. I genitori non dovrebbero correre come matti. Piuttosto che leggere libri del tipo *Come essere una buona madre,* avrebbero dovuto rispettare i limiti di velocità.»

Le faccio scivolare una traversa sotto il corpo. Inizio sempre pulendo la seduta. Poi passo alla schiena.

«E, a quanto pare, il sistema frenante sarebbe andato a farsi benedire... ma non è sicuro.»

Le insapono le braccia, il torace, l'addome. Poi le massaggio i gomiti con olio di mandorle dolci.

« Oggi è giovedì. Sua figlia verrà a leggerle qualcosa. E poi c'è suo nipote. »

La riappoggio sulla schiena e le libero la parte inferiore del corpo. Insapono e risciacquo con cautela. Conosco il suo corpo a memoria. Questo corpo che ha tanto amato Lucien. Noi aiuto infermiere siamo le custodi del tempio degli amori passati. Ma è una voce che la busta paga non contempla.

Hélène farfuglia: « Tutti quegli anni ad aspettarlo... Al bistrot, gli uomini mi dicevano: 'Lucien è morto, devi fartene una ragione' ».

È bello risentire la sua voce. E soprattutto è un buon segno. Non appena un residente smette di parlare, i medici richiedono una serie di esami neurologici.

Le massaggio i talloni. E, dopo aver strofinato ogni centimetro quadrato del suo corpo, le metto una camicetta pulita. Hélène riprende il monologo: « Non poteva essere morto ».

Infine le lavo il viso con acqua pulita e un po' di latte per neonati. Le spazzolo i denti e la faccio sputare.

Poi butto tutto: guanto da toeletta, traversa, pannolino.

Scrivo sulla cartella che ha parlato.

Quando tolgo il cartello, vedo che Roman è lì fuori, in attesa. Entra e rivolge un'occhiata al mio carrello, poi un'altra verso di me. « Grazie », dice.

« Vi lascio da soli », replico.

46

« Dov'eri ieri sera? »

« Da un amico. »

« Quale amico? »

« Comesichiama. »

Jules si butta sul mio letto ridendo e prende una capocciata. « Ci sono state altre telefonate dalle Ortensie? »

« No. E comunque sarebbero inutili. »

« E perché? »

« Perché ormai non ci crede più nessuno. Anzi, ci sono famiglie che bisogna ricontattare più volte se qualcuno muore *davvero*. Però, dopo questa storia del Corvo, i nostri residenti ricevono molte più visite durante il fine settimana. Anche quelli che prima sembravano abbandonati a se stessi. Bisognerebbe istituire la 'giornata del Corvo' nelle case di riposo di tutto il mondo. »

Jules sorride. Quando lo fa, somiglia ad Annette: ha le sue fossette, identiche. A volte mi dico che, se i nostri genitori non fossero morti, non saremmo cresciuti insieme. Ci saremmo visti solo di tanto in tanto. Nello spazio di una domenica mattina, siamo passati dall'essere cugini all'essere fratello e sorella. A causa di un albero sul ciglio della strada e di uno dei nostri papà che premeva troppo sull'acceleratore. Pensa un po'.

Quando i nostri genitori sono morti, i miei vivevano a Lione e quelli di Jules stavano programmando di trasferirsi in Svezia. Jules parla un po' di svedese. Da piccolo andava spesso a trovare i nonni, Magnus e Ada. Poi, un'estate, è successo qualcosa e da allora non ci è più voluto tornare. Cosa esattamente non lo so, però lui dava fuori di matto anche soltanto a sentir parlare la nonna della Svezia. Magnus e Ada sono addirittura venuti qui a Milly, ma lui si è rifiutato di vederli. Si è chiuso in camera sua, a doppia mandata. Me li ricordo entrambi in cucina, con un'aria smarrita. Ma i loro volti non li rammento bene. E Jules ha strappato le foto in cui comparivano.

Tutti gli anni, per il suo compleanno e a Natale, gli mandano una lettera e un assegno. Due volte all'anno, nella nostra piccola cassetta della posta che accoglie soltanto bollette e volantini, ecco materializzarsi una busta gialla. La nonna la porta in camera di Jules e la posa sulla scrivania. E, puntualmente, Jules la strappa senza aprirla. Ma si rifiuta di parlarne. Se tiro fuori l'argomento, se ne va sbattendo la porta, incollerito. Stasera, tuttavia, e chissà perché, la questione riemerge da sola. Come un singhiozzo che non riesco a trattenere e che risuona in tutta la stanza: «Perché ce l'hai tanto coi nonni svedesi?»

Lui non arrossisce e non esce sbattendo la porta. «Perché non fai che saltare di palo in frasca?» chiede invece, glaciale.

«Perché penso a tutta velocità.»

«Be', allora rallenta.» Apre la finestra e accende una sigaretta.

Io non ho il coraggio di muovere un muscolo. Lo guardo.

Dopo un silenzio interminabile, dice: «Hanno fatto delle insinuazioni».

«Insinuazioni?»

« Mi hanno detto... cioè, non è che lo abbiano proprio detto... diciamo che hanno cercato di farmi capire che mio padre forse non era davvero mio padre. »

Come al solito, scaraventa il mozzicone in giardino nell'innaffiatoio del nonno, ma non prima di aver aspirato un'ultima volta con tanta forza che mi sorprende che non si sia ustionato le labbra. Si gira di nuovo verso di me e aggiunge: « Avevo dieci anni. Avrei voluto ammazzarli, ti giuro. Ricordo di aver capito in quel preciso istante cos'è un impulso omicida. D'altronde, se avessi avuto vent'anni, penso che li avrei accoppati davvero. Devono la vita al fatto che ero piccolo ».

Una serie d'immagini mi affolla la mente. Si dice che in punto di morte l'intera esistenza ti passi davanti in una frazione di secondo. È quello che sta succedendo a me. Il tritarifiuti, Comesichiama, il cimitero, i cotton fioc, il fuoco di ottobre, il gabbiano, il dossier Neige, Le Ortensie, Hélène, Lucien, Roman, Monsieur Paul, il Corvo, mio fratello a tre anni, mio fratello a quattro anni, mio fratello a cinque anni, mio fratello a sei anni, mio fratello a sette anni, mio fratello a otto anni, mio fratello a nove anni, mio fratello a dieci anni, mio fratello a undici anni, mio fratello a dodici anni, mio fratello a tredici anni, mio fratello a quattordici anni, mio fratello a quindici anni, mio fratello a sedici anni, mio fratello a diciassette anni.

47

« Eppure hanno l'aria di due che si amano. »

Jo mi restituisce la foto di Alain e Annette scattata qualche mese dopo la nascita di Jules. La rimetto in borsa.

Stasera sono a cena da lei. Mi piace molto suo marito, Patrick, un ragazzone col viso segnato dalle cicatrici dell'acne. Per attenuarle, si sottopone a sedute di lampada UV ogni settimana. Ha tre tatuaggi; quello che gli copre quasi interamente un braccio raffigura una sirena. Jo dice che a volte, di notte, la sente cantare. E Patrick replica che lei non dovrebbe rubacchiare certi farmaci ai suoi vecchietti. È un vero gentiluomo con l'aria da vero cattivo. Il tipo che va in giro in Harley Davidson e si ferma alle strisce pedonali.

Mi piace mangiare da loro perché entrambi si toccano per tutto il tempo senza sfiorarsi. Come tutti quelli che si amano. L'esatto contrario dei miei nonni.

Hanno due figlie della mia età, ma non le conosco. Come tutti gli altri, dopo il diploma se ne sono andate da Milly. Leggendo le linee della mano, Jo ha predetto loro un brillante futuro.

« Forse la madre di Jules è stata violentata... » azzarda Patrick con la sua voce roca mentre rovista nel frigo.

Io e Jo rimaniamo a bocca aperta.

« Un sacco di donne vengono violentate e non hanno il

coraggio di dirlo. Forse lei ne aveva parlato coi genitori, ma non col marito. »

Jules frutto di uno stupro? Roba da matti.

« Sai, Jules era un bambino quando i nonni hanno fatto quelle allusioni: magari non ha colto il senso dei loro discorsi », obietta Jo mentre prepara le tartine alla taramà.

Nonostante il rosa che Jo sta spalmando sul pane, io vedo tutto nero. È in momenti del genere che lei mi dice: « Vieni a cena da noi, stasera ». E riempie i suoi piatti di colore.

« Jules ha sempre capito tutto. È come se parlasse anche lingue che non esistono. »

« Dov'è adesso? »

« A casa, a fingere di studiare. »

« Che pensi di fare? »

« Andare al cimitero e chiedere ad Annette con chi ha tradito lo zio Alain. »

48

« Gli uccelli non muoiono. Se non per errore. »

Lucien osserva il cielo.

Edna lo osserva osservare il cielo. « Chi te l'ha detto, Simon? »

« Gli uccelli si tramandano di generazione in generazione. Ogni uomo è legato a un uccello. »

« Lo hai letto in un romanzo? »

« No, guarda. » Punta il dito verso l'alto.

Edna fatica a tenere gli occhi aperti, abbagliata dalla luce della domenica di agosto. « Cosa dovrei vedere? »

« Non lo vedi? »

« Cosa? »

« Il mio uccello. Lei mi segue ovunque. »

« Lei? Ma chi è questa che ti segue ovunque? »

« È il mio uccello. È una femmina... Ho perso la memoria, ma non lei. »

Edna non vede nulla, in cielo. Nemmeno una nuvola. « E da dove viene questo uccello? »

« Non lo so. »

« Se si tramandano di generazione in generazione, è probabile che arrivi da tuo padre o da tua madre. »

« Forse. » Guarda il ventre rotondo di Edna e lo sfiora.

È stata lei a compiere il primo passo. È stata lei a entrare nella sua stanza e a sdraiarglisi accanto. Tutto si è svolto con una grazia garbata, in silenzio. Con estrema tenerezza, più *che con passione. Lucien sembrava felice della propria erezione: felice di provare desiderio, di fare l'amore con una donna. E il suo primo sorriso, dal loro incontro alla Gare de l'Est, è apparso nel momento in cui Edna gli ha detto che era incinta.*

« È una femmina. »

« Come il tuo uccello? »

« Sì. »

Edna lo abbraccia. « Spero che avrà i tuoi occhi. »

« Avrà gli occhi del mio uccello. »

« Di che colore sono? »

« Non lo so. Vola troppo in alto. »

Torna a immergersi nei suoi pensieri. Edna lo osserva frugare nei ricordi. Ma è come se rovistasse in una stanza buia.

Sono ormai trascorsi due anni dal giorno in cui è sceso da quel treno alla Gare de l'Est per entrare nella sua vita. Sono due anni che lei lo ama. Edna sa che un uomo così bello non avrebbe mai diviso il suo letto se non ci fosse stata la guerra. Ma è poi vero che lo divide? Sembra sempre da qualche altra parte. Forse nel bistrot di père Louis.

L'inverno precedente, Edna si è presentata all'indirizzo indicato sulla lettera che accompagnava il ritratto di Lucien/Simon. Presso il bistrot di père Louis, a Milly. *Non ci è andata per parlare di Lucien alla donna che aveva spedito la lettera. Una lettera che peraltro lei aveva bruciato da un sacco di tempo, insieme col ritratto. Ci è andata perché sapeva che quel posto le avrebbe parlato di Lucien/Simon.*

È entrata nel bistrot alle dieci del mattino. Fuori si gelava. Dentro, ardeva una stufa a legna. Un orologio a pendolo con le lancette spezzate segnava le cinque. Si è seduta in un angolo. C'erano solo due uomini: bevevano in silenzio, appoggiati al bancone. A quell'ora gli altri erano probabilmente al lavoro. Uno dei due continuava a ripetere la stessa frase, a proposito di un albatros: sembrava una poesia.

Da dietro il bancone, il cameriere le ha chiesto cosa volesse bere. Così, su due piedi, Edna non ha saputo rispondere. Poi ha detto: « Qualcosa di caldo, per favore ».

A quelle parole, i due uomini appoggiati al bancone si sono girati contemporaneamente a guardarla.

Quindi un grosso cane è apparso come dal nulla. Le si è avvicinato, ma non troppo. Sembrava la stesse fiutando. Edna ha temuto che potesse riconosce l'odore di Lucien/Simon sulla sua pelle. In preda al panico, ha indicato il cane chiedendo: « Quanti anni ha? »

Il cameriere è sembrato sorpreso dalla domanda. Poi ha risposto di non saperlo con precisione, e che la padrona l'aveva trovato per strada sul finire della guerra.

Sul finire della guerra. Il cane non aveva avuto modo di conoscere Lucien/Simon. Edna si è sentita sollevata. E nello stesso preciso istante il cane è sparito dietro il bancone.

Con passo zoppicante – probabilmente una ferita di guerra – il giovane cameriere le ha servito un brodo di verdure bollente.

L'ha bevuto a piccoli sorsi, soffiandoci sopra di tanto in tanto. Era buono.

« La padrona », ha detto il ragazzo, e non « il padrone ». Hélène Hel era sicuramente la proprietaria del locale.

Circa mezz'ora dopo, è arrivata una donna con in mano un paio di pantaloni. Dopo aver salutato i due uomini che bevevano, è andata dietro il bancone, raggiungendo il cameriere che le ha ceduto il posto.

Il cuore di Edna ha preso a battere, e le mani a tremare; fortuna che era seduta.

Allora era quella, Hélène Hel: la donna che parlava ad alta voce coi due uomini appoggiati al bancone. Una donnina grassoccia e sgraziata, una come se ne incontrano ovunque. Una che passa inosservata, proprio come lei.

Lucien aveva trovato una donna banale, è vero, ma non più di quella che aveva perduto.

Poi il cameriere è tornato. Ma c'era un'altra donna *con lui, oltre al cane.*

Un'altra *che ha aperto una porta sul retro del locale, una porta rivestita di specchi tra due ripiani con sopra bicchieri e bottiglie.*

Un'altra *la cui presenza ha provocato un nuovo tremore alle mani di Edna. Per ritornare in sé, si è dovuta pizzicare il braccio con forza. Ma non c'è stato niente da fare. E dire che aveva i nervi saldi, con tutto quello che le era toccato vedere in vita sua: aveva tenuto le mani a uomini amputati, incancreniti, agonizzanti. Senza mai tremare.*

Fino a quando non aveva incontrato Lucien/Simon.

Era come se, da quel giorno alla Gare de l'Est, avesse perduto tutto: la sicurezza, l'orgoglio, il sangue freddo, l'autorità, la calma, l'integrità, la fede. Da quel momento, Edna era diventata viziosa, bugiarda, falsa, ladra, suscettibile. Poteva passare dal riso al pianto in pochi secondi, rubare la morfina dall'infermeria per iniettarsela, dimenticare, sognare, arrossire, sudare, amare, e non pensare più ad altro che al letto in cui lo avrebbe trovato, la sera. E quella mattina, al bistrot di père Louis, nell'intuire la figura di quell'altra, *aveva imparato la gelosia. Quella piovra i cui tentacoli acidi potevano affondare nelle viscere e riapparire sotto forma d'incubi nei quali Lucien/Simon montava donne di ogni genere finché non si ritrovava nelle braccia di* quell'altra.

Il cameriere, quell'altra *e il cane si sono poi diretti verso la donna dietro il bancone.* Quell'altra *si è tirata indietro i capelli, e Edna non ha potuto fare a meno di notare quanto fossero eleganti le sue mani. E quei lunghi capelli che ha raccolto in uno chignon, e la sua pelle, la bocca grande, il profilo perfetto.*

Quell'altra *ha guardato i pantaloni che le tendeva la donna, e poi li ha presi. Dopodiché ha alzato la testa e posato gli occhi chiari in quelli di Edna. Occhi azzurri, come una carezza fugace. Il suo sguardo non faceva che sfiorare le cose senza mai penetrarle. Come quello di Lucien.*

In quel preciso istante, diversi uomini hanno fatto il loro ingresso nel bistrot. Era il momento della pausa, alla fabbrica. D'improvviso, Edna ha cominciato a sentire l'odore del tabacco. La donna che non era Hélène Hel è uscita dal locale.

La donna che era Hélène Hel, invece, si è infilata nella stanza nascosta sul retro, seguita dal cane, e ha posato i pantaloni. Ma è tornata subito dopo, per aiutare il giovane zoppo a servire i clienti.

Per un quarto d'ora è stato tutto un «come sta, Hélène?» Cui la donna rispondeva semplicemente: «Bene».

Nessuno ha accennato a Lucien/Simon. Eppure, dietro ogni «Bene» di Hélène, Edna ne ha percepito l'assenza. E il modo in cui gli uomini la guardavano riempire i bicchieri. Nessuno di loro aveva mai guardato la propria donna in quel modo. Edna poteva scommetterci. Prima di conoscere Lucien/Simon, non avrebbe mai badato a cose del genere.

Un'ora più tardi, Edna era di nuovo su un treno. Poi, alla stazione di Vernon, è caduta: non è inciampata, ha proprio perso i sensi. Troppe emozioni.

Alcuni viaggiatori si sono precipitati a prestarle soccorso. Tra loro, anche un medico. Edna gli ha detto di non preoccuparsi, che era un'infermiera. E il medico le ha risposto che era un'infermiera incinta.

Dio aveva dunque perdonato ciò che era diventata.

Un bambino.

Doveva dimenticare. Doveva creare il vuoto. Non aveva mai bevuto quel brodo di verdure, mai sentito un uomo recitare poesie, mai avuto paura di un cane, mai visto una donna dagli occhi chiari che si svuotavano fissando i bicchieri che riempiva.

49

Il cassetto del comodino è socchiuso. Non c'è più acqua nella caraffa. La riempio. Hélène beve molto. Non so se sia per il caldo che fa sulla sua spiaggia o per il fatto di essere stata la proprietaria di un bistrot. Di solito ci tocca costringere i residenti a bere perché non si disidratino. Con Hélène, questo rischio non c'è.

Con le sue mani da ragazza, Roman rimuove l'elastico per capelli che tiene insieme brandelli di carta macchiati: vecchie pagine strappate da giornali o libri. Le sfiora con le dita e mi dice: « È incredibile ».

Rispondo ai miei piedi che, durante tutto il periodo passato a Dora, Lucien ha tenuto nascosto in bocca un sasso appuntito, per risputarlo ogni volta che aveva voglia di scrivere qualcosa a Hélène.

Roman mi porge un pezzo di carta da giornale ingiallito e reso quasi trasparente dal tempo trascorso dentro una tasca.

« Cosa c'è scritto su questo? »

« 'Hélène Hel, non sposata il 19 gennaio 1934. Milly.' »

« Sai leggere il braille? »

« No, me li ha letti Hélène. »

« E quest'altro cosa dice? »

« 'Non si dovrebbe pregare che per il presente. Per dirgli grazie tutte le volte che ha i tuoi lineamenti.' »

« Bellissima. Mio nonno scriveva bene. Ma credo che sia naturale scrivere bene, quando si è innamorati. »

Questa volta, non posso fare a meno di guardarlo. Nel pronunciare quelle parole, l'azzurro dei suoi occhi è sprofondato nei miei: avete presente un bambino che riempie due buchi con la plastilina?

Senza che me lo chieda, dispiego la pagina 7 di un giornale polacco. Riporta la fotografia in bianco e nero di un bosco di betulle. In controluce, mostro a Roman la pagina bucherellata da forellini. « È una specie di lettera. Una lettera sconclusionata. Le ultime parole che ha scritto in braille. Poi non so cosa sia accaduto. Il treno su cui è arrivato alla Gare de l'Est proveniva dalla Germania. »

« Me lo leggeresti? »

Comincio a recitare le parole che conosco a memoria: « 'Perché sparare sui morti? Perché? Perché nessuno lo racconta? Che tutti custodiscano il silenzio anche al di fuori di questo mondo? Quand'è arrivato il mio momento di beccarmi una pallottola in testa, quando ho sentito il freddo della canna contro la tempia, ecco risuonare le urla. Via la pistola dalla testa. Gli uomini hanno aperto il fuoco verso il cielo. Mi hanno dimenticato, hanno dimenticato di prendersi la mia vita. Che proviene da te. È il bambino prima del nostro bambino' ».

« A cosa si riferisce? »

« A Buchenwald, all'esecuzione, al gabbiano. »

« Quale gabbiano? »

« Hélène ha sempre pensato che un gabbiano la proteggesse fin da piccola. E che poi abbia protetto Lucien, quand'è stato deportato. »

« Continua a leggere, ti prego. »

Riprendo da dove ho interrotto: « 'Che cosa rimane di

un uomo che indossava vestiti di flanella? Mi riconoscerai?'

«'Ho paura.'

«'Muovere prima un dito. Lentamente. Poi la mano come su un pianoforte.'

«'È per fare rumore nella mia testa.'

«'Scrivo per ricordare un ricordo. Quello in cui avevamo appeso il cartello CHIUSO PER FERIE sulla porta del bistrot. Solo che poi non siamo mai partiti. Le nostre vacanze inventate nella stanza di sopra, con le imposte chiuse. Tu ti eri occupata delle provviste, io della valigia blu. L'ho posata sul pavimento della camera. Il Mediterraneo sul parquet. Una pozza blu con dentro i romanzi che ti ho letto. Mi vengono in mente in particolare quelli di Irène Némirovsky. A volte ti sporgevi dalla finestra come attraverso l'oblò di una nave, per raccontarmi del paese e della gente che si annoiava senza di noi. E io ti parlavo del tuo ventre salato come i ricci di mare' ».

Sollevo lo sguardo. Per la prima volta, rimango impigliata per qualche secondo a quell'azzurro. A mano a mano che recito le parole di Lucien, sento di aver sempre meno timore dello sguardo di Roman.

«'Tu non mi hai mai detto ti amo, ma io ti amo per entrambi.'

«'Amore mio, la prima volta che ti ho baciato ho avvertito come un fremito d'ali sulla bocca. All'inizio ho pensato che sotto le tue labbra si dibattesse un uccello, e che il tuo bacio non desiderasse il mio. Ma, quando la tua lingua è venuta a cercare la mia, l'uccello ha iniziato a giocare coi nostri respiri, era come se li rinviasse dall'uno all'altra.' »

Non riesco più a pronunciare una parola. Riavvolgo i fogli e rimetto l'elastico. Mi domanda se è finita, io rispondo di sì. Rimetto i fogli nel cassetto del comodino.

« È una leggenda, questa storia del gabbiano? »

« La leggenda di Hélène. Lei è convinta che ogni essere umano sia collegato a un uccello che lo protegge durante tutta la vita. »

Si sporge verso sua nonna e la bacia. « Come mai non indossi il camice, oggi? » mi chiede poi in un sussurro, senza guardarmi.

« Sono in ferie. »

« E sei venuta ugualmente? »

« Sono venuta a salutare Hélène prima di partire. »

« Per dove? »

« Per la Svezia. »

« Non fa quasi mai giorno, in questa stagione... Cioè, voglio dire: è quasi sempre notte. » Sorride, perché ha fatto un pasticcio con le parole.

Lo guardo, ma non posso dirgli che solo la Svezia potrà in qualche modo chiarirmi le idee, anche a dicembre.

« Pronto? »

« Mi accompagneresti in aeroporto? »

« Certo. Che giorno? »

« Adesso. »

« E dove vai? »

« A Stoccolma. »

« A trovare i nonni di Jules? »

« Sì. Come fai a saperlo? »

« Come faccio a sapere cosa? »

« Come fai a sapere che i nonni di Jules sono svedesi. »

« Me l'hai detto tu. »

« Ricordi tutto quello che ti dico? »

« Sì. Almeno credo. »

« E dico sempre così tante cose? »

« I giorni in cui non ti do sui nervi, sì. »

Davanti al Terminal 2 dell'aeroporto Saint-Exupéry, prima di andarsene, Comesichiama mi bacia sui capelli.

Non si bacia una scopamica sui capelli. Lui mi tocca e mi guarda come se stessimo « insieme ». In effetti, non so più neanch'io quello che siamo esattamente l'uno per l'altra.

Non ho nessun bagaglio, solo uno zainetto con dentro cambi per due giorni. Il mio volo per Stoccolma è già sul tabellone dell'atrio. Imbarco dal gate 2. Terminal 2, gate 2. Jules è nato il 22. Lo prendo per un buon segno.

Lungo il tragitto da Milly all'aeroporto, Comesichiama non mi ha fatto domande.

Ha acceso l'autoradio e si è messo a cercare canzoni a caso, dicendo che era il suo sorteggio preferito. Indossava un maglione color senape che stava malissimo coi pantaloni. In ogni caso, il color senape andrebbe bandito per legge.

Comesichiama non veste mai coordinato, ma ha due belle fossette che gli impreziosiscono le guance quando sorride, come per rimediare al suo cattivo gusto.

50

Magnus e Ada abitano vicino al mio albergo, al numero 27 di Spergatan, Stoccolma. Non li ho avvisati della mia visita. Sono le nove del mattino ed è ancora buio. Farà giorno alle undici, e durerà quattro ore appena. Ho un freddo assurdo.

Imbacuccata nel piumino di Jules, cammino a passi svelti. Secondo i miei calcoli, i genitori di Annette avranno circa settant'anni. So che non parlano una parola di francese. Così ho dato appuntamento a un'interprete al numero 1 di Spergatan, prima di andare a bussare alla porta del 27. Di lei so soltanto che si chiama Cristelle, che è francese, che ha ventisei anni e che vive qui da parecchio. So pure che prende quattrocento corone svedesi all'ora, che fanno quasi cinquanta euro. Rende di più parlare due lingue che prendersi cura dei vecchietti.

Cristelle mi sta già aspettando.

La vedo soffiare sui guanti. I suoi capelli biondi sono nascosti sotto un voluminoso berretto verde bottiglia.

Mentre mi avvicino, lei mi dice: « Ehi, Justine! »

Mi ha riconosciuto grazie alla foto del mio profilo Facebook, dove appaio per quella che sono: né più magra né più grassa, né più scura né più bionda, né più giovane né più vecchia. Ci stringiamo il guanto.

Durante il tragitto a piedi verso il numero 27, le spiego che sono venuta qui per incontrare i nonni di mio cugino

Jules, che ha diciott'anni e che considero come un fratello. Le dico pure che entrambi abbiamo perso i genitori in un incidente d'auto che forse non è stato un incidente, e che ho appena saputo che mio zio Alain, il padre di Jules, forse non era davvero suo padre. Mentre le racconto questa storia che sembrerebbe uscita dritta dritta da uno dei romanzi della nonna, vedo la nuvola di fiato caldo scaturirle dalla bocca, che apre di tanto in tanto solo per commentare con qualche onomatopea.

Al 27 c'è una porta di legno rossa, con sopra appesa una ghirlanda natalizia. Vivono da soli? Saranno in casa?

Annette aveva un fratello un po' più piccolo di lei. Jules ha due cugini. E se venisse ad aprirmi uno di loro?

Mi sfilo il guanto destro e busso alla porta. Tre colpetti secchi. Niente. Busso di nuovo.

E se, tre giorni prima di Natale, Magnus e Ada fossero partiti per un fiordo o qualcosa del genere? Dal momento che però non ho idea di come sia fatto un fiordo, non riesco a proiettarmi un'immagine mentale di Magnus e Ada in quella situazione. E se fossero morti senza che a noi fosse giunta notizia? Impossibile, visto che la settimana scorsa ho intercettato il bigliettino di Natale con tanto di assegno che avevano spedito a Jules. Non possono essere morti nel giro di una settimana. Anche se... basta una mattina, per morire.

Un uomo viene ad aprire: Magnus in pigiama. Jules con cinquant'anni di più. Stesse sopracciglia, stesso sguardo, stessa bocca, stesso viso emaciato, stessa corporatura. Gli osservo le mani, le dita più lunghe delle sigarette russe.

Se tirasse una boccata, potrei perdere i sensi qui, sul marciapiede, tanta è la somiglianza con mio fratello. Persino i suoi capelli bianchi ricordano quelli di Jules: lo stesso ciuffo ribelle.

« Buongiorno, sono Justine, la cugina di Jules. »

Cristelle mi viene dietro in svedese.

51

14 luglio 1984

I gemelli lo aspettano sotto il pergolato con le nuove fidanzate. Armand torna dalla fabbrica a piedi. È mezzogiorno e cinque. Aveva iniziato alle quattro del mattino. Nei pomeriggi d'estate, dopo il sonnellino, si dedica al giardino. Poi, alle nove di sera, torna a dormire.

Oggi è il 14 luglio. Vale la pena di lavorare durante i festivi, ti pagano il doppio. Altri dieci anni di sacrifici e potrà mettersi in pensione. Magari ne approfitterà per viaggiare. Non ha mai visto il mare.

A cinquanta metri da casa, sente risuonare le voci di Christian e Alain in giardino. Sente le risate delle nuove fidanzate. Apre il cancello, che non cigola più. Eppure avrebbe giurato che al mattino cigolava. Chi ha unto i cardini?

Prima di andare a salutare i figli, sprofonda nella frescura della casa. S'insapona le mani nel lavello della cucina. Si sfrega le dita col grosso pezzo di sapone di Marsiglia, affondandoci le unghie.

Coglie il suo riflesso nello specchio, le tempie ormai brizzolate. Fin da bambino lo chiamano «l'Americano», per via della sua bella faccia. Un soprannome che aveva detestato a lungo, perché sembrava implicare che sua madre avesse avuto una relazione con qualche soldato al momento della Liberazione. Poi ci aveva fatto il callo. Al lavoro, quando un collega gli chiede: « Come va, Americano? » non ci fa più nemmeno caso. Lì è così, la gente non riesce proprio a chiamarsi per nome.

Reinventa l'anagrafe a furia di nomignoli.

Ha fame.

Eugénie ha preparato un cuscus di pesce. È il piatto preferito di Alain. Il brodo sobbolle a fuoco lento sul fornello. Solleva il coperchio, inspira e chiude gli occhi. Così facendo, prolunga il piacere. Il piacere che lo separa dai suoi due ragazzi. Qualche minuto ancora e li stringerà tra le braccia.

Da quando i gemelli si sono trasferiti a Lione, gli sembra che il tempo si sia dilatato e che la casa sia diventata molto più grande. Avere due ragazzi per diciotto anni, due diavoletti che fanno casino nello stesso momento, e poi il vuoto. Stanze cui si dà luce solo per spolverare. Ma ciò che gli manca di più sono le gite in bicicletta la domenica mattina. L'orgoglio nel riuscire a scalare un valico, il sudore che inzuppa le magliette dei figli, il loro collo, il loro sorriso così simile. Due ragazzi al prezzo di uno. Anche se Alain è più spericolato di Christian, e più loquace, anche.

Oltrepassa la tendina a fili ed esce. Non li vede da Natale. Sette mesi sono tanti. Da quando lavorano « nel campo della musica », non trovano più il tempo per tornare a Milly. Cammina verso di loro. Costeggia i suoi ortaggi, non può fare a meno di notare come le foglie dei pomodori stiano ingiallendo con troppo anticipo rispetto alla stagione.

Non la vede subito. Lei è di schiena. I suoi capelli d'oro, da soli, hanno lo stesso effetto degli specchi che usa lui per abbagliare gli uccelli sugli alberi da frutto.

Vedendolo arrivare, Christian dispiega il suo metro e ottantotto per abbracciarlo. Armand chiude gli occhi per assaporare meglio il dolce profumo di suo figlio maggiore, anche se solo di tredici minuti. Poi è Alain a dargli una pacca sulla schiena e a chiamarlo papà.

Si è alzata anche lei. La sua frangetta è troppo lunga.

Con un gesto della mano, si scosta i capelli da entrambi i lati del viso, liberandosi la fronte. Ha la pelle chiara, quasi bianca. La sua bocca di ciliegia svela due file di denti perfettamente allineati, bianchi come la pelle. Sembra facciano a gara. Lui le stringe la mano e, molto stupidamente, le dice che ha un accento che si può tagliare col coltello. Lei non capisce, e lui non insiste. Le dà persino la schiena. Tocca a Sandrine presentarsi. Molto lieta.

Si versa un bicchiere di porto. Niente ghiaccio: lo odia. Ripensa al mare. Alla pensione. Al viso di Annette. Che gli prende? Di solito non fa di simili pensieri. Di solito non pensa proprio. Non a cose del genere, a ogni modo.

Che novità? Al negozio, le cose vanno bene. I gemelli si sono lanciati sull'import-export. Vanno di moda i singoli di trenta minuti. La musica inglese fa sfracelli. D'altronde, è la migliore. Alain compone, tra un cliente e l'altro, mentre Christian si occupa della contabilità. Annette ha lasciato la Svezia e verrà a vivere in Francia per dedicarsi al restauro di vetrate antiche. Di cosa? Sai, le finestre con tutti quei santi colorati nelle chiese. Ah, di vetrate. Per vendere dischi hanno bisogno di una bella ragazza, attira i clienti, e per fortuna c'è Sandrine. Annette ci raggiunge nei fine settimana. Ah, sì, papà, ecco la grande notizia. Ci sposiamo. Appena mio fratello ha fatto la sua proposta di matrimonio a Sandrine, io ho fatto la mia ad Annette. Cioè, a dire il vero, sono stato io a farla per primo ad Annette, non vorrei che qualcuno me la fregasse, capisci? Ci sposeremo lo stesso giorno, così risparmierete un abito da cerimonia, e lo faremo a Milly, non se ne parla proprio di farlo a Lione e, mamma, tu preparerai il tuo cuscus di pesce, ma no, non ci sarà troppa gente, no, solo i genitori di Annette e la madre di Sandrine, niente cose in grande. Vi trattenete a lungo? Una quindicina di giorni. Buono il cuscus, mamma. Mi mancano le tue cenette. Che specialità avete, lì da voi in Svezia? Cos'è una specialità? Quello che mangiate di solito. In estate, i gamberi d'acqua dolce. Il resto dell'anno, aringhe e salmone. Il salmone è un pesce di mare o di acqua dolce? Entrambe, credo. Il salmone passa dall'una all'altra.

Armand pensa che, se anche Annette gli parlasse in svedese, lui la capirebbe.

Di ragazze, Armand non ne ha conosciute tante. Prima d'incontrare Eugénie, ne frequentava un'altra. Non era molto carina, ma aveva un bel sorriso. Solo che non era durata. E poi era arrivata Eugénie e lui ne aveva chiesto immediatamente la mano al padre. Il corteggiamento era stato frettoloso, come un peso di cui sbarazzarsi. Come se avesse avuto bisogno del sì di una donna per trovare pace. Per potersi sedere su una panchina qualsiasi e respirare. Anche se lui su una panchina non si è mai seduto. Per lui conta solo il sellino della bici. Come se sposarsi fosse un passaggio obbligato per accedere alla vita reale, quella degli adulti, il corridoio da imboccare per uscire dell'infanzia.

A casa, aveva solo un fratello. A scuola, solo ragazzi. Al lavoro, nient'altro che uomini. Quanto a Eugénie, lei è sempre stata una donna. Mai una ragazza.

Ha passato una notte agitata, in bianco. Per quale motivo si dirà poi « notte in bianco »? La sua è stata nera. Ieri sera si è messo a letto prima del solito, per evitare di doversi sedere di nuovo accanto a « lei » durante la cena.

Al mattino, il suo profumo aveva già invaso la casa.

Le pareti ne erano impregnate. Avevano assorbito il suo odore. Eppure sarebbe pronto a giurare che non si tratta del profumo di un flacone: è nato con lei.

Ma che gli prende? Ripensa a tutte le ex di Alain. Con una si era frequentato per poco più di un anno, aveva dormito in casa loro, un paio di volte. Di nome faceva Isabelle. Un giorno, l'aveva lasciata per un'altra. Una certa Catherine, gli pare. Poi era stata la volta di Juliette. No, sta facendo confusione: quella era la ragazza di Christian. Ragazze che in quella casa avevano trascorso un fine settimana o una serata, o che venivano a cercare i gemelli. Ragazze un po' troppo profumate. Gli torna in mente quella coi collant neri smagliati. L'aveva trovata volgare. A differenza di Eugénie, non ha mai avuto nulla a che fare con le ragazze dei suoi figli. In effetti, non aveva mai avuto nulla a che fare con le ragazze in generale. Aveva sempre voluto bene a Eugénie, senza mai amarla.

Ogni fine anno, lei teneva d'occhio le mogli dei suoi colleghi che lo sbirciavano alla cena organizzata dal consiglio di fabbrica. A sentir lei, erano una caterva. La gelosia della moglie lo faceva sorridere, ma lui si limitava a stringersi nelle spalle, senza nemmeno schiudere le labbra.

Non è mai stato così felice di uscire di casa. No. Non felice: sollevato. La sua è quasi una fuga. Non sono che le tre. È in anticipo. Ma non importa. Non importa più niente, ormai, a parte *lei*. La futura moglie di suo figlio. La ragazza venuta dalla Svezia. Ha come la sensazione che gli si sia annidato dentro un tumore. E, mentre cammina per tornare al lavoro, sa che nulla sarà mai più uguale a prima. Guarda un po', non aveva mai notato quel muro di mattoni subito prima della fabbrica.

Al lavoro, sui telai, non vede che lei. Dai tessuti non emergono motivi stampati, ma solo il suo volto, il suo sorriso e la sua voce. Si domanda come mai suo figlio Alain passi ore intere a comporre: quando hai una fidanzata con una voce così, non devi fare altro che ascoltarla. Ogni sua sillaba somiglia a un'aria d'opera. Anche se lui non ne sa molto, di opera. In vita sua ha visto soltanto la *Madama Butterfly*, una volta alla televisione.

Ieri sera, nel salutare i figli prima di salire in camera sua per la notte, le ha visto il collo. Lei era protesa in avanti.

Aveva posato un libro sul tavolo del salotto e, mentre leggeva, si accarezzava il braccio destro con la mano sinistra in un gesto meccanico. Quella visione lo ha gettato in uno stato di prostrazione: quel collo libero, i capelli raccolti con un elastico rosa abbastanza sofisticato. E quella mano che faceva su e giù lungo il braccio. E adesso, adesso che è lì, davanti a tutti quei telai che compiono quasi lo stesso movimento, solo più veloce, lui non vede che quella mano, quel braccio, quella pelle bianca come il gesso.

Ma cosa mi prende? si chiede in silenzio. *Che cosa mi prende? Sono completamente suonato. Un vecchio rottame but-*

tato all'aria da un soffio di gioventù. Rivoltato da un capriccio della testa. Quanto sei patetico. Ripigliati.

Eppure a mezzogiorno non torna a casa. Perché una casa non ce l'ha più. Il suo capanno, il suo giardino, la sua credenza, la sua recinzione e tutto il resto: nulla gli appartiene più.

Il caporeparto gli dice: « Tutto bene, Armand? È l'una, ti tocca tornare a casa, vecchio mio ». *Ha ragione, sono vecchio. Ho mille anni. Cinquanta primavere il mese prossimo, ma dove sono andate? Che cosa ne ho fatto?*

Quando alla fine rincasa, Eugénie gli annuncia che i ragazzi e le loro fidanzate sono usciti. Avrebbe voglia di prenderla tra le braccia e farla volteggiare. Come a un ballo cui non hanno mai preso parte perché, appena sposati, Eugénie era rimasta incinta e lui aveva dovuto lavorare il doppio. I ragazzi, invece, loro ne hanno approfittato, se la sono spassata. Di ragazze ne hanno conosciute tante. Una a settimana. E Armand le ha sempre guardate come si guarda una bella foto paesaggistica su una rivista, prima di girare pagina.

« Come mai hai fatto così tardi? » gli chiede Eugénie. « Aspetta, ti scaldo il cuscus avanzato. È da ieri che non sembri tu. »

Dopo aver mangiato, entra nella stanza di Alain.

C'è già passata Eugénie, in giro non è rimasta nessuna traccia. Il letto è stato rifatto in maniera impeccabile. Il pavimento di linoleum brilla. Alle pareti, i poster che Alain non ha mai staccato. Téléphone, AC/DC e Trust. Un salvadanaio a forma di cassaforte e un mappamondo giacciono abbandonati sulla scrivania. Qua e là, qualche foto sua e del fratello.

Armand è l'unico che non li ha mai confusi. La differenza è nello sguardo. Ribelle l'uno, riservato l'altro: sin dai tempi dell'infanzia. Potranno anche sorridere e soffiarsi il naso allo stesso modo: è tutto nello sguardo.

La piccola valigia di Annette è posata in un angolo, tra l'armadio e il comodino. È rosa. Armand non aveva mai visto una valigia rosa. Certo che questi svedesi non fanno nulla come gli altri. Fabbricano ragazze straordinariamente belle, elastici sofisticati e valigie rosa. Armand apre la cerniera. Da ieri è diventato un estraneo, una persona nuova, qualcuno che non conosce nemmeno lui. Qualcuno che apre una valigia di nascosto. Qualcuno alla ricerca di un profumo.

I suoi abiti chiari sono ripiegati con cura. D'altronde non sono abiti veri e propri, sono cosine leggere e delicate. Niente di paragonabile ai vestiti nell'armadio di Eugénie.

Richiude la valigia con un gesto brusco come uno schiaffo.

Fra tredici giorni, ritorneranno a Lione. Non la rivedrà prima di Natale. E, conoscendo Alain, per allora l'avrà già rimpiazzata con un'altra. Una che non gli farà più nessun effetto, come quelle di prima.

Per tutti i tredici giorni che rimangono da sfangare, Armand fa gli straordinari in fabbrica. Non appena rincasa, a metà pomeriggio, si mette a letto, stremato. Evita puntualmente di sedersi a tavola per cena, accampando continui mal di testa.

Dopo una settimana, Eugénie decide di chiamare il medico senza consultare il marito. Armand accetta malvolentieri di farsi visitare. Il medico rileva una leggera depressione, dovuta probabilmente al troppo lavoro. Ma Armand rifiuta di mettersi in malattia. Non se ne parla di restare a casa. Gli bastano già quelle poche volte che la incrocia: sulle scale, in giardino, davanti a casa. Qualche giorno prima gli aveva persino chiesto in prestito la bici per andare a fare un giro. Aveva posato il suo culo sul suo sellino. Dopo, lui aveva volutamente lasciato la bici sotto la pioggia per due giorni, finché, brontolando, Eugénie non l'aveva rimessa nel capanno del giardino.

Indossa ogni volta vestiti diversi, che Armand ricorda però a memoria, benché non osi scrutarla più di tanto. Ma un'occhiata è sufficiente a imprimergliela nella mente. A quel punto, per quanto si sforzi poi di posare gli occhi altrove, di riempirsi la testa di altre immagini, lei si è già presa tutto lo spazio. Con un solo sguardo, Armand riesce a trattenere ogni poro di quella candida pelle. È come una dote che ignorava di avere. La memoria non gli serve ormai che a ricordare Annette.

Ed è ridicolo pensare che a Natale Alain possa averla sostituita. Perché lei è insostituibile.

Il vuoto. Tra la fine dell'estate e il giorno di Natale del 1984, è stato solo il vuoto. Solo assenza.

Per schiarirgli un po' le idee, questo pomeriggio, Eugénie gli ha chiesto d'incartare i regali. Regali per i gemelli, per Sandrine e per *lei*.

Ha iniziato da quelli dei gemelli. Due maglioni fatti a maglia da Eugénie e che non indosseranno mai, e due cappelli a cilindro, nel caso in cui ne avessero bisogno il giorno del matrimonio. Sì, perché ci siamo, hanno già fissato la data, sarà a febbraio.

E Alain non *l*'ha sostituita.

La carta che usa per impacchettare il regalo dei gemelli è decorata con rametti di agrifoglio. Sulla punta delle foglie non si vedono le spine. Eppure gli pizzicano le dita. Ormai ha come la sensazione che al mondo non ci sia più niente di dolce, niente che non presenti asperità. Persino l'aria che respira gli fa male. E non sa perché mai una cosa simile stia succedendo proprio a lui.

Innamorarsi della fidanzata di suo figlio è spregevole, abietto. Per adesso, non pensa al suicidio. Non ci si suicida, nella sua famiglia. Ci si rifugia nel passato o si accende la TV. Rimugina sulla sua infanzia, sul periodo dell'adolescenza, sui primi anni con Eugénie. Ripensa alle arrampicate in bici coi gemelli, a quando ancora se ne infischiavano delle ragazze e trascorrevano i pomeriggi a gonfiare le camere ad aria, a sgrassare e a risciacquare le catene, a lubrificare i pedali e le pastiglie dei freni, a lucidare i telai con un panno ricavato da un vecchio maglione.

Quando finisce per pensare al presente, si rituffa nel passato o accende la TV. È questo il suo modo di darsi una botta, di gettarsi in un precipizio che vede avvicinarsi di continuo.

«I ragazzi arrivano domani.» Prima, era la sua frase preferita. Oggi, non esiste per lui notizia peggiore.

Prima, ogni volta che squillava il telefono, si precipitava a rispondere, solo per sentire uno dei suoi figli pronunciare la parola «papà». Adesso si rintana da qualche parte fino a quando Eugénie non ha riattaccato.

Durante il periodo natalizio, la fabbrica chiude. Non potrà più fuggire alle tre del mattino e lasciare che la giornata si trascini. Sarà costretto a incrociarla per le scale, in cucina, in salotto, sul pianerottolo. A ogni modo, se tutto va bene, ripartiranno presto perché hanno un negozio da mandare avanti. Durante le feste, la gente regala spesso dischi.

Ora incarta il regalo per le fidanzate. Un ciondolino con un cammeo per ciascuna. Dopo averli posati nelle loro scatoline, avvolge queste ultime nella carta con l'agrifoglio senza spine. Secondo lui, per due ragazze così giovani un cammeo è un po' antiquato. Ma non ne farà parola con Eugénie, c'è già abbastanza tensione in casa, anche se lei non dice mai niente.

La vigilia di Natale, nascosto dietro le persiane della sua stanza, la vede scendere dall'auto di Alain e la trova ancora più bella nei suoi abiti invernali.

Eugénie va ad aprire in vestaglia. Arrivano da Lione. È quasi mezzanotte. Vanno a letto senza mangiare nemmeno un boccone. Festeggeranno il Natale a mezzogiorno. Armand sente i passi e le voci che risuonano nella scala, le porte delle camere che si chiudono. Poi più nulla. A parte Eugénie, che s'infila nel letto dove lui finge di dormire e gli incolla i piedi congelati al pigiama a righe.

Sono le undici quando, il mattino dopo, Annette si presenta in cucina. È sola. Sono soli. Eugénie è andata a comprare il tronchetto di Natale e il pane affettato. I gemelli e Sandrine dormono ancora.

« Buongiorno, Armand. »

Lui è impegnato ad aprire le ostriche: lo fa con gesti meccanici, versando l'acqua salata nel lavello e posando poi su un piatto l'ostrica appena aperta. A mezzogiorno, saranno di nuovo piene di succo e deliziose. Sta proprio lì, il segreto: lasciare che producano il loro succo dopo averle aperte.

« Buongiorno, Annette. »

Si mette in punta di piedi per baciarlo. Lui tiene il coltello nella mano destra. Respira il profumo della sua fronte, poi del cuoio capelluto. Chiude gli occhi per non perdere l'equilibrio.

«Come vanno le cose dall'estate scorsa?» gli chiede lei, versandosi in una tazza il latte caldo che Eugénie ha lasciato sul fuoco.

Il suo accento svedese schiocca come una frusta. Lui non riesce a risponderle. La guarda rimuovere la pellicola che si è formata sul latte caldo nel pentolino. Lo fa con un cucchiaio di legno, mentre si morde le labbra. Poi, senza preavviso, lei alza lo sguardo e lo fissa rivolgendogli uno dei suoi sorrisi adorabili. «È buffo, Armand. È come se le sue frasi avessero sempre le ali.»

«Già.»

«Va tutto bene, Armand? Sembra pallido.»

«È solo che aprire le ostriche mi dà il voltastomaco... Sembrano ancora vive, quando le mandi giù.»

«Oh. Allora non le tocchi, se le fanno questo effetto.»

Lei immerge le labbra nella tazza, soffia, le immerge di nuovo. «Uno dovrebbe fare solo quello che ha voglia di fare.» Ha posato la tazza, lo sta fissando.

Lui sta fissando lei.

«È da tanto che siete sposati?»

«Non lo so nemmeno più.»

Lei scoppia a ridere. «Come sarebbe a dire che non lo sa più? Lei è sempre sulla duna, come Christian.»

«Si dice sulla 'luna'», la corregge Armand. Poi lascia la cucina, dove l'aria si è fatta irrespirabile. Uscendo incontra Eugénie, appena rientrata dalle compere.

«Hai finito di aprire le ostriche?»

«Non proprio.»

Si spostano in salotto.

Quest'anno, Eugénie ha comprato una ghirlanda con le lucine che lampeggiano. All'improvviso, per vedere l'effetto che fa, spegne le luci di casa.

Prendono l'aperitivo nella penombra: champagne versato nelle coppe che risalgono al loro matrimonio. Armand mastica le noccioline, mentre Alain racconta loro di come il fatturato del negozio si sia impennato. Mettere Sandrine alla cassa si è rivelata un'idea brillante: gli ha persino lasciato del tempo libero da dedicare all'attività di compositore. Ha già spedito le sue registrazioni a una casa discografica di Parigi.

Armand vede solo il volto di Annette apparire e scomparire. Proprio una pessima idea quella ghirlanda lampeggiante.

Poi si siedono a tavola.

Armand riaccende la luce, beccandosi un rimprovero da Eugénie. Annette sale i gradini delle scale quattro alla volta, per poi ridiscendere con una serie di candele che dispone sul tavolo e che accende con dei fiammiferi. Quindi spegne di nuovo la luce.

« È fantastico, amore », le sussurra Alain.

Ed è davvero fantastico. Armand riscopre la sala da pranzo in cui mangia da vent'anni; la vede sotto un'altra prospettiva. Così com'è accaduto alla sua vita.

Annette non tocca né le ostriche né il foie gras, mentre i ragazzi ci danno dentro e Armand è già al terzo bicchiere di vino. Eugénie lo guarda in un modo strano. Lui si riempie il bicchiere per la quarta volta. I ragazzi parlano del matrimonio. Sarà proprio a febbraio, dunque.

È il momento di scambiarsi i regali.

Sandrine tende un pacchetto dorato a Eugénie. « Da parte mia e di Annette. »

Eugénie fatica a sciogliere il nastro che lo circonda e mormora parole impercettibili non appena ne emerge un foulard Hermès. Non sa cosa farsene. È come se le avessero appena affidato un neonato. Invece di metterselo sulle spalle, lo riposa con cura nella sua confezione.

Poi Annette si gira verso Armand e sussurra: «Questo è da parte mia».

«Grazie.»

Si sente arrossire come una ragazzina. Annette gli ha regalato un cofanetto coi film di David Lean. *Breve incontro, Grandi speranze, Tempo d'estate, Il dottor Živago, La figlia di Ryan, Lawrence d'Arabia, Sogno d'amanti, La famiglia Gibbon.*

Quando la bacia per ringraziarla, trema come la sera prima che ti venga l'influenza.

I ragazzi vanno in giro per casa coi loro cilindri. Alain imita Jean-Paul Belmondo in *Come si distrugge la reputazione del più grande agente segreto del mondo.* Sandrine e Annette ridono di gusto col cammeo intorno al collo. Annette non ha idea di chi sia Jean-Paul Belmondo.

Il 26 mattino, Annette deve ripartire. Da sola. Torna in Svezia per festeggiare il capodanno con la famiglia. Per consentire ad Alain di godersi ancora un po' la compagnia dei suoi, non gli ha chiesto di accompagnarla all'aeroporto di Lione. Ha prenotato un taxi che è già fuori ad attenderla. Alain e Annette si baciano davanti a casa.

Guardandola sparire dentro il taxi, nascosto come il ladro che è divenuto, Armand si dice che non la rivedrà mai più. In quel momento, ne è assolutamente certo. Lei non tornerà in Francia. La Francia non ha il monopolio dei santi. Lei è stata solo di passaggio. Non sposerà mai Alain. Andrà a restaurare le vetrate di un altro Paese. Di vetrate ce n'è ovunque. E prima o poi incontrerà qualcun altro. Glielo legge nello sguardo. Che non è affatto come quello che Sandrine rivolge a Christian.

Lei non tornerà più.

Quanto a lui, il 2 gennaio, alle quattro del mattino, riprenderà la strada della fabbrica e, col tempo, dimenticherà.

52

Patrick e Jo sono venuti a prendermi all'aeroporto Saint-Exupéry. Stranamente, ero quasi delusa dal fatto di non ritrovarmi davanti Comesichiama, in una delle sue improbabili giacche a quadri.

A loro non posso dire niente. Quello che ho appreso dalla bocca di Magnus, non potrò mai rivelarlo a nessuno. Mentre lui parlava con Cristelle come un fiume in piena, mi sembrava di ascoltare le parole di Annette. Quelle che una sera, di ritorno in Svezia, doveva aver confidato a suo padre implorandolo di tenere il segreto.

Stando a contatto con gli anziani, ho imparato due cose. Due cose immutabili, che mi ripetono di anno in anno, di stanza in stanza, di reparto in reparto.

«Goditi la vita, passa in fretta.»

«Mai confidare un segreto. Nemmeno a tuo fratello, a tuo figlio, a tuo padre, al tuo migliore amico, a un estraneo. Mai.»

Porgo a Jo e Patrick una scatola di Daim al cioccolato, improvvisando una storia di pura finzione: i nonni di Jules non c'erano. Ho incontrato i loro vicini di pianerottolo, che parlavano francese e mi hanno detto che Magnus e Ada avevano lasciato la Svezia due anni fa per trasferirsi in Canada.

Jo risponde che è meglio così, e che comunque mi sto prendendo eccessivamente a cuore tutta questa storia. I miei genitori sono morti in un incidente stradale, è triste ma non si può cambiare, e a ventun anni è giusto pensare al futuro e a nient'altro.

Mentre lei parla, Patrick scuote la testa come uno di quei cagnetti giocattolo che si mettono sulle cappelliere delle auto. Ciò che più mi piace di loro due è il modo in cui si amano.

Mi vergogno di aver mentito, ma cos'altro avrei potuto fare? Non posso tradire Annette. E, siccome non sono sicura che riposi in pace, non intendo più fare rumore.

Sento le palpebre pesanti, ho voglia di dormire. Rivedo le strade di Stoccolma, i canali congelati, il Natale nelle vetrine, i boccali di birra, la neve. Il profumo dei *bullar* inzuppati nel tè servito da Magnus e Ada. I loro bei lineamenti, e anche le loro lacrime, mentre mi pregano di convincere Jules perché scriva loro, perché li vada a trovare, perché li perdoni. E Cristelle, col berretto verde bottiglia calcato in testa, che traduce le loro parole, ripetendomi: «Tu sei la nostra unica speranza di poterci riconciliare con Jules».

«Juju, Juju, svegliati!»

Stavo sognando. Jules che si sposava, io che reggevo lo strascico della sposa di cui non scorgevo il viso, per poi scoprire, solo quando si girava, che era Janet Gaynor.

Siamo arrivati. Patrick ha parcheggiato la sua auto davanti alla casa dei nonni. È già buio. Saranno le cinque e mezzo del pomeriggio. C'è una luce accesa in cucina e un'altra nella stanza di Jules. Domani bisogna che compri loro un regalo. Mancano solo due giorni al Natale.

Non mi va di entrare da sola. Ancora mezza addormentata, propongo a Jo e Patrick di bere qualcosa. Ma non possono: Jo è di turno, stanotte. Prende servizio tra un'ora.

«Justine, devo dirti una cosa.»

Tutto d'un tratto, Jo ha assunto un'aria grave. Non mi chiama mai Justine, sempre Juju. All'improvviso, anche Patrick si fa serio: proprio non possono fare a meno di condividere pure la stessa faccia, quei due.

«Di che si tratta?»

«Ieri notte, Hélène Hel è stata trasferita al pronto soccorso.»

53

Il 30 marzo 1947, all'una del mattino, Edna dà alla luce una bambina. La piccola è podalica, il parto dura settantadue ore. Simon/Lucien le stringe la mano, la lascia mordere, offendere, urlare, piangere, implorare. Non appena la neonata emette il suo primo strillo, Edna perde conoscenza. Si arrende.

Quando riapre gli occhi, vede Simon/Lucien accanto al suo letto, con la loro bimba in braccio. Sta osservando la piccola come se cercasse una traccia, un'impronta, qualcosa di familiare sul suo viso. Lucien non sorride alla figlia, la interroga con lo sguardo.

« Simon, come vuoi chiamarla? » gli chiede Edna.

« Rose », risponde lui senza pensare.

« Perché Rose? »

« Perché il mio profumo preferito è quello delle rose. Questo me lo ricordo. È il mio profumo preferito », ripete.

Qualche mese dopo la nascita di Rose, si trasferiscono nel Finistère, ad Aber Wrac'h, in route des Anges. Lì, dove il mare è pazzo furioso e lava ogni cosa più volte al giorno, tra il sole e la pioggia, e gli animi si perdono, corrono a cercare riparo.

Ed è proprio quello che desidera Edna: cercare riparo. Non dover più incrociare volti familiari. O qualcuno che possa aver ricevuto la stessa lettera recapitata a lei, quella col ritratto di Lucien Perrin.

Simon/Lucien ha trovato lavoro in un conservificio. Edna fa l'infermiera in una scuola. Si è deliberatamente allontanata da qualsiasi istituzione medica. Proprio per via del ritratto.

Nei confronti della figlia, Edna prova lo stesso sentimento violento che nutre verso il marito, come se avesse rubato anche lei a un'altra donna. Di notte, quando si alza per cullarla, si sente in colpa. È convinta che Rose stia piangendo perché chiama la sua vera madre. E, quando le sue braccia non riescono a calmarla, quando le sue tenere carezze e le sue dolci parole non riescono a soffocare quel dolore, avrebbe voglia di scaraventarla fuori dalla finestra, di abbandonarla su un treno o in una busta con su scritto: Bistrot di père Louis, piazza della chiesa, Milly.

Edna stava meglio prima. Quando non aveva che solo due uomini da amare: Simon e il fantasma di Lucien. Da quand'è nata Rose, ha come l'impressione che Hélène sia di giorno in giorno più incombente.

Edna vorrebbe allontanarsi ancora di più. Vorrebbe andare all'estero. Finché rimarranno in Francia, saranno in pericolo. Pensa sempre più spesso all'America. Dove tutto è possibile, dov'è pieno di clandestini, stranieri, usurpatori come lei. Una nuova lingua da imparare, parlare, scrivere: sta forse in questo la guarigione dell'uomo che ama e che, evidentemente, sembra sprofondare poco alla volta in una silente depressione. Trascorre ore intere a scavare nella testa svuotata da ogni passato, leggendo e rileggendo romanzi che pensa di aver già letto prima della guerra.

Interroga le pareti del salotto: dove e quando? Ma non ottiene che silenzio: intorno a lui, niente riecheggia. Poi sale in camera da letto, con la testa piena di buchi. Solo Rose riesce a farlo ridere davvero. Una risata autentica, fragorosa. Una risata che emerge dal corpo, là dove persiste una minuscola riserva di gioia.

In certi momenti, Edna si domanda se sia possibile che un uomo innamorato possa riprodurre tratto per tratto l'immagine di colei che ama con un'altra donna. Perché ha come l'impressione che, crescendo, Rose somigli a Hélène. Una follia che Edna si porta dentro come un nuovo flusso sanguigno. Da quando sua figlia è al mondo, sta pagando il prezzo della sua menzogna fino all'ultima moneta. Prima, almeno, c'erano anche ore di tregua. Ore fuggevoli ma serene. Durante un incubo, rivede Hélène dietro il bancone, rivede il suo sguardo che si posa senza mai fermarsi.

Quando si sveglia, Edna non sa più nulla. Edna non vuole sapere. Non vuole ricordare. Apre le finestre e lascia che la brezza del mare spazzi via i cattivi pensieri che si aggrappano alle tende della stanza in cui lei e Simon non fanno più l'amore.

54

Hélène è in coma. La bocca e il naso sono nascosti sotto un'intricata bardatura di tubi collegati a un respiratore artificiale. Al braccio sinistro è attaccata una flebo, e diverse soluzioni le fluiscono goccia a goccia nelle vene. In questo momento, vorrei aver studiato medicina per poterle salvare la vita.

Rose le accarezza la mano. C'è una donna accanto a lei. Non fa parte del personale ospedaliero, non indossa il camice. Roman è seduto dal lato opposto della stanza, lo sguardo perso. Quando ho bussato alla porta, è stato lui a dire: « Avanti ».

« Justine », mi saluta Rose.

La donna mi guarda e mi sorride. Roman si alza e mi si avvicina per salutarmi con un bacio. È la prima volta che mi bacia. Ha le guance fredde. Come se fosse lui ad arrivare da fuori, non io.

La donna che non conosco si avvicina a Roman.

Rose mi bacia a sua volta e mi dice: « È davvero gentile da parte tua, credevo fossi in ferie ».

Roman non mi lascia il tempo di rispondere. « Justine, ti presento Clotilde, mia moglie. Clotilde, questa è Justine. La ragazza di cui ti ho parlato, quella che si prende cura di Hélène alla casa di riposo. »

Clotilde mi sorride di nuovo. Io la saluto educatamente.

Anche se avrei voglia di urlare: ma come si fa ad andarsene in giro con un nome tanto orrendo?! Lei è esattamente come la immaginavo: perfetta in ogni dettaglio. Sembra uno spot di Grace Kelly.

Mi avvicino a Hélène. Non la riconosco. Se non ci fossero Rose e Roman, lì dentro, avrei pensato di essere entrata nella stanza sbagliata. Invece ci siamo: Hélène è vecchia. Come gli altri. La vita l'ha mollata.

Accosto la guancia ai suoi capelli. Ne inspiro il profumo. Per la prima volta, sulla sua spiaggia è sceso il buio. Non c'è nessuno. Né donne, né uomini, né bambini. Non ci sono teli. Non fa freddo. L'aria è persino dolce. Il mare è calmo. Hélène non aspetta Lucien e la piccola, con gli occhi puntati sull'orizzonte o su un romanzo sentimentale. Si è addormentata. La luna è alta. E piena.

Quando mi giro, Rosa, Roman e Clotilde non ci sono più. Hanno lasciato la stanza. Come tutti quelli che popolano la spiaggia di Hélène. Siamo in bassa stagione.

Per la prima volta in vita mia, mi sento sola al mondo. Vorrei morire al suo posto. Vorrei andarmene. Essere la prima a vedere Lucien.

Tiro fuori il quaderno azzurro dalla tasca. Posso iniziare a leggere gli ultimi capitoli a Hélène. O forse i primi.

« Tu quanti anni hai, papà? » gli chiede Rose tirandogli il naso. È una cosa che lo fa ridere. È leggera come una piuma, Rose. Lucien la stringe tra le braccia. Piove. Il sentiero verso casa è un'enorme pozzanghera.

« Non lo so. »

Lei gli appoggia la testolina sul collo. Lui sente il suo respiro sulla pelle. Alza lo sguardo e osserva la danza degli uccelli.

I gabbiani attendono con impazienza il rientro dei pescherecci.

Lucien e Rose hanno il vento tra i capelli, Lucien ha anche dei buchi nella testa. Nubi che possono assumere forma di mostri.

« Sei triste, papà? »

Lucien socchiude le palpebre, forzando un sorriso. « No, ho gli occhi all'ingiù. »

La issa sulle spalle, lei tende le braccine a imitare le ali di un aeroplano e lui comincia a correre verso la porta di casa.

Correre, sua figlia sulle spalle, il vento nelle narici, l'odore della terra che si mescola agli spruzzi del mare, la pioggia che pizzica la pelle come tanti, minuscoli aghi: è tutto perfetto.

Non sono potuti andare in America. Non hanno ottenuto i documenti. L'amnesia non rientra fra le voci contemplate, fra le categorie previste, e Lucien/Simon non è stato giudicato abbastanza reale per ottenere un passaporto.

Le risate di Rose lo sgravano di ogni peso: con le labbra imita il motore di un aereo, e poco ci manca che insieme si stacchino da terra.

Non appena apre la porta, però, lui indietreggia d'istinto. Dentro, i materassi sono rivoltati e sventrati, gli armadi svuotati, le pentole e le stoviglie rovesciate. La farina e lo zucchero dei sacchi sono sparpagliati su tutto il pavimento della cucina.

Rose è troppo piccola per capire quello che è appena successo, non può che ripetere alcune parole che ha sentito pronunciare dalla bocca di sua madre: « Che disastro ».

Il comportamento di Edna si è fatto sempre più strano. Le sue crisi di pianto possono durare ore e non di rado capita che sparisca per giorni interi. Ma da questo a devastare la casa ce ne corre. Persino i battiscopa sono stati divelti.

Un'ora dopo, due gendarmi rilevano una serie d'impronte e spiegano a Lucien che, di recente, parecchie abitazioni hanno subito quel tipo d'intrusione. Lucien avverte un senso di disagio, non saprebbe dire il perché, ma non gradisce la presenza di due uomini in divisa.

Non appena i gendarmi se ne vanno, Rose si diverte a raccattare gli oggetti sparsi sul pavimento per aiutare suo padre. Tra i capi di biancheria, le scatole e le bottiglie, la piccola recupera vecchi fogli di giornale da gettare nella stufa. Non avendo il permesso di aprire da sola lo sportello della stufa, li appoggia in cima alla catasta di legna. Lucien fa le pulizie, spazza e spolvera. Gli piace togliere la polvere: vorrebbe tanto poterlo fare anche dentro la sua testa.

Rose sale in camera sua a giocare.

Lucien apre lo sportello della stufa e infila qualche ramoscello all'interno. Prende dei fogli di giornale, li accartoccia e sta per accendere un fiammifero quando vede la fotografia. Quella di un bosco di betulle. Dispiega il foglio. È una foto che ha già visto. La stringeva in mano, il giorno del suo arrivo in stazione.

Tutto ritorna di colpo. Il dispensario, la mano di Edna, i fogli in una scatola di cartone, la sua mano rimasta serrata così a lungo da far male, l'ambulatorio, le bende, il tanfo nauseabondo, il coma.

Aveva dimenticato tutte quelle cose. Dov'erano finite? E perché le ritrova adesso, in Bretagna, dopo aver subito un'intrusione in casa?

Bussano alla porta.

Si accorge che tutti i fogli di giornale che stringeva alla Gare de l'Est sono posati sulla catasta di legna.

Tutti. Raccolti lì. Li guarda, li annusa. Sono giornali stranieri.

Bussano ancora, con insistenza.

Lucien va ad aprire. I due gendarmi scortano un giovane con un berretto e la barba lunga di qualche giorno.

Lucien è colto da un senso di vertigine. Si aggrappa alla porta.

Perché la vista di quegli uomini in divisa gli fa così male?

« Ecco il nostro ladruncolo », dice uno dei gendarmi.

Ma Lucien non lo sente. Non sente più nulla. Porge un foglio al ragazzo: « Dove l'ha trovato? »

« Nei pressi della stazione », risponde uno degli ufficiali. « Stava cercando di fuggire. »

« Non parlo con lei », dice asciutto Lucien. « Lo sto chiedendo a lui. »

Davanti a quel foglio, il giovane sembra sempre più avvilito. Con quella bocca sfregiata e gli occhi puntuti, Lucien ha un aspetto tremendo, impressionante.

« Dove ha trovato questi fogli? » incalza.

« Non sono stato io, Monsieur. Sono innocente! »

Il secondo gendarme estrae una catena d'oro dalla tasca. Lucien la riconosce all'istante: è la medaglia di battesimo di Edna. Il ciondolo – che raffigura una Vergine Maria – oscilla tra le dita dell'ufficiale.

« Le dice qualcosa quest'oggetto, Monsieur? Lo abbiamo trovato addosso a questo individuo. »

« Non l'ho rubata! Me l'ha data mia madre! »

Lucien scruta il volto del ladro. In preda al disagio, quest'ultimo sposta il peso del corpo da un piede all'altro, tirando rumorosamente su col naso.

« Quel ciondolo non è mio. »

La risposta di Lucien sorprende più il tipo col berretto che i due gendarmi. I quali insistono a loro volta, senza però ottenere che Lucien ritratti quanto ha appena dichiarato: non ha mai visto quel ciondolo. Non appartiene a lui né alla donna con cui vive.

« Justine, andiamo? »

Il nonno è dietro di me. Mi ci ha portato lui in pronto soccorso. Non voleva che mi mettessi al volante, ero troppo sconvolta. Non smettevo di urlare: « Perché ha ceduto proprio quando non c'ero? Sono mancata appena due giorni! Due giorni! » Eppure so che spesso i residenti si ammalano proprio quando una persona cara è lontana.

È per colpa mia che Hélène è entrata in coma? Sono stata punita per essere andata fino in Svezia pur di scavare nel passato di Annette? Per aver costretto Magnus a parlare?

Jules mi ha chiesto come fosse andato il mio weekend a Lione. « Alla grande », ho risposto. Se sapesse la verità, probabilmente mi ucciderebbe.

Il nonno è dietro di me, si è tolto il berretto. Vedendolo qui, in questa stanza d'ospedale, mi viene subito di pensare che sono passati anni dall'ultima volta che l'ho visto in un posto che non fosse casa sua o il suo giardino. Ha un'aria goffa, imbarazzata.

Il silenzio tra di noi è rotto solo dal suono dei macchinari.

« Come sta Madame Hel? » mi chiede.

« È in coma. »

Non dice niente, si limita a fissare Hélène.

« La conosci, pépé? »

« Chi? »

« Hélène: la conosci? »

« Di vista, può darsi. Ero molto piccolo quando gestivano il bistrot. »

È la prima volta che risponde a una mia domanda con così tante parole: undici. Più una virgola e due punti.

Apro il quaderno azzurro e riprendo a leggere come se il nonno fosse scomparso. Che poi, c'è mai stato davvero?

Lucien ritrova il ladruncolo poche ore dopo, al bancone di un bistrot nei pressi del porto. Sembra perduto nei suoi pensieri.

Quando alza la testa e vede Lucien venire verso di lui, pensa che lo abbia seguito per riempirlo di botte. D'istinto, copre la testa con le mani per proteggersi dai colpi. « Non ho fatto nulla, Monsieur. »

« Dove hai trovato quei fogli di giornale? » gli chiede Lucien.

Il ragazzo ricomincia a oscillare da un piede all'altro. Ma perché questo tizio è così interessato a quei fogli del cavolo, quando gli ha appena messo la casa a soqquadro?

Lucien lo guarda con insistenza. Non lo lascerà andare prima di aver ottenuto quell'informazione. Ha un'aria completamente folle, con quegli occhi di un azzurro fuori dal normale. Sembrano due lampadine colorate, come quelle delle giostre itineranti.

« Dietro un battiscopa della cucina... Speravo fossero banconote, mi è andata male. »

Lucien ha un attimo di esitazione. « Come ti chiami? »

Non ci sono dubbi, è un tipo strano. « Charles, Monsieur. »

Lucien non smette di fissarlo.

Allora il ragazzo tira fuori di tasca la catenina di Edna e gliela porge a malincuore.

« Puoi tenerla, Charles », gli dice Lucien. « Per la tua fidanzata. »

« Sono nullatenente, Monsieur. Altro che fidanzata. » A ogni modo, Charles si rimette la catenina in tasca. « Non si sa mai. »

Di ritorno dal lavoro, Edna soffoca un grido. Simon non è più lo stesso. Sembra quasi cresciuto, per come sta dritto. Ed è ancora più bello, stasera. Più bello di quando si sono salutati al mattino, augurandosi buona giornata. « Ho trovato le parole », le dice Lucien, guardandola negli occhi.

« Le parole? » Edna è sorpresa dal suono spento della propria voce.

« Le parole che ho scritto su questi fogli. Perché li avevi nascosti? Perché? »

Edna si siede. « Non lo so. Non mi ricordo », risponde come a se stessa.

Le porge i fogli che lei non si è sentita di dare alle fiamme. Che avrebbe dovuto dare alle fiamme. « È braille, sai cos'è? »

« Sì, è l'alfabeto per i non vedenti », risponde Edna.

« Non so per quale motivo, ma lo so leggere. E penso di aver scritto a qualcuno. »

« A qualcuno? »

« A una donna con un fremito d'ali sulle labbra. E poi c'è un luogo, anche. Un bistrot col cartello CHIUSO PER FERIE *appeso alla porta. »*

« Ti andrebbe di... » Edna incespica sulle parole. Cerca di conferire un'intonazione naturale alla voce, ma il cuore le batte troppo in fretta. « Ti andrebbe di leggermi quello che hai scritto? » si lascia finalmente sfuggire in un soffio.

Lucien spiega i fogli con cura. Tocca la carta chiudendo gli occhi e comincia a leggere ad alta voce: « 'Amore mio, la prima volta che ti ho baciato ho avvertito come un fremito d'ali sulla bocca. All'inizio ho pensato che sotto le tue labbra si dibattesse un uccello, e che il tuo bacio non desiderasse il mio. Ma, quando la tua lingua è venuta a cercare la mia, l'uccello ha iniziato a giocare coi nostri respiri, era come se li rinviasse dall'uno all'altra' ».

Edna ha già smesso di ascoltarlo. Lui l'amava. Era innamorato di lei. Continuare? Riportarlo indietro? Restare lì con la piccola? Senza di lui? Aspettare fino a domani mattina e raccontargli la verità? Nel 1946 ho ricevuto una lettera, *quell'altra* ti sta cercando...

Separarlo da sua figlia? Tornare a Milly? Parlare con Hélène? Vedere cosa ne è stato di lei? È viva? È morta? Si è risposata? È madre e innamorata di un altro uomo? Ucciderla e fuggire per tornare a vivere?

È possibile rubare un uomo come fosse una banconota? Si finisce in prigione, quando si sottrae la vita di un uomo alla sua donna?

Suicidarsi. E lasciare una lettera con su scritto: Hélène Hel, Bistrot di père Louis, piazza della chiesa, Milly.

E la mia vita? A quale indirizzo si trova? Ed è davvero vita, questa? No. Lasciarlo invecchiare senza rivelargli mai nulla. In ogni caso, è troppo tardi.

La voce di Lucien la riscuote dal torpore. È la terza volta che ripete la stessa domanda, chino su di lei per porsi alla sua altezza: « Sai forse qualcosa su di me che io non so? »

« No. »

Un'infermiera entra nella stanza.

Il nonno non si è mosso. Dalla faccia che fa, mi accorgo che è dispiaciuto di vedermi interrompere la lettura. Con un gesto che vorrebbe essere affettuoso, mi strizza una spalla. La sua goffaggine mi fa male. In senso letterale, oltre che figurato.

L'infermiera sostituisce la sacca vuota di una flebo. Poi ci rivolge un sorriso e lancia uno sguardo al quaderno azzurro che ho spalancato sulle ginocchia. « Fate bene a leggere per lei: sente tutto. »

Quindi esce. Il nonno si è seduto in un angolo. Con le braccia conserte, sembra perso nei suoi pensieri. Mentre lo guardo, mi domando perché mai ci s'innamori. Eppure io, che passo le giornate ad ascoltare storie, più di chiunque altro dovrei sapere che l'amore non tollera spiegazioni.

« Continua a leggere », mi dice il nonno.

Giugno 1951. Tra la stazione di Milly e il bistrot di père Louis, Edna non incontra anima viva. Un sole rovente ammutolisce le vie del paese. Tutto tace: gli alberi, i marciapiedi, i muri. Sulle facciate delle case, le imposte sono chiuse. Il riflesso del sole sull'acciottolato è accecante. Edna attraversa la piazza della chiesa osservando la sua ombra, quasi stupendosi al pensiero di essere fatta di carne e ossa. I tavolini posti all'esterno sono vuoti, così come la sala del bistrot: del resto, sono solo le tre del pomeriggio.

Dall'ultima volta non è cambiato niente. La porta principale e le finestre sono spalancate. Non c'è nessuno. Sembrerebbe che il sonnellino pomeridiano non abbia risparmiato nessuno. Si sente solo il rumore di una macchina per cucire, come un gatto che fa le fusa. Lei *è lì, trincerata nella sua rimessa, intenta a orientare un ritaglio di stoffa sotto l'ago. Edna indugia sulla soglia. Quattro passi in avanti per parlarle, quattro all'indietro per tornare da dove è venuta senza aprire bocca.*

Una mosca le sfiora l'orecchio. Il sudore le imperla il tratto di pelle tra le narici e il labbro superiore, sull'impronta dell'angelo. Si asciuga col dorso della mano, pensando alla leggenda secondo cui, per l'appunto, ciascuno di noi sa tutto della propria vita prima di nascere, ed è per quello che un angelo ci posa un dito sulla bocca, appena nati, ingiungendoci di tacere e lasciando la sua impronta sopra il labbro. Se avesse saputo tutto, Edna non avrebbe permesso all'angelo di toccarla, avrebbe semplicemente rinunciato a questa vita.

La macchina per cucire si è fermata. Il cane che aveva già visto la volta precedente si materializza come un miraggio. Sta ansimando, a testa bassa e con gli occhi semichiusi, vinto dalla calura. Annusa Edna da lontano, quindi si acquatta per terra, allungandosi più che può e senza per questo perderla di vista.

Poi ecco Hélène. Indossa un abito nero. Dietro il bancone, fa scorrere un po' d'acqua e se la spruzza sul viso. Quando si ac-

corge della cliente sulla porta, si annoda un grembiule intorno alla vita e le rivolge un saluto. I suoi occhi sono forse più grandi, rispetto all'altra volta? Il viso sembra divorato dall'azzurro degli occhi. Come quello di Lucien.

« Cosa posso servirle? »

Edna è ancora ferma all'ingresso. « So dov'è Lucien », risponde. « Adesso si chiama Simon. »

Non aveva previsto di pronunciare queste due frasi. Avrebbe voluto sedersi, prendere tempo, vedere all'opera il giovane cameriere zoppo, osservare, confondersi tra i clienti, attendere la chiusura, forse anche la notte. Invece niente. La canicola che si è abbattuta sul paese ha fatto sì che loro due si trovassero faccia a faccia, senza testimoni.

Hélène squadra Edna, le cui parole risuonano ancora nella sala vuota. Le bottiglie, i bicchieri, le tazze, i tavoli, le sedie, il bancone, gli specchi, la foto di Janet, il flipper ne rimandano l'eco come una pallina: so-dov'è-Lucien-adesso-si-chiama-Simon.

Hélène scruta in silenzio le labbra rosse e delicate di Edna.

« Ecco l'indirizzo. » Le porge un pezzo di carta. Non si è ancora mossa. È sempre immobile, all'entrata del bistrot, incapace d'infrangere una barriera invisibile.

Hélène si avvicina. La osserva come se potesse scomparire da un momento all'altro.

Prende il foglio, lo spiega e lo guarda fingendo di leggere per qualche istante. Mai e poi mai ammetterebbe davanti a quella sconosciuta che non sa leggere. Alza gli occhi e domanda: « Come fa a sapere che è lui? »

« Ho ricevuto la sua lettera col ritratto. »

« Ma... è stato molto tempo fa. »

Edna abbassa lo sguardo e la voce: « Ha subito gravi ferite. Ma adesso sta meglio ».

« Lei è sua moglie? » domanda Hélène.

« Sì. »

Sconvolta, Hélène si siede. « Lui dov'è? »

« A casa. Con nostra figlia. »

« Perché è venuta qui? »

Edna non risponde. Esce dal bistrot e scompare con la stessa rapidità con cui era apparsa. Inghiottita dalla luce vivida del giorno.

Trascorre almeno un'ora tra la sua partenza e l'arrivo di Claude. Seduta sulla sua sedia al centro del bistrot, Hélène stringe il foglio di carta. La sala è ancora vuota. Come se, pur con tutto quel caldo infernale, nessuno avesse più sete.

Claude fatica a comprendere il racconto di Hélène: una donna alta, magrissima, la moglie di Lucien, i capelli neri, che si chiama Simon, gravemente ferito, una bambina, a dirmi che non è morto. Il caldo impedisce a Claude di pensare, di capire il senso di quelle parole sconnesse. Alla fine Hélène gli porge un pezzo di carta e lui legge ad alta voce: « 'Route des Anges, Aber Wrac'h' ».

Lucien apre la porta. Hélène non se lo ricordava così alto. È molto cambiato. Sembra un uomo, adesso. Benché siano quasi coetanei, lei si rende conto di sembrare molto più giovane. Ha i capelli più scuri. Una cicatrice profonda gli segna il viso, dalla tempia sinistra al lobo dell'orecchio destro, deformandogli il naso. I suoi grandi occhi azzurri la stanno fissando, mentre lui indietreggia appena per lasciarla entrare, come se l'aspettasse.

Le gambe la reggono a stento. Si è stupidamente fatta bella, per vanità. Non avrebbe dovuto. Avrebbe dovuto sapere che era cambiato, avrebbe dovuto sapere che non bisognava truccarsi. Che non era una festa, quella cui si accingevano a partecipare, ma il funerale della loro gioventù.

Entrando in questa casa sconosciuta, dove i ritratti di Rose sembrano moltiplicarsi all'infinito, si domanda se non sarebbe stato meglio se fossero morti entrambi il giorno dell'arresto. Andarsene insieme con Simon sotto le pallottole dei crucchi e risparmiarsi così questo momento. Tutto ci si può attendere dalla crudeltà della guerra. Che il proprio uomo torni cadavere, ferito, amputato, paralitico, pazzo, incattivito, violento, alcolizzato, geloso, insopportabile, traumatizzato, sfigurato... Tutto si può immaginare, tranne che ritrovarlo in un'altra casa, in un'altra vita, con un'altra donna.

« Ci conosciamo », dice Lucien.

Hélène non è in grado di stabilire se si tratti di una domanda o di un'affermazione. Ha la voce un po' strana. Le viene difficile credere che questa scena sia vera, che quello che ha di fronte sia Lucien, che lui non sia mai tornato perché ha scelto un'altra casa, un'altra vita, un'altra donna.

Tutt'intorno, ci sono gli oggetti che sfiora o utilizza ogni giorno. Lei si sente un'estranea che ha atteso troppo a lungo uno sconosciuto. « Sì, ci conosciamo. »

« Il gabbiano... »

« Sì, sono quella del gabbiano. »

La sta divorando con gli occhi, anche se per lei è come una carezza.

Hélène crede di rivivere l'estate del '36 senza che si tocchino. Un'estate al contrario, come in un incubo.

« Come hai fatto a trovarmi? » le chiede.

« Io non volevo venire, è stato un amico a costringermi. »

Lui la squadra dalla testa ai piedi. Benché ogni frammento del suo corpo stia singhiozzando – e persino l'abito che indossa, persino le scarpe nuove che le comprimono le caviglie lo stanno facendo –, lei s'impone di sorridere. Lui le fissa le mani tremanti che si aggrappano a una piccola valigia blu che alla fine si vede porgere.

« Qui dentro ci sono un po' di cose. Libri, scarpe... e le tue camicie preferite. Ormai saranno vecchie. »

Senza toglierle gli occhi di dosso, Lucien prende la valigia. Non riesce a chiederle scusa, non riesce a dirle in faccia che non si ricorda di lei. Come ha potuto dimenticare una donna simile? Aveva il diritto di perdere la memoria, ma non quello di perdere una donna così.

Di solito, quando rientra a casa, Edna viene accolta dalla radio accesa. Non stasera, però. Rose sta cercando di aprire una valigia blu posata sul pavimento della cucina, ma le sue manine non riescono a sollevare entrambe le linguette del fermaglio. Non appena la vede, Edna capisce che Hélène è stata lì. Le tornano in mente le lettere scritte da Simon/Lucien: Tu ti eri occupata delle provviste, io della valigia blu. L'ho posata sul pavimento della camera. Il Mediterraneo sul parquet. Una pozza blu con dentro i romanzi che ti ho letto.

Era da tanto che Edna aspettava questa visita; pensava che sarebbe arrivata prima. Sono già trascorsi sei mesi da quand'è andata al bistrot per lasciare il loro indirizzo a Hélène Hel; sei lunghi mesi, più di centottanta giorni e notti da affrontare. L'avrebbe riconosciuta? Sarebbe andato via con lei? Erano ormai sei mesi che si teneva pronta per il giorno in cui avrebbe trovato la casa vuota.

Rose sembra delusa dal contenuto della valigia: qualche libro, vecchie paia di scarpe risalenti a prima della guerra e tre camicie bianche. Nulla di divertente.

Simon è in cima alle scale.

« Non ascolti la radio? » gli domanda stupidamente Edna, non trovando niente di meglio da dire.

« No, non ne ho voglia. » Scende le scale per dare un bacio alla figlia.

Edna guarda le camicie bianche. « Cos'è quella valigia? » chiede.

« L'ho trovata. »

« Strano, si direbbe che le camicie siano della tua taglia. »

Lucien prende una delle scarpe ancora dentro la valigia e la infila al piede. « Sì, e guarda qui, come la scarpetta di vetro di Cenerentola. Solo che non c'è nessuna fata, in questa fiaba. »

« Perché dici così? »

« C'è del rombo, per cena. Vado a togliere le lische », è la risposta.

Lui odia il pesce. Odia mangiarlo, ma anche pulirlo, cucinarlo. Odia toccare le scaglie, tagliare la testa.

L'odore del pesce gli dà la nausea.

Rose imita suo padre e, ridendo a crepapelle, infila l'altra scarpa.

Claude aspettava Hélène davanti all'abbazia di Notre-Dame-des-Landes. Era seduto su una panchina di pietra, intento a osservare un gruppetto di bambini che giocava a calcio. Mentre lei si avvicinava, il vento le ha sciolto i capelli, trascinando verso l'oceano il nastro che li teneva raccolti. Guardandola, gli è venuto di pensare che non si era mai innamorato di lei. Al bistrot, i clienti lo prendevano in giro da anni: « Avanti, Claude, ammettilo, che hai una cotta per la padrona! » No, lui l'amava come si ama una gran signora, una donna capace di strofinare i pavimenti, cucire e leggere Il silenzio del mare.

Solo una volta si era innamorato, di una cliente che aveva frequentato il bistrot ogni giovedì mattina per due anni.

Il giovedì era giorno di mercato, a Milly e, dopo aver fatto compere, lei veniva a bere da père Louis. Suo padre prendeva sempre un caffè e lei una granatina. Claude ci metteva tutto il suo cuore, quando versava la granatina per lei, e teneva il suo bicchiere nascosto in un cassetto sotto il bancone. Lo lavava separatamente dagli altri e lo asciugava con un pannetto morbido perché brillasse il più possibile. Mentre lei beveva, per lo spazio di pochi secondi lui smetteva di respirare, tanto era assorbito dalla visione di quel liquido rosso che spariva dentro di lei. Benediceva i giorni di mercato in cui faceva caldo: continuava a rabboccarle il bicchiere finché la sua sete non si era placata, senza metterglielo in conto. Lei si accomodava a un tavolino all'esterno e lui prendeva un ombrellone per darle riparo dal sole. Lei non gli sorrideva come sorrideva agli altri, Claude ne era sicuro: il suo amore era ricambiato. Si vedeva dal modo in cui lei lo cercava con lo sguardo già dalla piazza, ancora prima di entrare al bistrot. Compariva sempre intorno alle undici, in compagnia del padre. Avevano i minuti contati. Arrivavano con l'autobus delle dieci meno un quarto, riempivano i loro canestri, passavano dal bistrot e ripartivano con la corsa delle dodici meno venti. Tutti i giovedì, Claude viveva venti minuti di grazia, che secondo lui valevano anni di felicità coniugale. Soprattutto in quel periodo, subito dopo la guerra, quando ci si svegliava quasi stupiti di essere ancora vivi. Dal momento in cui lei andava via, lui ricominciava a vivere unicamente nell'attesa dell'incontro successivo.

Poi, un giovedì mattina, lei non era venuta, suo padre si era presentato da solo. Claude aveva pensato che fosse malata. Ma non era venuta nemmeno il giovedì dopo. Il terzo giovedì, Claude aveva trovato il coraggio di chiedere al padre se dovesse preparare anche un bicchiere di granatina, per sentirsi rispondere: « No, Marthe è andata a Parigi a lavorare da un notaio ». Claude si era quasi sentito mancare: e il fatto di averla persa proprio nel giorno in cui aveva scoperto il suo nome era la beffa più dolorosa. Marthe non era mai più tornata al bistrot e i giovedì di Claude erano diventati uguali a tutti gli altri giorni della settimana. Che facesse bello o che piovesse, per lui non aveva più nessuna importanza. Il bicchiere era rimasto a lungo in un cassetto, prima di raggiungere gli altri sugli scaffali.

Quando si è accorto che Hélène non aveva più con sé la valigia blu, Claude ha capito che nella casa che avevano indicato loro viveva Lucien. Aveva insistito per accompagnarla e perché lei scoprisse finalmente la verità ma, vedendola arrivare, con le scarpe nuove in mano e un'aria talmente infelice da deformarle i tratti del volto, si era pentito.

Sull'autobus, al ritorno, Claude non le ha fatto domande. Hélène avrebbe finito per raccontargli tutto una volta rientrati.

Lungo il viaggio, durato più di quattordici ore, Hélène ha guardato il cielo a più riprese, ripetendosi: Non capisco perché il gabbiano non torni da me. Non ha più nulla da fare, lì.

Al rientro dalla Bretagna, la cosa più triste per Hélène è lo sguardo di Louve. Come se il cane avesse capito che non avrebbe mai visto il suo padrone. Hélène temeva il momento in cui si sarebbe trovata di fronte al suo letto.

Dal giorno dell'arresto, ci aveva sempre dormito con la speranza di Lucien, una speranza che la teneva al caldo. Da ora in avanti, invece, le sue notti sarebbero state gelide anche con Louve accucciata ai suoi piedi.

Hélène non ha avuto la forza di svuotare il lato sinistro dell'armadio in cui tutte le cose di Lucien rimanevano sospese nel tempo: pantaloni, mutande, canottiere, acqua di Colonia. Ci avrebbe pensato in seguito. Per il momento, si sarebbe semplicemente limitata ad aprire solo l'anta di destra, quella dietro cui teneva riposti i suoi abiti.

Quella sera stessa, Lucien ha sistemato la valigia blu dietro il comò della loro stanza, suscitando il risentimento di Edna. Nella LORO stanza, non in cantina, in solaio o nella rimessa. Voleva tenersi vicino quel Mediterraneo che era stato testimone privilegiato dell'amore di un tempo. Nel cuore della notte, Edna lo sentiva scatenarsi, quel mare. Come un animale rintanato in un angolo, un animale maligno e crudele che avrebbe finito per annegarla.

Per tranquillizzarsi, mandava giù compresse di morfina e si raccontava storie... Non è ripartito con lei, ha deciso di rimanere con me. Ha scelto me, mi ha guardato con tenerezza, l'altro ieri sera alle nove e cinque, e quando mi ha salutato con un bacio, la scorsa settimana, prima che andassi al lavoro, la sua bocca ha quasi sfiorato la mia, e a cena mi ha rivolto un sorriso, dieci giorni fa, e mi ha chiesto se non avessi freddo, e poi, senza nemmeno attendere una risposta, mi ha coperto le spalle con uno scialle. Edna annotava tutti i segni di quel probabile amore sul suo taccuino emotivo.

Una domenica mattina, poche settimane dopo la visita di Hélène, Lucien ha aperto la valigia blu sul letto, osservandone a lungo il contenuto senza toccarlo. Da dietro la porta, Edna lo sorvegliava, riproponendosi di cambiare le lenzuola non appena lui avesse finito. Poi Lucien ha tirato fuori tutti i libri dalla valigia, l'ha richiusa e l'ha rimessa dietro il comò. Ha posato i libri sul pavimento, accanto a una poltrona, ne ha aperto uno a caso, quindi un secondo, e ha cominciato a leggerli l'uno dopo l'altro e poi a rileggerli, ogni giorno. Saranno stati una ventina. Metà dei quali di Simenon.

Da quel giorno, non appena tornava dal lavoro, andava alla sua poltrona e ai suoi libri. Aveva l'aria di essere un esploratore che parte alla scoperta di un pianeta sconosciuto determinato a scovarvi le tracce di una vecchia vita.

Da quello stesso giorno, Edna ha smesso di raccontarsi storie.

Lucien rivedeva Hélène sul vano della porta.

Sentiva il profumo di rosa che aveva portato con sé entrando in casa. Era una donna minuta e graziosa, con la pelle bianca, gli occhi grandi e un nastro fra i capelli. La rivedeva, con le labbra tremanti, aggrappata alla valigia blu come al parapetto di un'imbarcazione da cui temeva di essere sbalzata via. E non vedeva che lei. Erano ormai sei anni che viveva al fianco di Edna, della quale non sapeva nulla, e il cui abbandono di sé sembrava inesorabile. Tutto era trattenuto, in Edna, persino i capelli, raccolti in uno chignon impeccabile. Lucien aveva invece l'impressione che gli fossero bastati pochi minuti per sapere tutto del Gabbiano: era così che la chiamava nei pensieri, dal momento che non conosceva il suo nome.

Tutto. Aveva saputo tutto di lei non appena l'aveva vista entrare. Che la sua parola preferita era « delicatezza »; che cantava mentre lavava i piatti, perché era una cosa che odiava fare; che non passava mai un panno sui bicchieri bagnati, lasciandoli piuttosto ad asciugare sul bordo del lavello; che le piaceva fare l'amore al risveglio; che era freddolosa; che andava matta per le mele rosse; che indossava calze di lana; che amava il vento, e anche il sole, finché poteva starsene all'ombra; le giostre itineranti; fare pipì sull'erba; andare in bicicletta nelle pozzanghere; giocare agli aliossi; intrecciarsi i capelli; bere la Suze; il blu; la luna piena; nuotare; cucire; ridere; camminare; sognare; il silenzio; i pavimenti scricchiolanti; l'acqua calda; la polvere di riso; le lenzuola bianche; i vestiti neri; il profumo delle rose; i mazzetti di lavanda negli armadi; i nei; toccare le cose; che aveva la gola delicata, tanto da prendersi un raffreddore al minimo colpo di freddo; che soffriva di violenti mal di testa quando aveva il ciclo.

Tutto. Eppure non ricordava nulla. Nemmeno da dove venisse, nemmeno dove vivessero prima. Perché lui ci aveva vissuto con quella donna, ne era sicuro, Edna lo sapeva. Non aveva idea di come e perché, ma lei lo sapeva: lei sapeva del Gabbiano. Il suo sguardo sfuggente la tradiva.

L'altro gabbiano, quello con le ali, era ancora lì, in cielo, come un vecchio amico, un'ombra in più nelle giornate di sole. Si posava spesso sul tetto della casa e lo seguiva quando andava a lavorare al conservificio. Quel lavoro non gli piaceva, puzzava troppo di pesce. Non gli piaceva la sua vita. Non gli piaceva quella sua brutta faccia segnata da una cicatrice, quella faccia che era costretto a radere tutte le mattine davanti allo specchio del bagno.

Solo Rose gli dava un motivo per resistere. Rose e le sigarette del cui fumo amava riempirsi i polmoni, la sera, mentre gli occhi fissavano un punto nel cielo.

Un martedì pomeriggio in cui era uscito prima dal lavoro, sapendo che Edna non sarebbe rientrata prima di sera, ha recuperato la valigia. Poi si è provato le camicie bianche, l'una dopo l'altra, guardandosi allo specchio della bonnetière. Non ha riconosciuto l'uomo cui erano appartenute, ma ha provato un moto d'invidia nei suoi confronti.

Hélène ha chiesto a Claude di scrivere IN VENDITA *in caratteri neri su un cartello bianco. Poi, con filo, forbici e nastro, ha rimediato un legaccio e ha appeso il cartello alla porta del bistrot. Claude le ha domandato se fosse sicura. Che cosa avrebbe fatto, dopo? Lei gli ha risposto che avrebbe fatto ritorno dai suoi, a Clermain, portandosi dietro Louve. Loro avevano venduto l'attività, ma lei sarebbe comunque riuscita a trovare lavoro nel campo sartoriale. Claude si era pentito una volta di più per averla convinta ad andare ad Aber Wrac'h. Perché più di lei, forse, aveva sperato nel ritorno di Lucien. Anche lui aveva continuato a pensare per tutti quegli anni che, un giorno, sarebbe tornato al locale e avrebbe ripreso il suo posto dietro il bancone come se nulla fosse accaduto. Aveva finito per prestar fede alla fede di Hélène come se fosse lui stesso a nutrirla. E quel viaggio aveva distrutto ogni speranza.*

A Milly, la notizia della vendita del bistrot di père Louis aveva avuto l'effetto di una bomba. Molti dei clienti si erano radunati davanti alla porta per accertarsi che la voce fosse fondata: Hélène Hel, la LORO Hélène Hel, aveva intenzione di vendere il LORO bistrot! Erano tutti lì, i vecchi, i giovani, i pensionati, gli alcolizzati, i lavoratori, i contadini, i coraggiosi, i fannulloni, i veterani, gli artigiani, il parroco, gli operai, i capisquadra. Non era possibile. Come poteva andarsene, abbandonarli come calzini vecchi? Come avrebbero fatto senza di lei che rammendava i pantaloni, serviva da mangiare e da bere, stava a sentire i loro discorsi triti, vendeva il tabacco, si occupava di Baudelaire, comunicava l'ordine di arrivo dei cavalli a quelli che scommettevano, il tutto sorridendo come solo lei sapeva sorridere? Avevano tutti la sensazione che stavano per perdere il senso delle loro mattine, dei loro mezzogiorni, del loro dopolavoro. Per loro niente era più salutare di quel giardino di bottiglie in mezzo alle beghe quotidiane, alle preoccupazioni di natura economica, ai marmocchi, alle donne, al salario da portare a casa; niente era più salutare che spingere la porta del bistrot e ritrovare un vecchio amico cui raccontare due o tre fesserie. Il bistrot di père Louis era il crocevia in cui s'incontravano, si stringevano la mano, si confrontavano sulla fabbrica, sulle forniture, sugli animali, sul padronato, sul raccolto, sulle ultime novità. In inverno si stava sempre al calduccio, che dei ceppi si occupava Hélène in persona. E poi c'era sempre un buon odore: o il profumino del piatto servito a mezzogiorno, o una fragranza di rose. E non è certo perché ci si sbronza un tantino che si smette di apprezzare una fragranza di rose. Le notizie e le canzoni d'amore alla radio, una tazza o un bicchiere in cui tuffare le labbra e la vita andava avanti, più leggera, leggera come Hélène Hel, la donna idealizzata, che avresti potuto sollevare sulla punta delle dita, tanto era minuta.

Presto, un tremendo timore era serpeggiato per il paese: chi avrebbe rilevato il bistrot? Chiunque potesse essere, non avrebbe mai avuto quegli occhi chiari, non li avrebbe mai riaccompagnati a casa quand'erano sbronzi, non avrebbe mai rammendato loro alcunché, né mai avrebbe vegliato sul fuoco. Che se ne venga fuori da vincitori o da vinti, tutte le guerre sono perdute, ma loro non avrebbero perso Hélène. E se il nuovo proprietario avesse deciso di trasformare il loro bistrot in un garage o in una merceria? Presto, i clienti avevano sparso in tutta la zona la notizia che chiunque avesse messo piede nel bistrot di père Louis, a Milly, per fare un'offerta di acquisto alla proprietaria se ne sarebbe pentito amaramente (e che probabilmente il suo corpo non sarebbe mai stato ritrovato).

Nessuno si era mai arrischiato. E Hélène non ne aveva mai scoperto il motivo. Come se il suo cartello fosse invisibile. Cartello che aveva dovuto sostituire tre volte a causa delle intemperie e dei malevoli che continuavano a strapparlo.

All'inizio del '53, Hélène chiede infine a Claude di scrivere IN VENDITA *sul vetro della porta, ma questo non cambia le cose, e non le vale nessuna proposta di acquisto.*

In un primo momento, Claude aveva scritto NON IN VENDITA, *sapendo che Hélène non se ne sarebbe mai accorta. Poi, colto dal rimorso, aveva cancellato il* NON *con dell'essenza di trementina.*

«Justine, è mezzanotte. Dobbiamo andare.»

La voce del nonno mi riporta al presente.

Chiudo il quaderno subito dopo aver salutato Hélène con un bacio. Chissà se può sentirmi leggere la sua vita.

Nel corridoio incontro Roman, Rose e Clotilde. Li presento al nonno. Roman mi dice: « Janet Gaynor ha vinto un Oscar per tre film, *Settimo cielo, L'angelo della strada* e *Aurora*. All'epoca, si poteva premiare la stessa attrice per diversi ruoli ».

Avrei preferito che mi dicesse: Justine, ti amo e Clotilde non è mai esistita. Era solo uno scherzo di pessimo gusto. E non è mica Hélène, quella sdraiata dentro la stanza, ma una sosia. Hélène è andata a fare trekking in Nepal.

Quanto all'Oscar a Janet Gaynor, lo sapevo già. So pure che gli animatori della Disney si sono ispirati ai tratti del suo viso per creare il personaggio di Biancaneve.

Così rispondo soltanto: « Arrivederci ».

È l'una di notte e, come se il cielo volesse rendere omaggio a Janet, nevica un po'. I tergicristallo scricchiolano. Il nonno va a due all'ora.

« L'hai scritta tu quella cosa che stavi leggendo a Madame Hel? »

« Sì. »

« È bella. »

« Grazie. »

Ho voglia di dire al nonno che l'ho scritta per il nipote di Madame Hel di cui sono innamorata pazza, ho voglia di dirgli che sono andata in Svezia e che Magnus mi ha raccontato tutto, ho voglia di dirgli che sul tetto delle Ortensie c'è un gabbiano, ho voglia di dirgli che vado a letto con Comesichiama, ho voglia di dirgli che un giorno sono rientrata a casa molto prima del previsto e ho trovato la nonna vestita da idraulico, ho voglia di dirgli che Patrick e Jo si amano davvero, e invece faccio finta di dormire.

Sotto le mie palpebre chiuse, i lineamenti di Clotilde si sovrappongono a quelli di Hélène. Di tanto in tanto, apro gli occhi per osservare il profilo del nonno che s'illumina quando passiamo accanto a un lampione. Penso solo al fatto che Roman è sposato e che Hélène si avvicina alla fine. Penso al deserto che mi attende dietro la prossima curva. E lui? A cosa pensa, mio nonno? Questo nonno che non dice mai niente. Al fatto che invece è tornata?

Annette è tornata per sposare Alain Neige alle tre del pomeriggio di sabato 16 febbraio 1985, nella chiesa di Milly. Aveva dei fiori bianchi tra i capelli biondi. Armand non ha visto altro: una corona di fiori bianchi. Non ha visto quant'era bella Sandrine appesa al braccio di Christian, non ha visto Magnus accompagnare Annette, tutta tremante, fino all'altare, non ha sentito pronunciare il fatidico sì, non ha visto Eugénie asciugarsi una lacrima, non ha sentito *Imagine* di John Lennon, dopo lo scambio delle fedi. Ha trascorso la giornata in un campo di fiori bianchi, impigliato in un'acconciatura.

Non avrebbe saputo dire se, una volta fuori dalla chiesa, fossero tornati a casa a piedi o in auto. Se facesse freddo o freddissimo per il mese di febbraio. Se avessero festeggiato suonando i clacson. I gemelli indossavano abiti uguali. Quand'erano piccoli, Armand non sopportava il fatto che Eugénie li vestisse alla stessa maniera. Ma quel 16 febbraio del 1985 non ha prestato attenzione a un simile dettaglio.

Seduti al tavolo della sala da pranzo erano in quindici:

Armand, Eugénie, Christian, Sandrine, sua madre, Alain, Annette, i suoi genitori, il fratello di Annette e alcuni amici dei gemelli.

Eugénie aveva chiesto ad Armand di spostare i mobili. Per l'occasione, aveva messo una tovaglia bianca. Armand diceva di sì, Armand diceva di no, Armand sorrideva, Armand riempiva i bicchieri di champagne, o forse era qualcos'altro.

Hanno mangiato il famoso cuscus di pesce. Eugénie aveva cominciato a prepararlo la sera prima. Aveva trascorso parte della nottata a sgranare la semola come le aveva insegnato la sua amica Fatiha.

Magnus ha scattato qualche foto con l'Instamatic di Christian. Poi si sono messi tutti a ballare. Prima i vecchi, che non erano poi così vecchi, e poi i giovani, che tanto giovani non erano più. Christian e Alain avevano registrato delle cassette per l'occasione. Cassette che Jules conserva ancora da qualche parte.

Quando i vecchi hanno riguadagnato le loro sedie, Alain ha messo su *Purple Rain* di Prince.

Poi hanno mangiato una torta a più piani, affettata da Annette e Sandrine. In cima, quattro statuine di plastica raffiguravano gli sposini abbracciati.

Annette ha staccato una delle due coppiette di plastica per leccarle la crema e il caramello da sotto i piedi.

Nel tardo pomeriggio i gemelli, un po' brilli, sono andati di sopra per un sonnellino, mentre le mogli sono rimaste giù con gli ospiti. Con l'aiuto di Ada e Magnus, Eugénie si è rimessa ai fornelli per preparare la zuppa di cipolle. Nel frattempo, Annette ha messo su *Angie* dei Rolling Stones e ha invitato Armand a ballare.

Mentre ballava *Angie* stretto a lei ha pensato: *Adesso sparisco. Ci sono persone che scompaiono, che spariscono dall'oggi al domani. L'ho visto in una trasmissione televisiva.* Mentre ballava *Angie,* ha sentito la sua manina agitarsi come un uccello tra le sue dita. Ha aperto la mano e lei è scappata via. La canzone era finita.

La corona di fiori è caduta a terra. Armand l'ha raccolta.

Annette ha cominciato a piangere e a ridere allo stesso tempo, col muco che le colava sulle labbra. Tirava su dal naso e parlava in svedese, e Armand non aveva mai visto niente di così bello come quel muco asciugato col dorso della mano. Magnus è uscito dalla cucina, ha preso la figlia tra le braccia e l'ha coccolata. Poi lei si è chiusa in bagno per quello che è sembrato un tempo lunghissimo. Nessuno se n'è accorto, tranne Armand. Tutti gli altri hanno pensato che avesse raggiunto il marito di sopra.

Mentre mangiavano la zuppa di cipolle e Alain raccontava barzellette che suscitavano l'ilarità generale, in special modo del fratello, Armand è andato in bagno. Annette ne era appena uscita. Aveva fatto a pezzi delle riviste di vendita per corrispondenza e gettato fazzolettini nel piccolo cestino dei rifiuti in stile liberty. Erano ancora intrisi di lacrime. Armand si è infilato tutto in tasca per custodire il dolore di Annette.

È rimasto a lungo fermo davanti al gabinetto.

Ci sarebbe voluto restare fino alla morte. Quei due metri in cui lei aveva appena trascorso un'ora della sua vita sarebbero stati la sua cripta.

Ha tirato giù i pantaloni e si è seduto sulla tazza ancora tiepida. Non si aspettava tutto quel tepore. Il tepore che lei aveva lasciato dietro di sé. Ha chiuso gli occhi ed è scoppiato a piangere.

55

1953

Piove, stamattina. Hélène ha gli occhi gonfi di pena. Fa freddo. Si copre le spalle con lo scialle. Infila un po' di legna nella stufa.

Apre la porta del bistrot alle sei e mezzo. Guarda la scritta IN VENDITA. *La vernice si sta screpolando, e ancora nessuno che si sia fatto avanti con un'offerta. Con un gesto meccanico, volge lo sguardo verso il cielo. Non aspetta più Lucien, ma il suo gabbiano.*

Come ogni mattina, Baudelaire è il primo cliente.

Col passare degli anni, è andato incurvandosi. Cammina con gli occhi bassi, recitando instancabilmente i suoi versi come se li leggesse per terra.

Alle sette, gli operai della fabbrica tessile passano a bere il caffè. Sono taciturni e sono gli stessi che, loquaci, torneranno per la pausa a mezzogiorno in punto.

Alle otto, sono andati via tutti.

Verso le nove arrivano i pensionati, quelli che giocano a carte vicino alla stufa fino alle undici e mezzo, fino a poco prima, cioè, che spuntino gli uomini del primo turno, quello che va dalle quattro del mattino a mezzogiorno.

Hélène accende la grossa radio a transistor posta accanto alla macchina per il caffè su cui sorride Janet Gaynor. Cerca istintivamente Louve, per ricordarsi solo subito dopo che è morta la sera prima, poco dopo la chiusura, come se avesse aspettato per non disturbare. Hélène urta contro la sua ciotola dell'acqua, la rovescia. Ha la sensazione di aver perso una sorellina silenziosa. Avverte una fitta di dolore.

Sente il treno delle dieci che entra in stazione. Dalla stazione al bistrot saranno nemmeno cinque minuti a piedi.

Quelle dei viaggiatori sono le uniche facce nuove tra le tante abituali. A volte entrano nel bistrot per riscaldarsi un po', in attesa di una coincidenza. Stamattina sono in cinque.

Entrano praticamente insieme con Claude, che subito si avvicina a Hélène e le chiede come va. Lei gli fa un segno per dirgli che, sì, va bene. È stato lui a seppellire Louve, durante la notte. Ora che Claude è arrivato, lei può riprendere il suo posto dietro la macchina per cucire nella rimessa.

A mezzogiorno, ritorna per dargli una mano. È il momento in cui ci sono più clienti. S'incrociano come sulla banchina di una stazione. Ci sono quelli che stanno per timbrare il cartellino e quelli che si accingono a rientrare a casa. E poi i pensionati, che tornano dalle mogli per il pranzo, gli agricoltori, i muratori e i fattorini in pausa.

Andati via tutti, Hélène ha l'abitudine di spalancare le porte per arieggiare. L'odore di tabacco stantio le ricorda il giorno in cui i tedeschi hanno ucciso Simon per portarsi via Lucien.

Simon, il dolce padrino di Lucien. Colui dietro il quale Lucien ha finito per nascondersi. Già: perché farsi chiamare proprio così?

Hélène conserva ancora il suo violino, il suo cappello e i suoi spartiti, nel caso in cui si presentasse qualcuno a reclamarli. Sono posati su uno scaffale nella rimessa. A volte lei cerca di produrre qualche nota, di far scivolare l'archetto sulle corde. I suoni che ne ricava sembrano versi di bestie prese in trappola.

Le capita spesso di ripensare al sorriso di Simon. E anche alla scritta che gli avevano inciso sulla fronte, benché con minor frequenza. Il ricordo che vuole serbare di lui è il suo sorriso. Non ha mai saputo dove fosse stato sepolto il giorno dell'esecuzione.

Le hanno detto di tutto: dietro la chiesa; in un prato dove nel 1949 sono state rinvenute molte ossa umane, nei pressi di quello che all'epoca era il quartier generale tedesco, e che una volta aveva raggiunto in bicicletta; in un fosso lungo una strada poco sotto Milly, dove, a quanto pare, gli ufficiali tedeschi coprivano i cadaveri di calce prima di sotterrarli. Hélène avrebbe voluto riportarlo in Polonia, dai suoi.

Il treno delle 13.07 entra in stazione. Ha smesso di piovere, e il sole accarezza la facciata del bistrot.

Proprio mentre Hélène si appresta a tornare nella rimessa per ultimare la confezione di una giacca complicata, una cliente la trattiene: un orlo dei pantaloni per il marito che ha una gamba più lunga dell'altra. La sartoria attira sempre più donne. E non solo la domenica. E non solo le più giovani. I primi anni, le donne venivano al bistrot la domenica mattina, dopo la messa, portando gli abiti che avevano bisogno di un ritocco. Adesso, invece, arrivano in qualsiasi momento, concedendosi anche di bere qualcosa quando incontrano le amiche.

Claude dispone le sedie all'esterno: il tempo è bello, sebbene sia ottobre.

Hélène attraversa la piazza per riaccompagnare a casa Baudelaire, che ha mal di testa. Non le va che rientri da solo. Apre le imposte, fa cambiare l'aria, gli pulisce la cucina, gli rifà il letto e gli prepara un caffè.

Al ritorno, lo vede. Sulle prime, solo un'ombra bianca. Sente il cuore imbizzarrirsi: quello appollaiato sul tetto è il suo gabbiano.

Hélène rimane impietrita.

Sulla piazza della chiesa, a pochi metri dalla porta del bistrot, una bambina lancia un sassolino e saltella su un piede in una campana immaginaria. Canticchia una canzone di Dalida, Bambino.

Je sais bien que tu l'adores,
bambino, bambino,
et qu'elle a de jolis yeux,
bambino, bambino.*

La bambina è troppo giovane per ricordare tutte le parole, ma conosce il motivo. Il testo lo inventa. Il sole che si riflette nelle vetrate del locale impedisce a Hélène di vedere i clienti che si trovano all'interno. È scossa da un tremito. I suoi occhi vanno dalla bambina alla macchia bianca sul tetto.

Lui è tornato.

Hélène mette un piede davanti all'altro fino a quando non raggiunge i gradini dell'ingresso. Le sembra di camminare per la prima volta in vita sua.

È passato solo a farle visita? Ha percorso ottocento chilometri per bere un bicchiere? È venuto a chiederle conto di qualcosa? Si tratterrà un'ora, una settimana, per sempre?

Come rimpiange di non essersi fatta bella, al mattino, e di aver messo quell'abito un po' logoro! Come rimpiange di aver pianto la morte di Louve tutta la notte, fino a farsi venire le occhiaie! Come rimpiange di avere idee così sciocche.

Si toglie il grembiule.

Questo istante lo ha immaginato in mille modi diversi: durante il giorno, di notte, a sera, d'inverno, a mezzogiorno, di domenica o in estate, ma mai pensando che lei sarebbe stata fuori dal bistrot e lui dentro. Che sarebbe stata lei, e non lui, ad aprire la porta. Ha immaginato che avrebbe corso per gettarsi tra le sue braccia, e che lui l'avrebbe fatta volteggiare in aria, in un'esplosione: lo splendore, la gioia. Perché le cose suc-

* Trad. lett: «So bene che tu l'adori, bambino, bambino, e che lei ha degli occhi bellissimi, bambino, bambino». (*N.d.T.*)

cedono sempre quando ormai non te le aspetti più? Perché dev'essere sempre tutta una questione di tempi?

Hélène entra nel bistrot. Lo cerca con lo sguardo. È seduto vicino alla finestra, con le gambe incrociate, come fosse un cliente. Indossa un maglione dolcevita nero, e neri sono anche i pantaloni. È vestito come un vedovo, ma lei è lì, viva e vegeta. China leggermente il capo per guardare la bambina che saltella, ed è allora che Hélène si accorge della valigia blu posata ai suoi piedi. Lui ha in mano una sigaretta. Lucien non ha mai fumato. La luce del sole e le volute di fumo lo avvolgono in un alone che accentua l'irrealtà del momento. Lui posa i suoi occhi azzurri su di lei.

Da quando ha raccontato la verità a Hélène Hel, Edna non ha più paura del ritratto di Lucien Perrin. Ha lasciato la scuola per tornare a lavorare in un ospedale. Per ritrovare quelli che hanno davvero bisogno di lei.

Nella stanza numero 1, un paziente sta morendo, probabilmente non supererà la notte. Si chiama Adrien Moulin, venticinque anni il mese prossimo. Edna preme su una siringa che gli inietta morfina nelle vene. Vede i suoi lineamenti distendersi, impercettibilmente, ma forse non è che il frutto della sua immaginazione. Gli traccia un segno della croce sulla fronte.

Edna osserva la morte insediarsi nel corpo di Adrien Moulin senza nessun pudore, un po' come quei turisti che prendono d'assalto le spiagge del Finistère nel mese di agosto. La sua pelle bianca e cerea non riflette più la minima scintilla di vita, e le clavicole sporgono così tanto che ci si potrebbe tagliare solo a sfiorarle.

Edna ne ha visti morire, di uomini. E anche resuscitare, come il suo.

A tarda notte, tornata a casa, si siede su una poltrona accanto alla stufa. Non ha il coraggio di andare a sdraiarsi di sopra, in camera, di fianco a quell'uomo e a quella valigia blu dietro il comò.

Aspetta che si facciano le sei del mattino, prima di raggiungerlo. Lo guarda dormire, poi gli mette la mano sulla spalla. Lui apre gli occhi, ma non la riconosce subito, assorbito com'è nel suo sogno con Hélène.

Edna gli dice: « Seguimi. Seguimi come hai sempre fatto sin dalla Gare de l'Est ».

Quel giorno, arrivando al bistrot, tutti i clienti hanno iniziato a dire: È lui, no, non è possibile, invece vi dico che è lui, e quelli che non l'avevano conosciuto prima della guerra chiedevano ai più anziani: Lui chi? E quelli che ne avevano sentito parlare dicevano che il suo nome era inciso sul monumento ai caduti, e che con tutta probabilità quello era un impostore.

Baudelaire è tornato al bistrot, lo ha squadrato, si è seduto al suo tavolo e gli ha recitato Lo straniero*:*

> « Dimmi, enigmatico uomo, chi ami di più? tuo padre, tua madre, tua sorella o tuo fratello? »
>
> « Non ho né padre, né madre, né sorella, né fratello. »
>
> « I tuoi amici? »
>
> « Usate una parola il cui senso mi è rimasto fino ad oggi sconosciuto. »
>
> « La patria? »
>
> « Non so sotto quale latitudine si trovi. »
>
> « La bellezza? »
>
> « L'amerei volentieri, ma dea e immortale. »
>
> « L'oro? »
>
> « Lo odio come voi odiate Dio. »

«Ma allora che cosa ami, meraviglioso straniero?»

«Amo le nuvole... Le nuvole che passano... laggiù... Le meravigliose nuvole!»*

* Charles Baudelaire, *Lo spleen di Parigi*, trad. it. di Alfonso Berardinelli, Garzanti, Milano, 2010. (*N.d.T.*)

56

«Pépé?»

«Mmm.»

«Qual è stato il più bel Natale della tua vita?»

Mancano ormai solo tre chilometri a Milly. Ci abbiamo messo tre ore per tornare dall'ospedale.

Il suo profilo è inghiottito dall'oscurità. Lo sguardo punta fisso la strada. Non è più neve, quella che cade sul parabrezza: sembra più una patina di ghiaccio.

La domanda lo fa irrigidire. Poi si lascia andare. Non so cos'abbia ceduto dentro di lui, ma vedo le sue spalle che si rilassano.

Gli ho posto questa domanda per fargli del male. Per vendicarmi. Per vendicare la mia famiglia. Per il rumore che lui non ha mai fatto mantenendo il suo silenzio di merda. Il suo amore sotto vetro. Io, sua nipote, gli rovinerò la vita con le mie cazzo di domande. E lui rovinerà la mia, evitando sistematicamente di rispondere.

«Mi riaccompagneresti in ospedale, domani?»

«Se vuoi.» Il nonno posteggia l'auto in garage.

Jules si materializza tra le luci dei fari. «Allora?»

«Commozione cerebrale.»

Jules sembra esitare. «Morirà?»

«Non lo so... credo di sì.»

Guardo il nonno guardare Jules.

«Cosa fai ancora in piedi a quest'ora?» gli chiede poi.

« Vi aspettavo. »

« Devi andare a scuola, domani. »

« Armand, c'è vacanza, guarda che domani è la vigilia di Natale. »

Alla parola « Natale », il nonno fa una smorfia e poi si chiude a riccio.

Jules mi stringe forte. Mi sovrasta di almeno tre teste.

« Sei triste? »

« No. Di là c'è Lucien ad attenderla. »

Mi lascia all'istante. « Vuoi scherzare? Nessuno aspetta nessun altro da nessuna parte. Sono tutte stronzate. Quando sei morto, sei morto. Queste storie sono inventate apposta per consolare quelli che sprecano la loro esistenza... Non c'è una seconda possibilità, Justine... È tutto ora o mai più. È per questo che devi darti una mossa! Devi andartene da questo buco. »

Non ho voglia di rispondergli. Non ho più voglia di rispondere a nessuno.

Lucien aspetta Hélène da qualche parte e Roman è sposato con una che ha un nome orrendo. Ma di orrendo c'è solo il nome, il resto è sublime. Non ho più nemmeno voglia di continuare a scrivere per Roman, perché sono sicura che farà leggere il quaderno azzurro a sua moglie. E questo quaderno è solo per lui e per nessun altro.

« Ti va di dormire con me? » mi chiede Jules.

« Se vuoi... ma prima devo finire di scrivere una roba, e non voglio essere disturbata. »

« Cosa mi hai comprato per Natale? »

« Non te lo dico nemmeno sotto tortura. »

« Ti concedo solo qualche minuto per confessarmi tutto. »

Alle sei del pomeriggio del 24 dicembre 1989, Annette si è messa un berretto in testa e ha detto a Eugénie che andava a fare un salto al supermercato.

Con le mani affondate nell'impasto, Eugénie ha insistito perché Armand l'accompagnasse. D'altra parte, gli ha già preparato una lista: «Sbrigatevi, prima che chiuda!»

Per una volta, Armand non ha cercato un pretesto per evitare Annette; forse, il berretto che nascondeva i capelli biondi gli ha fatto l'effetto di un parafulmine.

E poi era buio, faceva freddo e stava per finire l'anno, un anno passato a cercare di non pensare a lei, un anno passato nel timore di una sua visita, un anno passato a evitarla a forza di straordinari in fabbrica. Un altro anno. Era stanco.

Annette voleva andare a piedi. Ma Armand ha detto di no, sarebbero andati in macchina. Ha avviato il motore e messo il riscaldamento al massimo. Annette ha acceso la radio e ha cambiato stazione. C'era una canzone di Étienne Daho, *Tombé pour la France*.

Annette ha chiesto ad Armand cosa significasse «caduto per la Francia». Armand ha risposto che era un'espressione militare riferita a un gesto eroico. Annette ha commentato che il cantante, però, non aveva una voce da militare. L'osservazione lo ha fatto sorridere.

Per qualche secondo ha pensato: *Adesso la porto via, la rapisco senza chiedere un riscatto e non la restituisco più*. Ma alla fine ha detto: «Che cosa devi comprare al supermercato?»

«Cose da ragazze», ha risposto lei.

Armand si è sentito vecchio. *Lei è una ragazza, e io non sono che un vecchio. Ed è la moglie di mio figlio.*

Ha parcheggiato.

Non ha potuto fare a meno di guardare la condensa

che usciva dalla sua bella bocca, quando si sono ritrovati sul marciapiede. L'impronta del suo fiato nell'aria gelida.

Nella vetrina hanno visto i loro profili riflettersi fianco a fianco sull'elenco di articoli natalizi in promozione.

Ad Armand è venuto di pensare che la sua ombra avesse un aspetto più giovane di lui. Che si sentiva vecchio, ma non lo era.

Sono entrati in quello che all'epoca era un minimarket e che adesso è un'autorimessa: non vendono le macchine, fanno giusto il cambio dell'olio, sostituiscono pezzi, controllano la pressione degli pneumatici.

Sono entrati, dunque, ed erano gli ultimi clienti. Poi il negozio avrebbe chiuso. Tutti avevano la loro cena da preparare, era la vigilia.

Armand ha letto la lista scritta da Eugénie su un pezzo di carta da regalo: sale grosso, champignon interi, cotton fioc. Perché mai quest'urgenza di cotton fioc, la vigilia di Natale?

In una corsia, ha incrociato Annette perplessa davanti a una sfilza di confezioni di assorbenti.

Ed è arrossito. Gli assorbenti e tutte le altre cose di sua moglie erano infilati in fondo a un cassetto del bagno, e occupavano il fondo del carrello quando facevano la spesa insieme.

Eugénie gli aveva confidato che Alain e Annette stavano cercando disperatamente di avere un bambino. Armand ha fatto in tempo a pensare che Annette dovesse essere triste. In preda all'imbarazzo, è tornato in fretta alla corsia dei condimenti. Finalmente ha trovato il sale e ha pagato.

Uscendo, ha detto: « Buon Natale » alla cassiera. Non lo aveva mai fatto prima. Non è mai stato un tipo espansivo.

Annette lo aspettava già in macchina. Si era affrettata a pagare gli assorbenti per evitare di farlo arrossire di nuovo come uno sciocco, alla cassa. Nell'attesa, si era tolta il berretto. Quando l'ha visto arrivare, gli ha sorriso, e a lui è passata la voglia di salire in auto. *Scappa, corri via!* si è detto. Davanti a lui, la via principale e la chiesa erano immerse nel buio.

Alla fine è salito. Ha messo in moto, ha girato la manopola del riscaldamento portandolo al massimo, ha gettato il sacchetto della spesa sul sedile posteriore. Ha disinserito il freno a mano, si è soffiato le dita e poi, invece di partire, l'ha baciata. Le ha accarezzato i capelli con entrambe le mani, mentre la sua lingua le schiudeva la bocca. La bocca di Annette, un campo di fragole. Ha chiuso gli occhi per vederla meglio. E lei si è chinata su di lui. Il bacio di Annette gli ha ricordato una di quelle caramelle alla frutta che esplodono tra la lingua e il palato, sprigionando il loro aroma. A volte le rubava ai suoi figli, quand'erano piccoli.

57

Edna non sente nulla. Né caldo né freddo.

Ha preso il treno delle 14.03 per Parigi. Ha appena abbandonato Rose, Lucien e la sua borsa al bistrot di père Louis.

Ogni cosa è al suo posto.

Da un momento all'altro, eccola vedova e senza figlia.

Vedova di un uomo che non è mai esistito.

Una bambina senza madre è un'orfana. Ma che nome ha una madre senza figli? Madre di una figlia che non è la sua.

Edna ha amato un uomo preso in prestito alla vita. Per anni, non ha fatto che passare uno straccio sulle impronte di un'altra, senza però riuscire a cancellarle. Adesso sconterà la sua pena.

Stranamente, non si sente né triste né felice. È soltanto piena di aria. Come il palloncino che Rose teneva per uno spago solo qualche giorno prima, alle giostre. Svuotata di sentimenti.

Mentre pensa agli occhi chiari di sua figlia, le sembra che una lacrima le coli sulla guancia per terminare la sua corsa sull'orlo del labbro superiore. La inghiotte. Un palloncino dentro cui scorre una lacrima.

Una volta arrivata a Parigi, scenderà dal treno, taglierà lo spago che la trattiene e volerà lontano. Non senza aver prima ringraziato il cielo di averle fatto un regalo così bello, quel giorno, alla Gare de l'Est.

58

Al parcheggio dell'ospedale, lo cerco con gli occhi, come ieri. Questa volta ci metto poco a trovarlo. Si è posato sul tetto dell'ala destra, vicino alla finestra di un lucernario. Accanto, ci sono altri uccelli. Uccelli di tutte le specie, sparsi tra gli alberi, il cielo, le grondaie e i colmi del tetto.

Le visite ai pazienti sono consentite dalle due in poi. Rose è all'accettazione. Spero non ci siano anche Roman e sua moglie. Dio, fa' che non debba più incontrare Clotilde in vita mia.

Rose è davanti a un distributore di caffè che sembra distribuire tè, almeno a giudicare dal colore del liquido che traspare dal bicchiere di plastica. Quando ci vede arrivare, me e il nonno, sorride. Il nonno, come suo solito, si sbarazza dei convenevoli annunciando una visita al bagno. Rose mi porge una busta. « Tieni, è per te. »

« Che cos'è? »

« Una lettera. »

« Che lettera? »

« Vedrai... Roman mi ha detto che stavi scrivendo la storia dei miei genitori. La troverai interessante. »

Infilo la busta nella borsa. « Come sta? »

« È ancora in coma. »

Benché tutto lasci pensare che sia finita, io sento sorgere in me la speranza. Che Hélène tornerà alle Ortensie e continuerà a guardare il paesaggio dalla poltrona. Che

Roman tornerà per scattarmi una foto e che per una volta avrò i capelli in ordine. Rose mi guarda fantasticare. Poi mi dice: « Adesso vado. Devo prendere il treno ».

Getta il bicchiere ancora mezzo pieno in un cestino dei rifiuti. Non ho il coraggio di chiedere se Roman e sua moglie sono in ospedale.

Prendo l'ascensore. Dentro, c'è già una coppia di vecchietti. Si tengono per mano. Non so per quale motivo, ma ho cominciato a pensare che la gente piange di meno quando a morire è un anziano. Va così, è la vita, dicono. Perché sto piangendo, allora?

Proprio come ieri, finisco al piano sbagliato. Cerco un corridoio che non riesco a trovare. Oltrepasso porte scorrevoli sperando che subito dopo non ci sia Roman, percorro corridoi senza fine. Ci sono festoni ovunque. Sotto le luci al neon, fanno un po' strano. Mi ricordano i cassieri dei grandi magazzini cui a dicembre appioppano un cappello da Babbo Natale. Voglio dire, ci sono matrimoni che proprio non reggono.

Prendo un altro ascensore e, quando finalmente la porta si apre al quinto piano, quello giusto, mi trovo faccia a faccia con Comesichiama. Ha addosso un camice bianco. È la prima volta che lo vedo vestito bene.

Le penne infilate nel taschino esterno m'impediscono di leggere il suo nome scritto sul cartellino dell'ospedale.

Sulle prime, faccio così tanta fatica a mettere insieme i pezzi che rimango senza parole.

« Justine? »

« Cosa ci fai qui? »

« Io ci lavoro, qui. »

« Ah... »

« E tu? »

« Sono venuta a visitare... un'amica. »

«Ma... stai piangendo?»

«Un po'.»

«Stai bene?»

«Sì.»

«Sei sicura?»

«...»

«Ti avrò lasciato...» – ci riflette un attimo – «... una quarantina di messaggi.»

«Mi dispiace...»

«Bella, Stoccolma?»

«Molto fredda.»

«Se hai bisogno di un po' di calore...» Mi bacia sulla bocca e scompare nell'ascensore.

Mi ha appena baciato sulla bocca e non mi ricordo nemmeno il suo nome... Prima i capelli, adesso la bocca. Chissà, magari finirò per scoprire che siamo sposati.

Non ho ricevuto i suoi messaggi. Non so nemmeno dove ho infilato il cellulare. L'ultima volta che l'ho visto, mi pare che fosse nel cassetto della credenza su cui i fratelli Neige sorridono all'obiettivo, con le rispettive compagne incollate alla spalla.

La donna della stanza 588 non somiglia in nessun modo a quella cui, da tre anni a questa parte, tengo la mano nella 19 delle Ortensie. Di quella donna non rimane più niente. Nemmeno il suo corpo sotto il lenzuolo si distingue più. Sembra essersi ulteriormente rattrappito rispetto a ieri.

Apro il quaderno. E ricomincio a leggerle la sua vita.

Vivevano come fratello e sorella. Hélène dormiva in quella che era stata la loro camera, Lucien in un'altra.

Hélène aveva trovato Lucien cambiato. La giovinezza del suo sguardo era evaporata. La guerra aveva operato in lui una sorta di sottrazione generale. Non si pentiva di averlo aspettato, ma ne era rimasta delusa. Non riusciva a perdonargli di aver smarrito quella bellezza, oltre che ogni ricordo. Nemmeno la cicatrice che portava sul viso come una scusa bastava a scusarlo. Ma quella maniera tutta sua di portare il labbro inferiore su quello superiore quando leggeva il giornale, quella vecchia abitudine, era ancora adorabile. La guerra non aveva sciupato i suoi gesti né il suo portamento. E poi Lucien era pur sempre l'uomo che le aveva insegnato a leggere.

E adesso le donava una figlia. La figlia che aveva tanto atteso prima della guerra. La figlia che ormai aveva smesso di attendere. Hélène non aveva dovuto amare Rose, il giorno del suo arrivo, perché l'amava già. Quando l'aveva presa in braccio, aveva riconosciuto l'odore, la pelle, il respiro, i capelli, la voce, le unghie. Aveva avuto la sensazione di conoscerla da sempre. Come una continuità, un prolungamento. Come un organo o un arto: una parte di sé. Hélène non aveva forzato nulla, era stato tutto naturale.

Al mattino, il bistrot apriva sempre alle sei e mezzo.

Alle otto, Hélène accompagnava Rose a scuola facendole promettere che, se fosse successo qualcosa che l'avesse fatta sentire a disagio, anche una cosa piccola, glielo avrebbe confidato. E Rose prometteva.

Poi tornava e si metteva alla macchina per cucire, mentre Lucien serviva i clienti. Ce n'era sempre uno pronto a raccontargli com'erano le cose prima del suo arresto. E Lucien ascoltava uomini dal naso butterato rievocare i tempi della sua giovinezza, benché fosse ancora giovane.

Il fatto che Hélène non fosse più vedova aveva convinto alcuni clienti a disertare il bistrot, dopo il ritorno di Lucien. Andare a bere un cicchetto non era che un pretesto per ammirarla e sperare. Altri avevano cominciato addirittura a squadrarli entram-

bi dall'alto in basso. A evitare di passare sul marciapiede davanti a quel bistrot malfamato in cui viveva una coppia di facili costumi.

Rose era diventata « la povera piccola », Hélène « la puttana », Claude « l'amante » e Lucien « il disertore ».

Quando Claude si era offerto di andarsene, essendo tornato Lucien, Hélène gli aveva risposto: « Rimani, non è tornato davvero ». Hélène non si sarebbe potuta separare da Claude, lui era parte integrante del bistrot. E, dunque, della sua vita. Ai suoi occhi, era importante quanto il sole che, da marzo a ottobre, attraversava le vetrate per illuminare le bottiglie, i bicchieri, l'assito, i volti.

Claude arrivava ogni giorno alle dieci per aiutare Lucien a preparare per il mezzogiorno, quando gli operai del turno della mattina si presentavano tutti insieme. Era lo zio adottivo di Rose. Conosceva il posto di ogni oggetto o utensile in casa, sotto il bancone, nei cassetti, nelle stanze, sugli scaffali, in cantina, sul piano di lavoro. Sapeva quale asse del pavimento scricchiolava, dove si trovavano i contatori, i bidoni di olio, le lampadine, i tubi dell'acqua, le chiavi, la botola da cui accedere al sottotetto, il carbone, il serbatoio di nafta, il diserbante, le chiavi inglesi, le riserve di birra, il vestito blu della bambola di Rose, il funzionamento di tutti gli apparecchi, il punto preciso in cui assestare il calcetto magico con cui rimettere in moto un macchinario. Conosceva la solidità o la fragilità di ogni parete, pavimento, impianto idraulico, cliente, giocatore della squadra di calcio locale.

Nel tardo pomeriggio, Lucien andava a prendere Rose a scuola. Tornavano al bistrot mano nella mano.

Hélène le preparava la merenda. Più tardi, a sera, Lucien la aiutava coi compiti. Il fatto di non poter prendere parte a questo rituale rendeva Hélène molto infelice; a Lucien la cosa non sfuggiva, ma fingeva di non accorgersene per non ferirla ulteriormente.

Cenavano tutti e tre insieme. Rose riassumeva la sua giornata a scuola, Hélène parlava di sartoria e Lucien dei clienti. A volte le loro storie si mischiavano.

Hélène aveva iniziato raccontando a Lucien i fatti a grandi linee. Un po' come quando si leggono le notizie di un giornale a qualcuno. Del padre non vedente, della madre che li aveva abbandonati, del braille, di Bach, dei matrimoni, e poi di père Louis, dell'arresto, di Simon, del battesimo, del sorteggio, della gente del paese, del dopoguerra, del monumento ai caduti, dell'attività sartoriale, di Louve, degli anni trascorsi, delle feste, dell'attesa, dei tavolini fuori, d'estate, di Claude, dell'avvicendarsi delle mode, di Royallieu, di Buchenwald, delle miniere di Dora, della Gare de l'Est, della lettera, del ritratto, della visita di Edna al bistrot.

Lucien le credeva sulla parola, ma non ricordava nulla. La ascoltava parlare della sua vita, gli piaceva il timbro della sua voce, i suoi occhi, il modo in cui si asciugava continuamente le mani sul vestito benché non fossero bagnate. Vedeva la sua bellezza, ma non la sentiva più. Niente gli suggeriva il sentiero da imboccare per ritrovarla. A volte gli veniva voglia di toccarle i capelli, il viso, per sapere. Ma non avrebbe mai avuto il coraggio di farlo. Voleva ritrovare la donna alla quale aveva scritto in braille su pezzi di carta rimediati a Buchenwald.

I gesti di un tempo, quelli, li aveva ritrovati dietro il bancone. I gesti si ricordavano di lui, ma senza di lui.

Dell'intimità, non gli restava più nulla.

Non riusciva più a provare nessuna gioia. Piuttosto, si sentiva pervaso da una profonda pace interiore. Era stata proprio questa pace, d'altronde, a fargli capire che Edna non gli mancava.

Al contrario. Avvertiva un senso di sollievo. Sollievo per il fatto di non essere più sotto sorveglianza. Di essere sfuggito a quel suo sguardo indagatore. Il modo in cui Edna spiava ogni sua mossa lo aveva murato nelle sue paure. Vivere nel bistrot di père Louis l'aveva liberato.

Hélène non lo spiava mai, Hélène non si nascondeva mai dietro le porte, Hélène non frugava nelle sue cose, Hélène non cercava mai nei suoi gesti il movimento che lo avrebbe tradito. Hélène non aveva paura di lui, né della sua verità o del suo passato.

Col tempo, Lucien aveva capito quanto Edna dovesse essere infelice, e fino a che punto fosse terrorizzata dal sapere che lui non si chiamava Simon, bensì Lucien. Tanto da abbandonare non solo lui, ma anche la loro bambina.

Il filo che li legava non si era spezzato, ma Hélène non sapeva come ritesserlo. Così ha condensato le sue storie, le ha pigiate dentro una borsa sempre più piccola. E gli ha raccontato della loro intimità. Quella che si erano costruiti nella loro stanza, prima della morte di Simon.

Gli ha raccontato del loro incontro in chiesa, delle prove del vestito di flanella blu, del gabbiano e del loro non matrimonio.

Una sera, invece di dargli la buonanotte, ha mandato giù un bicchierone di Suze per infondersi coraggio e l'ha preso per mano. Poi l'ha portato nella sala del bistrot, ormai chiuso da un pezzo.

Prima di accendere una candela e di posarla sul bancone, gli ha detto di essere andata con altri uomini, durante la sua assenza. Gitani, giostrai, commessi viaggiatori. Gente che non potesse lasciare traccia del proprio passaggio. Glielo ha raccontato senza vergogna né rammarico. Non era una confessione. Non aspettava nessun perdono da parte sua.

Lui non ha provato gelosia, né odio. Non si è sentito ferito nell'orgoglio. Anche lui – così si è detto – era diventato il com-

messo viaggiatore di Hélène. Un uomo di passaggio in mezzo ad altri. Uno straniero che era tornato a casa sua.

Lei si è sciolta i capelli, e tutto d'un tratto era nuda. Solo la candela la vestiva di luce. Il seno e il ventre soffice danzavano sotto la fiamma. Le sue anche erano larghe, le cosce muscolose. Era candida, lattea, e aveva la pelle d'oca. In trasparenza, Lucien vedeva l'azzurro delle vene.

Lui non era uno di passaggio, uno tra tanti altri. Era stato il suo uomo. Il primo.

Nella sala, il respiro di Lucien ha iniziato a coprire il rumore del generatore elettrico.

Quando ha provato a toccarla, lei glielo ha impedito con un gesto della mano. Così ha continuato a guardarla, a lungo.

Come per impararla di nuovo.

Lucien era in preda al desiderio. Avrebbe voluto leccarla ovunque, ripulirla da tutti gli altri uomini, lavarle via di dosso il tempo trascorso, il silenzio, l'assenza, l'abbandono, l'oblio.

E, più lui ammirava la sua bellezza, più gli occhi di Hélène brillavano.

Poi si è girata, mostrandogli il collo, la schiena, le reni, il sedere. E lui ha ripreso a sperare. Per la prima volta dal giorno del suo arresto.

Hélène ha rivisto il cielo negli occhi di Lucien, come una breve schiarita. Mentre girava su se stessa, gli ha raccontato di come lui l'accarezzasse e la tenesse stretta tra le braccia, di quali parti del suo corpo gli piacesse toccare, del modo in cui lei s'inarcava, delle sue mani sul suo sesso, di come fossero inscindibili la lettura e l'amore.

E dell'estate del '36. Poi si è rivestita e lo ha rimandato alla sera dopo.

Stessa ora.

Un'infermiera entra nella stanza, e io chiudo il quaderno. Dopo avermi rivolto un saluto, misura la pressione e la temperatura di Hélène, cambia la sacca della flebo e mi sorride.

Vorrei farle qualche domanda a proposito di Comesichiama... ma cosa dirle? Come si fa a chiedere qualcosa su una persona di cui non si conosce il nome?

L'infermiera mi ricorda che stasera è la vigilia di Natale.

Che oggi è il 24 dicembre.

Nonno!

Mi chino su Hélène per darle un bacio prima di uscire. Non voglio che sia l'ultimo. Lucien può aspettare ancora un po'.

In quel preciso istante arriva Roman. È da solo. Ed è magnifico. La tristezza non lo sciupa.

«Sono venuto a leggerle qualcosa», ha detto, posando il cappotto su una sedia.

«Grazie.»

È tutto quello riesco a dirgli. Grazie. Ho ancora il quaderno azzurro aperto. Lo chiudo.

«È la storia dei miei nonni?»

«Sì.»

Mi avvicino e lo bacio sulla bocca. Lui lascia cadere il romanzo che tiene in mano e mi stringe tra le braccia. Le sue mani sulla mia nuca sono ghiacciate. Mi accarezza i capelli. Chiudo gli occhi. Ho troppa paura di svegliarmi, riaprendoli. Nessuno mi ha mai accarezzato i capelli con tanta dolcezza, li sento crescere sotto le sue dita. Non sono più Justine, conosco un'altra forma di me. Questo bacio ha il sapore amaro dell'effimero, della fine di una storia d'amore. Avverto una tristezza sconfinata. Quasi come un senso di morte, di fine vita.

Bisbiglio: « Buon Natale ». E lascio la stanza, barcollando, senza guardarlo. Non voglio sapere se questo bacio è realmente esistito. Mi perdo nei corridoi e la testa gira ancora a lungo, prima di ritrovare finalmente l'uscita.

59

Il jukebox era stato consegnato quella mattina. Dodici dischi a 78 giri. Ventiquattro tasti rossi accanto ai quali figuravano i titoli delle canzoni.

C'era stato il pieno, quel giorno. Tutti i clienti erano affascinati dal quel congegno. Una ghirlanda di luci lampeggiava da entrambi i lati quando veniva azionato. Era dunque quello il progresso! Bastava pigiare un numero da 1 a 24 per selezionare un brano. Persino Claude e Lucien avevano abbandonato il bancone per unirsi ai clienti e ammirare la coreografia dei dischi.

Era stato Lucien a ordinare il jukebox. Per fare una sorpresa a Hélène. Lei non riusciva a leggere i titoli delle canzoni scritti a macchina sulle etichette. Ma aveva lasciato un segnetto discreto sul tasto della canzone numero 8, Petite fleur *di Sydney Bechet.*

Claude ci aveva sperperato tutte le mance di un mese in un solo giorno. Il jukebox aveva scatenato un'allegra caciara al bistrot, perché Claude non serviva più nessuno. Appena calava il silenzio, correva a infilare una moneta nella fessura della macchina e poi fissava, ipnotizzato, il disco che girava dietro il vetro.

Nel tardo pomeriggio, Baudelaire e Claude erano quasi venuti alle mani, perché Baudelaire non voleva ascoltare nient'altro che Maman, *la canzone di Tino Rossi, e Claude, invece,* C'est magnifique *di Luis Mariano. Hélène aveva risolto la questione premendo il tasto 8.*

Quanto a Lucien, lui non vedeva l'ora che se ne andassero via tutti per poter restare da solo con Hélène e il suo jukebox. Dopo quella prima sera in cui lei si era spogliata, lui non aspettava che una cosa sin da quando apriva gli occhi al mattino: tornare nella sala del bistrot dopo l'ora di chiusura e guardarla denudarsi alla luce di una candela. Perché lei lo aveva rifatto ogni sera. E Lucien l'aveva guardata spogliarsi senza mai toccarla. Non infrangevano mai la linea invisibile che ancora li separava.

Quella sera avrebbe messo su il lato B di Les sabots d'Hélène *di Georges Brassens e l'avrebbe invitata a ballare. Era la prima volta che aveva una prospettiva di qualche tipo, la prima volta che nutriva un'aspettativa da quel giorno alla Gare de l'Est. Aveva iniziato sperando, e adesso ecco che già faceva progetti.*

Era strano vivere sotto lo stesso tetto con una donna senza toccarla. Sentire i clienti e i commercianti chiamarla « sua moglie » o « la sua signora » quando gli parlavano di lei. Era strano non avere ricordi da condividere con lei, non avere nulla in comune se non il presente e tuttavia sentire ciò che sentiva lei, sapere cosa le piaceva, anticipare le sue reazioni, comprenderla. Era come se un sostrato emotivo del suo cervello ne avesse serbato il ricordo. Come il giorno in cui era venuta a portargli la valigia blu in Bretagna. Non l'aveva riconosciuta, ma aveva saputo recitarla a memoria. Già. Perché era proprio quello Hélène: una recita imparata a memoria e di cui non ricordava che le rime.

Aveva quasi dovuto mettere i clienti alla porta, quella sera. Persino Claude, che non voleva saperne di lasciare il jukebox e lo lucidava come fosse un purosangue alla vigilia del Grand Prix de l'Arc de Triomphe.

Chiuso finalmente il bistrot, finito di cenare e messa a letto la piccola Rose, Lucien premeva a ripetizione il pulsante numero 19. E cantava. Era la prima volta che Hélène lo sentiva cantare.

Cantava stonato, ma cantava. Lei ha acceso la candela e ha cominciato a spogliarsi, ma Lucien l'ha fermata. Quella sera, sarebbe stato lui a farlo. Prima, però, avrebbero ballato.

Così, ha infilato una moneta nel jukebox:

Les sabots d'Hélène
Étaient tout crottés,
Les trois capitaines
L'auraient appelée vilaine,
Et la pauvre Hélène
Était comme une âme en peine
Ne cherche plus longtemps de fontaine,
Toi qui as besoin d'eau,
Ne cherche plus: aux larmes d'Hélène,
Va-t'en remplir ton seau.*

Il giorno del jukebox, hanno finalmente ritrovato il filo.

* Trad. lett. « Gli zoccoli di Hélène / Erano tutti sporchi / I tre capitani / Le avevano detto che era brutta / E la povera Hélène / Era come un'anima in pena / Non cercare più una fontana, / Tu che hai bisogno d'acqua, / Non la cercare più: alle lacrime di Hélène, / Vai a riempire il tuo secchio. » (*N.d.T.*)

60

Il parcheggio dell'ospedale era deserto. Era buio da parecchio, e faceva freddo. Il nonno si era addormentato in macchina. L'ho osservato attraverso il parabrezza. E mi è sembrato bello. Aveva i lineamenti rilassati. Stava sognando? Ho bussato piano al finestrino, lui ha aperto gli occhi e mi ha sorriso alla sua maniera, increspando lievemente le sopracciglia e le labbra insieme. Poi la sua maschera di dolore ha ripreso il proprio posto. Ha messo in moto la macchina senza dire una parola.

Ho cercato un fazzolettino di carta nella borsa per asciugarmi gli occhi e la bocca. Volevo conservare una traccia di quel bacio. Mi capita spesso di cercare nella borsa cose che non ci sono. Ma ho trovato la lettera che Rose mi aveva dato davanti al distributore del caffè. L'ho letta a voce alta.

5 ottobre 1978

Edna,

Non ho ricordi del giorno in cui sei uscita dal bistrot di père Louis lasciando la borsa sul tavolo. Ero troppo piccola. A ogni modo, perdere la memoria è di famiglia. In fondo, ha i suoi aspetti pratici. Quel giorno, devo aver pensato che ci avevi portato in vacanza, papà, la borsa e me.

I miei primi ricordi risalgono alle domeniche pomerig-

gio, quando Hélène chiudeva il bistrot. Era l'unico giorno, quello, in cui si truccava e indossava il vestito delle feste. Andavamo a fare il bagno al fiume. Ci portavamo dietro un cestino con pane e uova sode che mangiavamo insieme guardando papà riprendere vita tra i flutti. Prima di allora, credo, non avevo mai visto il corpo di mio padre se non fasciato da abiti neri e incurvato. Poco alla volta, invece, andavo scoprendo un uomo alto con la pelle scura e un sorriso sempre accennato.

I clienti del bistrot erano gentili e mi facevano dei regalini. Bolle di sapone, biglie, pastelli. Mi portavano anche le caramelle. A volte coglievo scampoli di conversazioni sussurrate circa « l'assenza » di mio padre, e comunque per i clienti la « padrona » era Hélène. Ma non li degnavo di molta attenzione. Ero la figliastra di una sarta, e indossavo vestiti belli come quelli delle eroine dei racconti. Camminavo per il paese nei miei abiti da principessa e m'inventavo mille e una vita. C'eri forse tu, in una di quelle?

Fino ai dieci anni compiuti, nessuno mi ha parlato di te. Eri silenziosa. Ma ricordo il giorno in cui papà ha cominciato a trasformare la soffitta in una camera da destinare a me. Ricordo di avergli detto: « Allora restiamo in questa casa, papà? »

Lui ha sorriso e mi ha risposto: « Dove altro vorresti andare? » Mi ha chiesto di scegliere la carta da parati.

Io ne ho scelta una con sopra dei velieri. A Milly non c'è il mare. Eppure ero sicura di conoscerlo, come fosse un fratello maggiore che non vedevo da tanto.

Non ho foto che ti ritraggano. Sei un fantasma che non ha lasciato un'immagine di sé. Mi è capitato di chiedermi se fossi esistita davvero.

Immagino che, sulle prime, il mio affetto per Hélène fosse simile a quello che si prova verso un parente acqui-

sito. Ma, l'unica volta in cui ho visto papà baciarla sulla bocca, l'ho odiata. Sono scappata di casa.

Da quel giorno, non si sono più baciati in mia presenza. Li vedevo amarsi a loro insaputa. Benché io l'abbia sempre chiamata Hélène e mai mamma, lei mi ha cresciuto come fossi sua figlia. Del resto credo che anche tu mi abbia sempre considerata sua figlia. E non tua. La figlia che avrebbe avuto con papà, se non lo avessero deportato.

È stato Claude il primo a parlarmi di te.

Claude è il cameriere del bistrot. Zoppica dalla nascita, ma è il tipo più dritto che io conosca. L'ho sempre considerato come un fratello, non mi direbbe mai una bugia. Così ho capito che papà aveva avuto due vite recise dalla guerra. Nella seconda, tu lo avevi nascosto alla prima.

Non ti ho mai aspettato. Né ho mai sperato che tornassi. I miei genitori hanno fatto di tutto per darmi un'infanzia felice. Un'infanzia piena di luce per non lasciare angoli bui dove potessi sedermi ad attenderti. Sono diventata una disegnatrice, e nei miei disegni c'è spesso una donna sullo sfondo. Quella donna sei tu, probabilmente.

Claude ti ha trovato venerdì scorso. Ti cercava da anni senza mai avermene fatto parola. A quanto pare vivi a Londra e fai ancora l'infermiera. Quanti bambini hai curato pensando a me? Di quanti cuori hai sentito il battito pensando a quello di Lucien? Ti scrivo questa lettera per farti sapere che ha smesso di battere appunto venerdì scorso. Il giorno in cui Claude ti ha trovato, papà ha iniziato la sua terza vita, che non sarà né di Hélène né tua.

Ero con lui, quand'è morto. Ero venuta a trascorrere qualche giorno da loro e a dare una mano, perché una vagonata di turisti aveva preso d'assalto il bistrot. Papà stava servendo un'acqua e menta. È caduto e non si è più alzato. All'inizio ho creduto che fosse inciampato.

Hélène ha capito immediatamente che questa volta il suo grande amore se n'era andato per sempre. È stata la seconda volta in cui lo ha baciato in mia presenza.

Il giorno in cui perdo mio padre, qualcun altro ritrova te.

La vita prende e dà nello stesso momento. Solo che io, nello specifico, non so cosa mi stia dando. Ma spesso le cose vanno così.

Sappi che non leggerai mai questa lettera. La metto nella tua borsa, che è appesa alla porta della mia stanza. Papà l'ha conservata per regalarmela quando ho compiuto diciott'anni. Non ho mai avuto il coraggio di aprirla, sarebbe stato come frugare nella borsa di una sconosciuta. Papà e Hélène mi hanno educata troppo bene. Ma l'ho lasciata nella mia stanza da bambina, perché alle pareti ci sono ancora i velieri e forse, un giorno, ne prenderò uno per venirti a trovare.

Infine volevo dirti che hai fatto bene a riportare papà da Hélène. È morto felice.

ROSE

Ho finito di leggere la lettera di Rose.

Il nonno continua sempre a guidare. Mancheranno ancora cinquanta chilometri. Non dice nulla. Non fa nessun commento.

« Conosci il seguito, pépé? »

« ... »

« Pépé, conosci il seguito? »

« Quale seguito? »

« Dopo la morte di Lucien, Hélène ha lasciato il bistrot a Claude e si è trasferita a Parigi. »

« E Rose? »

È la prima volta che il nonno mi fa una domanda a proposito di qualcuno. Voglio dire: da bambina non mi ha mai chiesto nemmeno se mi ero lavata i denti.

« Rose ha raggiunto Edna a Londra insieme con suo figlio Roman. Ci sono rimasti per un po'. »

In un primo momento non mi accorgo delle lacrime. Al fioco chiarore del cruscotto, scorgo appena il suo profilo, ma lo sento tirar su col naso in maniera discreta.

Quando finalmente mi rendo conto che sta piangendo, non ho nemmeno il tempo di dire una parola: accosta sul ciglio della strada e frana sul volante, scosso dagli spasmi. I suoi gemiti mi straziano il cuore.

Non ho mai vissuto un momento così tragico in vita mia.

Sono paralizzata. Dopo qualche minuto o qualche ora, non lo so nemmeno io, gli poso una mano tremante sulla spalla.

Il suo cappotto di lana a buon mercato mi pizzica le dita. Da quando io e Jules viviamo con loro, il nonno e la nonna non portano che abiti a buon mercato. Nelle foto di prima erano molto più eleganti, e non so se a impoverirli sia stata la morte dei loro figli o la vita dei loro nipoti. Solo in questo preciso istante mi rendo conto di quanto abbiano sofferto.

« Pépé, tutto bene? »

La mia voce sembra sortire l'effetto di un elettroshock. Si raddrizza all'istante e borbotta: « Non avresti un fazzoletto...? »

Do un'altra occhiata nella borsa, non si sa mai.

Ma non sono il genere di ragazza che usa fazzoletti. Pur con tutta la buona volontà, le uniche cose che trovo sono un pezzo di torta secca, briciole, un burro di cacao di cui non rimane praticamente che l'astuccio di plastica, il portamonete vuoto e un piccolo Pikachu che Jules mi ha regalato quand'era bambino. È una borsa inutile. Cerco nel vano portaoggetti e alla fine scovo un panno che gli tendo sconsolata. Si soffia il naso rumorosamente, si asciuga il viso.

Siamo sempre immersi nella penombra dell'abitacolo. Il motore fa le fusa, fregandosene dello stato d'animo del nonno. Comincia a piovere. Il nonno aziona i tergicristallo, mette la freccia e riparte.

Silenzio.

Percorriamo una ventina di chilometri, quando finalmente trovo il coraggio di fargli la domanda che mi brucia le labbra. Mi dico che è il momento giusto. E che non avrò un'altra occasione in tutta la vita. Io e lui in macchina, la vigilia di Natale, dopo la tempesta, il cataclisma che l'ha sconquassato nell'udire le parole di Rose. « Nonno, com'era Annette? »

S'irrigidisce: è quasi impercettibile, tranne che per me, sua nipote.

Inumidisce le labbra. Come se anche la risposta bruciasse.

« Era luminosa... avresti potuto utilizzarla per farci luce... Le piacevano le persone che usavano frasi brevi. »

« Allora doveva amarti alla follia. »

Silenzio.

« Lei mi amava. »

Lo ha detto come fossero le sue ultime parole.

Come se fosse venuto al mondo solo per pronunciarle in questa macchina, in questo momento, esaurendo così il suo scopo. Se mi morisse sotto gli occhi, non ne sarei sorpresa.

Sorpassa un camion e, per farlo, ci mette dieci minuti. È un vero pericolo pubblico. Per scacciare la paura, gli dico: « Annette amava lo zio Alain. Jules è figlio dell'amore. È così. Si sente. Si vede. Si respira ».

Mi lancia un'occhiata strana. Potrei persino giurare che stia sorridendo. Di colpo, ho l'impressione di sedere accanto a un uomo che non conosco. Come se un illusionista avesse appena scambiato mio nonno con un'altra persona. Lo guardo, e tutto in lui sembra trasfigurato. Dopo aver pronunciato quelle tre parole - Lei mi amava - è ringiovanito a vista d'occhio. Se continua così, il tempo di rientrare a casa e festeggerà i vent'anni.

« Jules non è figlio dell'amore. Lui è l'amore. Ci sono gioielli placcati in oro e gioielli d'oro. E Jules è oro puro. »

Adesso sono io a cedere e a rovistare nella borsa in cerca di fazzoletti. Non si sa mai. Ma m'imbatto nel mio Pikachu tutto sbiadito. E le lacrime raddoppiano.

Ho una visione. Il nonno all'obitorio dopo l'incidente. Il nonno da solo. Il nonno mentre riconosce i quattro corpi, l'uno dopo l'altro. Da chi avrà iniziato? Da uno dei figli?

Da una delle nuore?

Lo vedo uscire dalla camera mortuaria, montare in macchina e ripartire. Quanto doveva volerci bene, per avere la forza di tornare a casa, quella sera. Che cosa avrà detto alla nonna, appena rientrato? « Sì, sono loro. Sono morti tutti e quattro »? E perché la nonna non era andata con lui? Lo rivedo, il giorno dopo in giardino, a bruciare i due alberi da frutto. Rivedo i suoi occhi lucidi e me, bambina.

I tuoi genitori hanno avuto un incidente.

« Ti voglio bene, nonno. »

« Lo spero proprio. »

61

Hélène ha lanciato dei sassi contro il gabbiano per farlo volare via, perché raggiungesse Lucien, ma niente: il gabbiano non si è mosso, è di Hélène. Non se ne sarebbe più andato.

Poi lei ha finito di cucire gli abiti che avrebbero accompagnato Lucien nell'aldilà. Abiti estivi, di lino bianco. Pantaloni con le pinces e una camicia a maniche corte con un taschino in cui infilare un pacchetto di Gitanes e il suo libretto di battesimo. Ha scelto le sue scarpe preferite, i sandali di pelle marrone.

Hélène ha girato la chiave del bistrot nella serratura e l'ha data a Claude, dicendogli: « Ti cedo il nostro bistrot per la cifra simbolica di un franco. Fa' preparare tutti i documenti dal notaio, li firmerò al mio ritorno. In ogni caso, dal momento che non so leggere, dovrai occupartene tu ».

Per la prima volta in trent'anni, ha preso i soldi messi da parte in una scatola. Il denaro ricavato dall'attività sartoriale, circa ventimila franchi.

Poi si è preparata. Non voleva assolutamente indossare un abito funebre. Voleva festeggiare Lucien. Così ha messo il suo vestito migliore, un abito bianco in seta, foderato di organza e chiuso sulla schiena da bottoncini di madreperla. Prima, era sempre Lucien ad abbottonarlo. La domenica mattina, lei gli presentava la schiena nuda, sollevando i capelli e chinandosi leggermente in avanti. A ogni bottone – erano diciotto in tutto – le diceva: « Ti amo, ti amo, ti amo, ti amo », senza mai fermarsi. Una volta finito, le sfiorava la nuca con un bacio.

La domenica sera, quando la sbottonava, cominciava sempre dal bottone più alto, alla base del collo, per poi scendere lentamente, fino al fondo schiena, soffiandole aria calda sulla radice dei capelli. E sbottonandola bisbigliava: « Alla follia, alla follia, alla follia ».

Stamattina, però, Hélène ha preferito non chiedere l'aiuto di Rose. Ha trascinato lo specchio davanti all'armadio a specchi, così da potersi vedere la schiena. Ha allungato le braccia all'indietro, ha piegato i polsi, senza riuscire però a chiudere i bottoni centrali. Adesso sono sola, *ha pensato. Poi ha messo un po' di rossetto, ma giusto un po', per rimanere fedele alla sua tristezza.*

Infine è salita su uno sgabello, ha preso la valigia blu e ha raggiunto Rose, che l'aspettava in macchina.

Incredibile, una donna con la patente.

Lucien la patente non l'aveva mai presa. Però aveva comprato una Citroën Ami 6, con la quale facevano brevi viaggetti, la domenica, per far divertire Rose. Partivano al mattino presto e rientravano a notte fonda, per non farsi beccare dalla polizia. L'auto aveva tirato le cuoia all'inizio degli anni '70, e Lucien non ne aveva acquistata un'altra. « Prenderemo il treno », aveva detto a Hélène. Cosa che non avevano mai fatto.

Tuttavia avevano continuato a chiudere il bistrot ogni domenica.

Durante il tragitto fra il bistrot e il crematorio, Rose ha detto a Hélène che il suo disturbo si chiamava dislessia e che c'erano specialisti in grado di curarlo. Il problema non stava negli occhi, quanto in una parte del suo cervello che sarebbe stato possibile rieducare esattamente come si fa per rimettere in piedi chi si è rotto una gamba.

Hélène ha pensato che la sua malattia avesse un nome davvero complicato, e che forse era stato necessario attendere la morte di Lucien per guarire.

Lucien non sarebbe stato sepolto a Milly né altrove.

Qualche anno prima, davanti alle erbacce che proliferavano sulla tomba di Baudelaire, nel cimitero, aveva chiesto a Hélène di essere cremato, e di poter viaggiare per l'eternità. Hélène gli aveva dato la sua parola.

Al crematorio, c'erano solo dischi di musica classica. Hélène avrebbe voluto ascoltare Brassens, Brel, Ferré. Ha scelto dei preludi di Bach per il raccoglimento. Ha abbracciato la bara più volte. Non tanto per baciare Lucien attraverso il legno, ma per essere certa che non si muovesse più. Che non la chiamasse. Questa volta, né Edna né nessun altro lo avrebbe riportato indietro.

Due uomini in abito scuro hanno portato via il feretro. Al suo interno c'era Lucien nei suoi abiti estivi, oltre al cappello e al violino di Simon, che non aveva avuto diritto nemmeno al funerale. E, siccome Lucien era stato un po' Simon, nella vita di Edna, Hélène aveva pensato che fosse giusto così.

Quel giorno, Rose non l'ha chiamata Hélène, le ha solo mormorato un « mamma » passandole una mano tra i capelli.

Hélène è rimasta ad attendere nel giardino del crematorio. Un giardino triste, con esemplari di bosso potati male e ingialliti qua e là. Come se la terra si limitasse al minimo indispensabile per non offendere le vedove con fiori appariscenti. E poi c'era Rose. C'era parecchia differenza d'età, tra loro. A volte Hélène si chiedeva come fosse possibile, poi si ricordava che non era stata lei a metterla al mondo.

« Non mi sorprende di essere sterile », aveva detto Hélène a Lucien, di ritorno dal medico dopo l'ennesimo tentativo di avere un bambino. « Una donna i cui occhi non sanno leggere non può avere dei figli. Negli esseri umani, il ventre funziona come la testa. Se il mio ventre è come i miei occhi, non può che fare tutto al contrario. »

Lucien non aveva risposto niente, perché, quando Hélène era sicura di una cosa, allora era sicura. E lui non poteva insegnare il braille al ventre di Hélène per poter avere un figlio da lei.

Uno degli uomini vestiti di scuro le ha consegnato l'urna con dentro le ceneri di Lucien. Hélène lo ha ringraziato e poi ha riposto l'urna nella valigia blu. Rose non ha fatto commenti. Non ha fatto domande. Ha guardato Hélène riporre suo padre in valigia e si è accinta a riprendere la strada per riportarla a Milly. Ma Hélène si è rifiutata. Le ha detto che sarebbe partita in viaggio con Lucien. Che il bistrot di père Louis apparteneva ormai al piccolo Claude.

Mi sono addormentata sul quaderno azzurro. Stringo ancora la penna. Jules è appena tornato dal Paradis. Puzza di alcol e tabacco, mi si stravacca accanto. Per poco non mi butta giù dal letto.

«Cazzo, Jules, perché devi rompere sempre?»

Stavo sognando. Passeggiavo sulla spiaggia di Hélène.

Lei non c'era. A un certo punto incontravo Roman, in camice bianco, che mi diceva che Lucien era venuto a prenderla. Sopra di noi volteggiava un gabbiano, e poi Roman mi prendeva tra le braccia. Stava per baciarmi...

Jules mi posa un pacchetto sullo stomaco. «Me l'ha dato un tizio per te. Al Paradis.»

«Chi?»

«Il tuo ragazzo.»

«Io non ce l'ho il ragazzo.»

«Ma sì, dai... quello lì, il dottore.»

«Come fai a sapere che è un dottore?»

«Me l'ha detto lui.»

«Nel senso che stavi ballando e a un certo punto ti ha detto: 'Ciao, sono un dottore'?»

« No. Ti aspettava al parcheggio. »

« Mi aspettava? »

« Mi ha riaccompagnato lui, ero troppo sbronzo. Gli piaci, poco ma sicuro. »

Emettendo una sorta di rantolo, Jules si gira su un fianco e comincia immediatamente a russare. Cerco di svegliarlo scuotendolo, ma niente da fare.

Soppeso il pacchetto. Lo scarto facendo attenzione a non sciupare la carta regalo. È molto bella, sembra di velluto. Riveste una scatolina quadrata dalle dimensioni decisamente maggiori di quelle che si usano per custodire gli anelli, circa dieci centimetri per lato. Quando tolgo il coperchio, trovo un piccolo gabbiano in oro bianco appeso a una catenina.

Nessuno mi ha mai fatto un regalo così bello. A forza di farmi domande, Comesichiama ha imparato un sacco di cose sul mio conto. Scendo i gradini quattro per volta, a piedi nudi. Bisogna che recuperi il cellulare per chiamarlo, ringraziarlo, capire. Tocca a me fargli domande, adesso.

Nella sala da pranzo, l'orologio segna le sette. I nonni sono ancora a letto. È raro che dormano fino a quest'ora, ma ieri sera sono andati a letto a mezzanotte perché era la vigilia.

Il tavolo in sala da pranzo è vuoto. La cucina è uno specchio: la nonna non è mai andata a letto dicendo che avrebbe sparecchiato il giorno dopo. Ho scoperto che era possibile farlo solo quando ho cominciato a frequentare Jo. E avevo diciannove anni.

Abbiamo festeggiato la vigilia in quattro, come al solito. Non abbiamo mai avuto amici. Il nonno e la nonna, per via della loro tristezza, sicuramente; dell'odore di dramma che emanano. Io, perché nessuna ragazza perderebbe il suo tempo con una tipa antiquata che non riesce a staccarsi dal fratellino.

Jules e la nonna ci aspettavano davanti all'alberello di Natale finto che ogni anno viene riesumato dalla cantina. Ormai nessuno si prende più nemmeno la briga di togliere le decorazioni per rimetterle l'anno dopo. Prima di riportarlo in cantina, lo copriamo con una specie di rete da pesca che non ha mai visto il mare. Poi, la mattina del 22 dicembre, il nonno lo va a prendere e lo apriamo. Di tanto in tanto, sostituiamo una ghirlanda malandata. La nonna lava le palline con una spugna, spolvera i rami di plastica con uno scopino e conclude con una spruzzata di deodorante. La magia del Natale, quella che si respira nei film, a casa nostra è «non pervenuta».

Quando siamo tornati dall'ospedale, la nonna stava guardando un varietà in cui tutti i partecipanti erano vestiti da Babbo Natale e Jules faceva un solitario sul cellulare. La nonna si è accorta immediatamente che il nonno non era quello di sempre. Che era tutto scombussolato. Deve aver pensato che la causa fossimo io e Hélène, il pomeriggio trascorso in ospedale, i brutti ricordi.

Le fette di pane tostato che ci ha porto erano quasi fuse, tanto era il caldo che faceva in casa. Il termostato era messo al massimo. Come lo spumante che mi sono imposta di bere a grandi sorsate. Jules mi ha detto che ero strana. Io ho detto di no. Ma mi è venuto di pensare che sarei stata strana a vita, ormai, perché sapevo cose che nessun altro sapeva. Avevo come la sensazione di essere avanti di anni, in anticipo sui tempi. Jules somigliava ad Annette, che somigliava a Magnus. E questa somiglianza gli aveva probabilmente salvato la vita. Gli aveva impedito di porsi le domande sbagliate (o giuste, dipende dai punti di vista). Papà e lo zio Alain si erano tenuti la loro somiglianza tutta per sé, senza ridistribuirla. Per il disappunto della nonna, che l'aveva pregustata sui nostri volti. Soprattutto su quello di Jules. E adesso capivo perché.

La mamma era a parte di questo segreto? Annette gliel'aveva confidato? Cosa sarebbe successo se Annette non fosse morta? Le risposte delle ultime settimane hanno portato nuove domande. Non sarà mai possibile mettere un punto.

La nonna mi ha allungato il suo regalo: un buono acquisto della FNAC, quasi mi avesse letto nel pensiero. Stessa cosa per Jules, e un buono acquisto del Carrefour per il nonno. Da quando ha scoperto le gift card, la nonna è al settimo cielo. Quest'invenzione del XXI secolo deve aver in qualche modo accelerato il suo processo di guarigione.

Ho bevuto un altro bicchiere di spumante, che subito mi è andato alla testa. Mi ha fatto sentire bene. Ho addirittura iniziato a ridacchiare alle battutine fiacche di Jules. Poi abbiamo mangiato pietanze calde che si presumeva, invece, dovessero essere fredde...

Frugo in tutti i cassetti della credenza. Finalmente trovo il cellulare, che la nonna aveva posato sopra un foglietto illustrativo risalente al 1975 e redatto in cinese o in giapponese. Perché i miei nonni non buttano mai nulla?

Richiudo il cassetto, che è proprio sotto la foto di nozze dei fratelli Neige. Cosa prova il nonno quando ci passa davanti? O fa il giro dalla cucina per evitarlo?

Nell'attesa che il telefono si ricarichi, farò una doccia. A quest'ora, posso stare tranquilla.

Ci sono due stanze da bagno, a casa nostra. Oddio, « stanze » è una parola grossa. Una vecchia doccia al piano terra, in lavanderia, e un bagno al piano di sopra. Se disgraziatamente qualcuno di sotto apre il rubinetto dell'acqua calda mentre qualcun altro si sta lavando di sopra, il flusso si riduce a uno sputo.

Esco dalla doccia, mi vesto e ascolto i messaggi in segreteria. Comesichiama non mi ha mentito. Me ne ha lasciati quaranta. E senza mai usare il suo nome (ormai ne sono sicura: lo fa apposta).

Mi ha chiamato ogni giorno, più volte al giorno. I suoi messaggi sono buffi. A volte canta, a volte mi dice semplicemente che sta bevendo il caffè, che fuori piove e fa freddo, che indossa un maglione rosso che a me farebbe ribrezzo, che è passato davanti a un fioraio e mi ha pensato, che anche lui ha un fratello e che gli piacerebbe presentarmelo, che è di turno, che se mi becco un raffreddore si prenderà cura di me.

L'ultimo messaggio è di tre ore fa: «Justine, ero di guardia, stasera. Adesso filo dritto al Paradis. Cazzo... Spero di passare la notte tra le tue braccia... Altrimenti... Buon Natale».

62

Era la prima volta che Hélène andava a Parigi.

Davanti al crematorio del Père-Lachaise, prima di salire sul taxi, ha abbracciato sua figlia e le ha affidato una lettera per Edna, nel caso in cui fosse andata a trovarla a Londra. Nel porgerle la busta, le ha precisato di averla dettata a Claude quella mattina.

Dentro c'era un foglio bianco, immacolato, che Edna avrebbe trovato un paio di settimane più tardi. Rose ha preso la busta senza dire nulla.

Hélène pensava che, se Claude aveva rintracciato Edna a Londra proprio il giorno della morte di Lucien, non poteva trattarsi di un caso. Poteva significare solo e soltanto una cosa: che Rose doveva andarla a trovare. E quella lettera le avrebbe indicato la strada.

Poi, rivolgendosi al tassista, ha detto: « All'aeroporto, per favore, Monsieur ».

« Quale? » ha chiesto il tassista.

« Quello da cui partono gli aerei verso Paesi caldi lambiti dal mare. »

Lungo la strada, con la valigia blu e il salvadanaio sulle ginocchia, Hélène ha intonato la canzone preferita di Lucien:

Les sabots d'Hélène
Étaient tout crottés,
Les trois capitaines l'auraient appelée vilaine,
Et la pauvre Hélène

Était comme une âme en peine
Ne cherche plus longtemps de fontaine,
Toi qui as besoin d'eau,
Ne cherche plus: aux larmes d'Hélène
Va-t'en remplir ton seau.

« Lei canta divinamente. »

Il cielo era grigio e basso. Era autunno e Lucien era appena morto. Il sole avrebbe continuato a sorgere solo per gli altri, ha pensato Hélène.

Il tassista le ha chiesto di dove fosse.

« Di Milly », ha risposto lei.

« E dove sarebbe? »

« Nel centro della Francia. »

« Si mangia bene da quelle parti, dico bene? »

« Dipende da chi cucina. »

In prossimità dell'aeroporto, il tassista ha aumentato il volume dell'autoradio. « Per Dio! È morto Brel! »

Lucien adorava Brel. Hélène si è detta che erano morti praticamente insieme e che, proprio per questo, c'erano serie probabilità che s'incontrassero, lassù, mentre facevano la fila davanti alle porte del paradiso.

Negli ultimi anni, Lucien inebriava i pochi clienti rimasti più con la musica del suo jukebox che con l'alcol. Brel su tutti. Fernand, Mathilde, Frida, Madeleine, La Fanette. *Nell'ultimo modello di jukebox c'erano cento 45 giri, quindici dei quali erano di Brel.*

Lucien le diceva: « Tesoro, come farebbero tutti questi nomi, senza di lui? Non c'è nessuno capace come Brel di dire i nomi ».

Lui la chiamava Tesoro. Lei, Lulu.

Una mattina del 1954, mentre Hélène sedeva alla macchina per cucire, Lucien era entrato nella rimessa per guardarla. Solo ed esclusivamente per quello: per guardarla tra un'ordinazione e l'altra. Lei aveva levato lo sguardo e gli aveva detto: « Ti amo davvero ».

E lui aveva risposto: « Lo so. Ho perso la memoria, ma non il tuo amore ».

C'erano aerei che decollavano e altri che atterravano.

Hélène ha chiesto al tassista di attenderla, dicendo che non ci avrebbe messo molto.

« È venuta a prendere qualcuno? »

« No, accompagno mio marito. Mi può aspettare? »

Ha tirato fuori dalla scatola una banconota da cento franchi. Il tassista le ha risposto che per quel compenso l'avrebbe aspettata fino alle prossime elezioni.

« Oh, vede... Io non ci capisco niente di politica. Servo pastis e confeziono vestiti, io. »

« Be', devono essere davvero belli, i suoi vestiti », le ha risposto l'altro, guardando di sottecchi la banconota.

Hélène è scesa dal taxi, con la piccola valigia blu in mano e la scatola sotto il braccio. Poi è rimasta a fissare i grossi tabelloni con sopra le destinazioni, i nomi di capitali lontane in cui non sarebbe mai andata e il modo in cui tutte le lettere le si confondevano negli occhi, facendole leggere nomi di città mai esistite.

Lucien le aveva spiegato la faccenda dei fusi orari: nel momento in cui andavano a dormire, dall'altra parte del mondo la gente si alzava dal letto. Le aveva anche detto che ci sono più stelle in cielo che granelli di sabbia nel Sahara. E lei lo aveva amato per questo. Per tutte le cose che le aveva insegnato e che, se non lo avesse incontrato, lei, la figlia dei sarti, sarebbe stata destinata a non conoscere mai.

Hélène ha chiesto a un signore di dirle cortesemente a che ora sarebbe partito il prossimo aereo diretto verso un Paese caldo bagnato dal mare, giacché si era dimenticata gli occhiali.

Lucien non era mai riuscito a ottenere un passaporto. Per l'amministrazione francese, era un apolide. Per la burocrazia,

Lucien Perrin era stato deportato a Buchenwald e lì era morto. E lui aveva fatto ritorno a Milly troppo tardi perché all'anagrafe potessero annullare il certificato di morte. L'unica cosa che contava era che partisse con in tasca il suo libretto di battesimo. Agli occhi di Hélène, valeva più di tutti i passaporti del mondo.

Lucien era morto due volte. La seconda, aveva deciso di partire da solo. Mentre serviva un'acqua e menta a un ragazzetto poco più alto del bancone. Non aveva nemmeno avuto il tempo di mettere il ghiaccio nel bicchiere. Aveva appena versato lo sciroppo, e il suo cuore si era fermato.

Hélène ha comprato un biglietto aereo a caso. Ha tirato fuori il suo documento di riconoscimento. Hélène Hel. Prima di porgerlo all'hostess, ha gettato un'occhiata alla foto. Strano, come Rose le somigli. Lucien doveva amarla davvero, per concepire con un'altra una figlia che somigliasse a lei.

« Vuole anche un biglietto di ritorno? »

« No, grazie. »

Poco dopo, Hélène ha posato delicatamente la valigia blu su un nastro trasportatore.

« Non ha altri bagagli, Madame? »

« No. »

« Faccia buon volo. »

« Grazie. »

Hélène ha guardato la valigia blu scomparire nel buio di un cunicolo.

Quand'è risalita sul taxi, il tassista le ha chiesto dove fosse suo marito. Lei gli ha risposto che era partito per un Paese lontano.

« E lei rimane qui? »

« Lo raggiungerò più avanti. »

63

Rose ha telefonato alle Ortensie, ieri sera. La situazione di Hélène è stazionaria. Ha detto proprio così, « stazionaria ». E a me è parso di sentire « stazione balnearia ».

Quando ho rimesso piede a casa, la sigla del *Cinema di mezzanotte* strepitava in salotto. Mi sono precipitata a guardare. Non ho mai visto niente di più bello di quella sigla, con la sua carrellata di volti di attori in bianco e nero.

Sono sprofondata sul divano di fronte al nonno, che a stento ha notato il mio arrivo, e ho cominciato a piangere non appena ho capito dai titoli di testa che il film che stava iniziando era *La provinciale,* con Janet Gaynor. Il nonno mi ha guardato. « Che ti prende? »

« Non è niente. È solo che conosco bene Janet Gaynor. »

È rimasto a fissarmi per qualche secondo e poi è tornato al suo regno in bianco e nero. Tempo mezz'ora e si è addormentato. Mi è venuto da pensare che guardasse vecchi film per concedersi di sognare, per avere l'illusione di trovarsi là dove voleva essere.

Non sono più riuscita a staccare gli occhi dalla TV, mentre mi chiedevo se Hélène e Lucien avessero mai visto un film con Janet Gaynor al cinema.

Ho dormito male. So che il telefono non tarderà a squillare. So che presto mi annuncerà che Hélène è morta.

In Francia si fa fatica con questa parola: alle Ortensie,

per esempio, non ci è permesso di pronunciarla. I residenti evocano spesso la morte con cinismo: tirare le cuoia, schiattare, crepare, togliersi di culo, mettersi il cappotto di legno, mangiare l'erba dalla radice, stirare le zampe. Noi del personale dobbiamo utilizzare espressioni dignitose tipo: ci ha lasciati, se n'è andato/a, si è spento/a, è venuto/a a mancare, si è addormentato/a senza soffrire.

Com'è sua abitudine, Hélène fa le cose con delicatezza. Non le è mai piaciuto farsi notare. Non sarebbe potuta morire in maniera brutale. Se ne va senza fare rumore, in punta di piedi.

La nonna mi aspetta in cucina coi prodotti per la messa in piega. Il nonno è appena rientrato dal negozio di père Prost, dov'era andato a comprare dei filtri. La scatola dei filtri per il caffè era quasi vuota. A casa nostra ci sono sempre due confezioni di ogni cosa. Caffè, zucchero, olio, aceto, senape, sale, sapone, dentifricio, shampoo, fiammiferi, burro, farina. Sempre in coppia. Non deve mai mancare nulla. È un'ossessione.

Faccio la messa in piega alla nonna. Si accorge del mio ciondolo. Mi dice che è bello. Mi chiede chi me l'ha regalato.

« Comesichiama. »

« Potresti fare uno sforzo », risponde lei.

La sua osservazione mi fa sorridere. Col pettine, catturo le sue ciocche sottili fino alla radice e le avvolgo ai bigodini colorati. Ma faccio fatica a concentrarmi. Non ho più telefonato a Comesichiama per ringraziarlo. Dopo aver ascoltato tutti i suoi messaggi, ho pigiato il 2 sulla tastiera (RICHIAMARE) e al secondo squillo ho riattaccato. L'idea di piacere a qualcuno mi terrorizza. E poi, se lo chiamassi, sarebbe come rendere la cosa ufficiale, di qualsiasi cosa si tratti.

La nonna mi scuote brutalmente dai miei pensieri. « Brutalmente » non basta a rendere l'idea.

« Ieri, mentre riordinavo la tua camera, ho trovato il tuo biglietto aereo per Stoccolma. »

Arrossisco, ho le mani umidicce. Mi do un gran da fare ad avvolgere i capelli nei bigodini. Avrei dovuto bruciarlo non appena scesa dall'aereo, quel biglietto di merda. E dire che l'avevo nascosto così bene. Lei e le sue manie di pulizia non lasciano scampo a nessun tipo di nascondiglio, non concedono nemmeno un surrogato di privacy.

« L'ho buttato. Immagino che non t'interessasse conservarlo. »

« No. »

« Pensa se lo avesse trovato Jules... »

« Già. »

« Li hai visti? »

« Sì. »

« Tutti e due? »

« Sì. »

Silenzio.

« Mi stai tirando i capelli. »

« Scusa. »

Altro silenzio. Un silenzio molto lungo. Ho finito di mettere i bigodini. Le sistemo la reticella sulla testa. Un bigodino cade sul pavimento immacolato. Lo raccatto da terra e avvolgo un'ultima ciocca di capelli. Poi recupero il casco asciugacapelli sotto il quale di solito si addormenta. Ma sento che, stamattina, il calore del casco non sortirà l'effetto sperato. Sento che mi sta osservando. Vorrebbe sapere cosa mi hanno detto Magnus e Ada riguardo ad Annette, riguardo a Jules. Sento i suoi occhi addosso.

Non posso dire nulla. Perché non so se sa, né quello che sa.

Quanti, passando davanti alla nostra casetta, col suo orto, col suo capanno e con la recinzione in cemento, potrebbero immaginare i segreti che racchiude?

Regolo il termostato e il tempo di posa. Venticinque minuti sotto il casco. Che sollievo. Ho venticinque minuti per inventare una menzogna degna di questo nome.

Ma non me ne viene nessuna. Sono alla terza tazza di caffè quando il cicalino mi avverte che il tempo di posa è terminato.

Sussulto. Come previsto, la trovo sveglia. Di solito, quando rimuovo il casco, lei è lì che russa sommessamente, con la testa chinata in avanti e la bocca socchiusa. Stavolta, invece, m'interroga con lo sguardo. Tolgo la reticella e, uno per volta, i bigodini. Poi prendo la spazzola con le setole di cinghiale e faccio quello che posso, in silenzio. Ma lei insiste: «Jules somiglia a Magnus, vero?»

«Sì, sono come due gocce d'acqua... Sono andata a trovarli così, giusto per tranquillizzarli. Per far sapere loro che Jules è felice, con noi. Che sta per prendere il diploma e che l'anno prossimo si trasferirà a Parigi.»

So benissimo che ha capito che sto mentendo. Ma poi mi viene in mente un'altra cosa: «Jules mi ha detto che vorrebbe frequentare una scuola di architettura molto costosa. Perciò ho chiesto loro un po' di soldi».

La nonna cambia colore, diventa paonazza. «Sei andata a chiedere l'elemosina agli svedesi?!»

«Io non ho chiesto l'elemosina. Sto solo cercando di aiutare Jules, tutto qui.»

Arriva il nonno. Silenzio di tomba. Io imploro la nonna di chiudere il becco, e viceversa. Questa volta mi ha creduto. Glielo leggo in faccia, che mi ha creduto. Tutti i filtri per il caffè del mondo non basterebbero a celare i rimproveri che mi sta riversando addosso con gli occhi. Spero non le torni in mente di suicidarsi.

Il nonno ci osserva, tira su col naso, mette in ordine i filtri e si riempie un bicchiere dal rubinetto.

«Ti avrò detto cento volte di non bere l'acqua del rubinetto, è piena di porcherie», gli dice la nonna.

Il nonno la guarda e sta per risponderle qualcosa che subito reprime. Quante parole avrà ingoiato in vita sua? Poi ci rivolge la schiena ed esce.

Non lascio il tempo alla nonna di fiatare. Imitando suo marito, dico che rischio di far tardi al lavoro e taglio la corda.

Sono in anticipo quasi di un'ora. Vado al cimitero. Sono davanti alla tomba della mia infanzia. Credo che non ci tornerò più. Credo che Jules abbia ragione. Non ho più nulla da fare, qui.

Il cellulare mi vibra in tasca. Immagino sia Comesichiama. E io che non ho avuto nemmeno la delicatezza di ringraziarlo per il ciondolo. Quando si parla di storie possibili, sono un'inetta. M'interessano solo le cose senza futuro.

Poi mi decido a rispondergli perché, in questo momento, a ventun anni, davanti alla tomba dei miei genitori, mi concedo una buona volta il permesso di essere potenzialmente «felice» con una persona reale che di anni ne ha meno di trenta. Quello che vedo, però, non è il numero di Comesichiama. È il fisso di casa.

«Pronto?»

«Sono io.»

«Mémé?»

64

Notte tra il 5 e il 6 ottobre 1996

Eugénie si è svegliata, ha la bocca secca. La sera prima, ci era andata giù pesante, col sale. Nel cuscus l'aveva messo due volte. La lavatrice si era rotta, e questa cosa l'aveva un po' destabilizzata. Si era reso necessario forzare l'oblò - allagando il pavimento - e strizzare ogni singolo capo del bucato in una vaschetta. Il tecnico non aveva potuto fare niente. La lavatrice era andata. Con tutto quel trambusto, perciò, aveva finito per mettere troppo sale nel brodo del cuscus. In quindici anni, non le era mai successo.

Non si svegliava mai, la notte. Ma, da quando i gemelli erano arrivati coi nipotini per il fine settimana, aveva sentito piangere Jules un paio di volte: aveva perso il ciuccio. Non la entusiasmava l'idea di dare il ciuccio ai bambini. Lei, ai suoi figli, non lo aveva mai dato. Christian aveva risolto succhiandosi il pollice, e Alain la punta dell'orecchio di un coniglietto di peluche. Il giorno in cui aveva compiuto tre anni, lei gliel'aveva fatto sparire e lui l'aveva cercato ovunque. Lei gli aveva detto che Doudou era dovuto tornare nel bosco, dalla sua mamma. Puzzava troppo, nonostante i frequenti lavaggi, ed era ora che imparasse a dormire senza. L'aveva chiuso in un sacchetto di plastica e poi, una sera, prima di andare a dormire, l'aveva gettato nel bidone della vicina. Era stata lì lì per andarlo a riprendere, la notte, ma Armand le aveva palpato la punta del seno sinistro, e questo significava che c'era un dovere coniugale da assolvere. Si era addormentata col fiato di Armand sulla nuca, per poi risvegliarsi al rumore del camion della spazzatura, alle cinque del mattino. Troppo tardi, Doudou era sparito.

Il tempo era passato in fretta. Abbrutita dalla stanchezza di quei primi anni - uno non faceva in tempo a addormentarsi che l'altro si svegliava per la poppata -, si era lasciata travolgere dalla spesa, dal bucato, dai fornelli e dalle pulizie. Le malattie infantili andavano sempre moltiplicate per due, con uno sfalsamento di qualche giorno. Se uno prendeva la varicella, tempo due settimane e se la beccava anche l'altro. Solo in certe domeniche d'estate aveva toccato con mano la felicità. E i ragazzi erano venuti su come i due alberi da frutto che Armand aveva piantato nell'orto alla loro nascita.

Eugénie aveva dato loro tutta l'attenzione e tutte le cure di cui avevano bisogno. Aveva dato loro ogni cosa, tranne la tenerezza. Quelle cose lì - i baci, le coccole, le paroline dolci - non le aveva mai imparate. Non era tagliata per le manifestazioni d'affetto. Non aveva mai saputo amare, infondere amore nei suoi gesti come aggiungeva il sale nei suoi piatti... a volte fin troppo.

Eppure, la sera, quando tornavano da scuola affamati, avrebbe voluto stringerli tra le braccia fino a soffocarli, se li sarebbe voluti mangiare in un boccone. Ma non lo aveva mai fatto. Era stata costretta a coprirli bene per compensare la propria freddezza di madre, lei, la ragazza di campagna, la maggiore di sette figli. « L'unico vero uomo di casa », le diceva suo padre. Una bestia da soma che sapeva fare tutto: cucinare, rassettare, badare ai fratellini e alle sorelline, come agli attrezzi e agli animali. Che sapeva fare tutto tranne che baciare.

Non era mai riuscita ad amare davvero i suoi figli. Il suo cuore era sempre rimasto freddo. Ma la nascita dei nipoti aveva fatto scattare qualcosa, aveva operato una specie di magia amorosa. Poco c'era mancato che li accarezzasse.

Non lo sentiva russare. Ha allungato la mano, il cuscino di Armand era freddo. Ha aperto gli occhi nell'oscurità. Ha acceso la lampada sul comodino. Ha strizzato le palpebre. La sveglia segnava l'una di notte.

Ha infilato le calze. Ha sempre odiato camminare a piedi nudi. È scesa in cucina per bere un bicchiere d'acqua. Non quella del rubinetto, non ha mai potuto reggere l'odore del cloro. Ha versato un po' d'acqua minerale in un bicchiere, perché un'altra cosa che non ha mai fatto è bere direttamente dalla bottiglia. Era una di quelle donne che si puliscono il bicchiere col dorso della mano, quando non mangiano a casa (cosa che le capitava una volta l'anno, alla cena di fine anno organizzata dalla fabbrica di Armand).

Prima di lasciare la cucina, ha lanciato uno sguardo di disapprovazione alla lavatrice.

Aveva conosciuto Armand al ballo. Lui l'aveva invitata a ballare. Vedendolo avvicinarsi, aveva pensato a un errore. Non poteva essere lei, la donna che quell'uomo intendeva stringere tra le braccia. Lei indossava un abito che il padre le aveva regalato per i suoi vent'anni. Il suo primo abito, rosso a pois bianchi. La femminilità era estranea alla sua vita. Era un concetto tagliato fuori dalle mura della sua esistenza. Aveva provato a truccarsi, qualche volta, ma la sua pelle aveva respinto i colori, trasformandoli in volgari rigagnoli. Aveva sempre saputo di essere inferiore ad Armand. Inferiore sotto ogni punto di vista: lui era un uomo bellissimo, lei era insulsa; lui era intelligente, lei non aveva istruzione; lui non faceva lavori manuali, lei riparava tutto; lui non era amabile, lei era alla buona. Ma alla fine aveva capito di essere stata scelta al ballo perché era una di quelle donne che non fanno domande. Che rigano dritto in silenzio. Una di quelle donne che non rompono le palle.

Il giorno del matrimonio, appesa al suo braccio, si era sentita riempire di orgoglio. Aveva quasi rimpianto di non avere amiche da rendere invidiose. Ma la prima notte di nozze si era rivelata brutale: lei non ne sapeva nulla, nessuno l'aveva preparata. Aveva visto gli animali accoppiarsi, ma non aveva visto il dolore. Né sua madre le aveva mai detto niente, se non che per essere una buona moglie avrebbe dovuto fare tutto ciò che il marito le avesse chiesto. Quella notte, Armand l'aveva sventrata. E così ogni sera, fino a che il sesso, i muscoli delle cosce e lo stomaco non si era abituati, smettendo di dolerle.

E aveva ripensato a questa frase: *La bellezza non si mangia in insalata.*

Partorire i gemelli era stata un'esperienza così dolorosa da indurla a ripromettersi che non l'avrebbe ripetuta. Mai più altri figli. La verità è che non le era piaciuto diventare madre.

Poi, con la televisione e le riviste femminili, aveva imparato che si poteva provare piacere facendo l'amore. Ma si era detta che cose del genere erano appannaggio esclusivo delle donne di bell'aspetto. Fino a quando non aveva scoperto la masturbazione sfogliando *Histoire d'O,* prestatole insieme con altri romanzi dalla vicina. Fino a quando non aveva cominciato ad apprezzare le notti con quell'omaccione di suo marito.

Aveva soltanto un'amica, Fatiha Hasbellaoui. L'aveva conosciuta ai tempi in cui lavorava dal medico del paese, quando i gemelli erano adolescenti. Fatiha svolgeva le mansioni di cuoca e lingerista. Viveva in casa del medico, la sua stanza era proprio sopra l'ambulatorio. Era stata lei a insegnarle a preparare il cuscus di pesce. Ed era stata sempre lei a insegnarle a ridere di cuore mentre si gustava le corna di gazzella e le storie algerine. Per quanto indietro riuscisse a risalire coi ricordi, i tre anni più belli della sua vita erano stati quelli in cui aveva fatto le pulizie da quel medico, soprattutto al mattino, quando si sedeva al tavolo della cucina per bere il tè e Fatiha le parlava degli uomini, delle donne e della vita « laggiù », mimando la danza del ventre. Con Fatiha, aveva intrattenuto conversazioni da donne, conversazioni che non aveva mai fatto a scuola con le altre ragazze, perché lì si comportava come un maschiaccio. Fatiha le aveva parlato dell'amore, del sesso, della paura, di contraccezione, di sentimenti e di libertà senza tabù.

Ma poi il medico, che amava il sole sopra ogni cosa, aveva deciso di trasferirsi nel Sud della Francia, portandosi dietro Fatiha. Eugénie li avrebbe seguiti molto volentieri. Il medico glielo aveva persino proposto, e lei ne aveva parlato con Armand, col risultato di farsi ridere in faccia. « E lì camperemo col tuo stipendio da sguattera? »

La partenza della sua fonte di reddito e della sua amica l'aveva fatta sprofondare a lungo in una solitudine disperata. Da allora, non era più riuscita a trovare un altro impiego. La fabbrica tessile non assumeva più ormai da tanto. Bastava contare le etichette sul retro dei vestiti con su scritto MADE IN TAIWAN per indovinarne il motivo.

A capodanno, Fatiha la chiamava puntualmente per farle gli auguri. E lei rispondeva tutta contenta a quel suo: « Felice anno nuovo, Nini! » Ma, fino alla nascita dei suoi nipoti, tutte le mattine, tutti i giorni, tutte le settimane, i mesi, gli anni si erano succeduti sempre uguali, sempre identici come gocce d'acqua. A differenziare un giorno dal successivo erano solo gli abiti che indossava.

Mentre sale i gradini, per poco non scivola dalle scale. Mette troppa cera sulle boiserie. Armand dice che la loro casa è una pista di pattinaggio.

Sente un rumore nella stanza e Alain e Annette. Forse Annette si è alzata per accudire Jules. Quel maledetto ciuccio.

Quando torna in camera sua, sussulta: Alain è seduto sul letto. Immobile. L'ultima volta che l'aveva trovato nel lettone avrà avuto dodici o tredici anni. Aveva gli orecchioni e stava soffrendo le pene dell'inferno. Piangeva, e la fronte gli scottava per la febbre. E lei non era stata in grado di trovare un gesto di tenerezza, di dargli il conforto di cui aveva bisogno.

« Che stai facendo? Che succede? »

Alain non risponde. Ha lo sguardo vuoto. Fissa la parete di fronte a sé, dove campeggiano diverse foto di famiglia.

Eugénie accende la luce. Gli domanda se vuole qualcosa da bere. È bianco come un cadavere. Siede sul bordo del letto come sull'orlo di un precipizio. Eugénie non ha mai visto suo figlio ridotto così. Dei due, Alain è sempre stato il più allegro, il più entusiasta, il più loquace. Alain è il suo cocco, il suo sole, quello che appena varcata la porta la prende tra le braccia e le fa fare un giro di valzer. Armand, invece, ha sempre avuto un debole per Christian, più chiuso, più calmo, meno espansivo. Alain è il maggiore dei due. Armand dice che ha saputo negoziare il traguardo col fratello.

Eugénie si avvicina, gli tocca la fronte, le mani. Sono ghiacciate. Gli copre le spalle con uno scialle. Strana visione. Alain, il suo primogenito, con addosso una maglietta con su scritto NIRVANA sotto l'immagine di un giovane biondo, un paio di boxer a righe e uno scialle rosso a fiori sulle spalle. È stravolto. Come se avesse appena visto un fantasma. Poi si alza come un automa.

Prima di chiudersi la porta dietro le spalle, si gira verso di lei e sussurra: « Tu non ti eri accorta di niente, mamma? »

Eugénie non capisce. Accorgersi di cosa?

Lo segue in corridoio. Lo vede entrare nella sua stanza e richiudere la porta. Lei rimane ferma lì, davanti alla porta chiusa. Non osa bussare. Non osa entrare. Dentro ci dormono Jules e Annette, non vuole svegliarli.

Dov'è Armand? In preda all'insonnia, sarà andato a fare un giro a piedi. Gli capita sempre più spesso. È cambiato. Non riesce più a prendere sonno, è depresso.

Eugénie torna a letto, ma non si riaddormenta. Rivede il figlio seduto sul materasso, gli occhi spiritati. Eppure ieri sera sembrava tranquillo. Li ha fatti ridere. Faceva saltare Jules sulle ginocchia. Ci sono problemi col lavoro? È pentito di aver ceduto la sua quota dell'attività a Christian per andare a vivere in Svezia? È agitato al pensiero di doversi separare dal fratello per la prima volta?

Tu non ti eri accorta di niente, mamma?

No. Quelle domande la stanno portando fuori strada. Non sta riflettendo nella maniera giusta. Un problema di lavoro o un trasloco non giustificano una faccia del genere. Ha visto una cosa che non avrebbe dovuto vedere.

Tu non ti eri accorta di niente, mamma?

Armand rientra nella stanza alle quattro del mattino. Che cosa ha fatto dall'una alle quattro del mattino? Eugénie chiude gli occhi, rimane immobile, trattiene il respiro. Lui si sdraia. È caldo, bollente. Non viene da fuori.

« Dove sei stato? »

Senza rispondere, Armand si gira dall'altra parte. Eugénie accende la lampada del comodino e lo guarda. Indossa una camicia e non il pigiama. Una delle camicie buone che mette la domenica. Ma che ci fa vestito di tutto punto in piena notte?

Armand non si muove. Non dice una parola. Lei è abituata a quei silenzi che da sempre significano: *sono superiore*.

In fondo, l'unica volta in cui l'ha veramente guardata è stata il giorno del ballo. Il giorno in cui l'ha scelta. Lei è sempre stata una donna di casa, non una donna da guardare. Armand non si è mai dovuto lamentare di un calzino bucato. Ha sempre trovato la biancheria perfettamente stirata e piegata negli armadi. Uscito di fabbrica, ad attenderlo c'era sempre un piatto pieno in una casa dalla pulizia impeccabile. E, per tutto questo, mai un « grazie ». A dirla tutta, non le ha mai veramente parlato, se non per rivolgerle qualche commento su questo o quel politico, giornalista sportivo, cantante, presentatore televisivo. Ha sempre fatto come se non fossero nemmeno una coppia. Ha sempre vissuto per conto suo. Mentre lei ha sempre avuto voglia di varcare il confine e raggiungerlo.

Osserva quelle spalle così forti. Poi fa una cosa che non ha mai fatto: tira giù il lenzuolo con uno strattone. Armand è in mutande. Non porta i pantaloni del pigiama. Si gira verso di lei, gli occhi gonfi di collera e di vergogna. Non l'ha mai picchiata. Eppure lei ha sempre avuto una paura strisciante di lui.

La camicia è aperta a metà. Si vedono i muscoli ben torniti del petto. Hanno sempre fatto l'amore al buio. Quel corpo, lei lo riconosce al tatto, dall'odore. L'amore. Lui ha appena fatto l'amore, puzza di amore. Il viso, i capelli, le mani, persino i suoi occhi puzzano del sesso di un'altra donna. Eppure non è uscito da casa. Lo guarda inorridita.

Tu non ti eri accorta di niente, mamma?

65

Quando arrivo alle Ortensie, ci trovo Jo. Sta per andarsene, ha fatto il turno di notte. Ha i tratti tirati. Mi dice subito di Hélène. Mi spiega che le sue cose sono già state messe in ordine, e che alle due è previsto l'arrivo di un nuovo residente che andrà a occupare la stanza 19. Chiedo di poter vedere i suoi effetti personali. Sono stati sistemati in scatoloni e portati nell'ufficio di Madame Le Camus. La figlia passerà a prenderli nel pomeriggio.

«E tu? Hai novità?» mi chiede Jo.

«Sono andata all'ospedale, ieri. È ancora in coma, credo che il suo corpo abbia mollato.»

«Justine, ha novantasei anni, non possiamo aspettarci miracoli.»

«Avete proprio rotto, con questa storia dell'età! Hélène avrà sempre l'età del giorno in cui ha incontrato Lucien in chiesa!»

Jo mi domanda se va tutto bene. Dice che ho una brutta cera. Le rispondo che non è niente, è solo che ho trascorso l'ultima ora al telefono con mia nonna, e che lei mi ha confidato delle cose, e che siccome non mi ha mai raccontato nulla della sua vita - anzi, a dire il vero, non mi ha mai raccontato nemmeno una fiaba prima di dormire - mi sento scossa.

Jo mi propone di vuotare il sacco davanti a un caffè. Avrei voglia di risponderle che, per una volta, nella mia borsa non ci saranno forse i fazzoletti, ma storie molto più assurde di quelle delle telenovele che guardano i residenti. Invece l'abbraccio e le chiedo come ha fatto ad amare Patrick tutta la vita. Lei mi risponde che non ha dovuto far nulla, che è fortunata.

Prima di raggiungere gli spogliatoi, salgo all'ultimo piano. Il gabbiano se n'è andato davvero. Per la prima volta, vorrei andarmene anch'io. Mollare il mio lavoro, la mia casa, uscire da questa vita e scivolare in un'altra.

Tornando di sotto, passo davanti alla stanza di Monsieur Paul e vedo la porta socchiusa. Sono mesi, ormai, che le famiglie dei dimenticati non ricevono più chiamate da parte del Corvo.

Vedo qualcuno di spalle, chino su Monsieur Paul; gli sta dicendo qualcosa all'orecchio. Colgo una certa tenerezza nel modo in cui gli tiene la mano. Richiudo la porta senza fare rumore.

Vado a recuperare il camice negli spogliatoi e mi disinfetto le mani. Incrocio Maria.

« Cosa fai per il cenone? » mi chiede.

« Che cenone? »

« Ehi, Justine, svegliati. Domani è capodanno. »

Me ne sbatto dell'anno nuovo. « Maria, sai chi è quel tizio nella stanza di Monsieur Paul? »

« È suo nipote. Viene spesso. »

« Davvero? Non l'avevo mai visto prima. Pensavo che Monsieur Paul non ricevesse visite. »

« Io invece lo incrocio sempre, di solito passa al mattino presto. »

« Oh, be'. Mi giunge nuova. »

Entro in ambulatorio. Mentre allestisco il carrello, penso a Roman, all'amore triste, all'amore perduto, all'amore che non esiste. Mentre affronto il primo corridoio, la prima porta, la prima stanza, il primo buongiorno, i primi dolori, le prime dimenticanze, i primi insulti, le prime storie, le prime traverse, vorrei morire al posto di Hélène. Ma so che sarà lei a spuntarla. Ha troppo vantaggio su di me.

66

Lucien e Hélène hanno inventato il loro anniversario di matrimonio. È il primo dell'anno. Il giorno delle promesse.

Il 31 dicembre chiudevano il bistrot a mezzogiorno e partivano per la luna di miele.

Era l'unico giorno dell'anno in cui Lucien divideva la stanza con Hélène. Anche dopo il jukebox e la partenza di Rose, hanno sempre dormito in camere separate.

La stanza di Hélène non è cambiata in quarant'anni. Un letto con le sbarre in ferro battuto bianco. Una toeletta, un armadio, uno specchio a figura intera, pareti celesti, tendine di velo e pizzo alle due finestre, una affacciata sul retro del bistrot, l'altra sulla piazza della chiesa.

Nuove foto in nuove cornici, a mano a mano che Rose cresceva. Ogni dieci anni, Lucien ridipingeva le pareti con lo stesso colore.

Il 31 dicembre, all'una, Lucien posava la valigia blu sul parquet della stanza di Hélène e insieme rifacevano la stessa crociera dell'estate del '36. Cambiavano destinazione ogni anno: l'importante, per Lucien, era che si trattasse di un posto al caldo. Per il sole. E di un posto in cui ci fosse il mare. Per il mare.

Ogni anno, il capitano del viaggio era Lucien. La sua meta preferita era l'Egitto. Il mar Rosso. Sprofondava tra le lenzuola chiudendo gli occhi e raccontava a Hélène di vedere le sirene: una di loro aveva gli occhi celesti come le pareti della sua stanza.

A mezzanotte, si auguravano reciprocamente un buon anniversario di non matrimonio.

Alle sei e mezzo del mattino del 2 gennaio, riaprivano il bistrot, con la pelle impregnata dal sole che avevano sognato e dall'amore che avevano fatto. Bisogna sempre mettere un po' di verità nei propri sogni, oppure il contrario.

67

Domenica 6 ottobre 1996

Tu non ti eri accorta di niente, mamma?

Sì. Di qualcosa si era accorta. Del modo in cui si evitavano. Eugénie credeva semplicemente che Armand non nutrisse particolari simpatie per Annette o, comunque, che non la considerasse più di tanto. Con Sandrine era più affabile. E poi, due anni addietro, poco prima della nascita di Jules, li aveva sorpresi a conversare con un certo trasporto. Eugénie era rimasta stupita da quell'improvvisa intimità. Dalla loro complicità. Era la complicità di due persone che non hanno nemmeno bisogno di guardarsi da tanto si conoscono.

Un po' come lei e Fatiha quando bevevano il tè a casa del medico. Solo che Armand sembrava bevesse brodo di giuggiole, divorava l'istante. Eugénie non aveva mai visto quell'espressione sul viso del marito. Sembrava che avesse i riflettori puntati addosso. Come sul palcoscenico in cui aveva visto Salvatore Adamo cantare *Laisse tes mains sur mes hanches* sotto un tendone a Mâcon. I suoi lineamenti di solito così duri, così chiusi, erano come fagocitati dalla vicinanza di Annette. Eugénie aveva scoperto che sotto il suo tetto c'era il bel volto sorridente di uno sconosciuto. E che quello sconosciuto era suo marito.

Non aveva osato disturbarli. Era tornata indietro a

controllare se il forno avesse raggiunto la giusta temperatura per la torta di mele.

Eugénie, Alain e Annette sono seduti al tavolo della cucina. Sandrine e Christian non sono ancora scesi a fare colazione.

Eugénie non guarda Annette. Alain non guarda Annette. Eugénie e suo figlio non smettono di guardarsi.

Alain insiste per portare Jules al battesimo. Ma Eugénie non demorde, Jules resterà a casa con lei. Il bambino è febbricitante, va tenuto al calduccio. A ogni modo, prima di sera sarebbero rientrati, giusto?

Alain è ancora in pigiama. Annette indossa una vestaglia di seta nera. Le sue dita nervose accarezzano la tovaglia. Eugénie è già vestita. Non si è mai spogliata davanti ai figli, né si è mai presentata a fare colazione in pigiama.

Poi arriva Christian. Alain si sposta per fare spazio al fratello. Quindi osserva la tazza di latte di Annette, il suo cucchiaio che rimuove la pellicola e la deposita sulla tovaglia di tela cerata. *Stamattina*, pensa Eugénie, *i miei figli non si somigliano più*. Alain è pallido da far paura. Continua a ripetere che porteranno Jules insieme con loro. Annette è taciturna, cerea quasi quanto lui.

«Non se ne parla, Jules rimane qui.»

È senza appello. Eugénie, che non è mai stata autoritaria, che non ha mai imposto nulla ai suoi uomini, stavolta si mostra inamovibile. Christian la guarda, sorpreso. Non ha mai sentito sua madre dire mezza parola di troppo, eppure, adesso, la sua frase ha il peso di una sentenza. Alain si alza e torna di sopra, nella sua stanza. Annette lo segue.

Christian inzuppa una fetta di pane imburrato nel caffellatte e chiede a sua madre se va tutto bene.

«Fa' attenzione che Alain non metta Jules in macchina.»

Christian sente che qualcosa non va. La tensione è palpabile. Suo padre a volte mette su il broncio, quand'è contrariato, ma sua madre non ha mai mostrato sbalzi di umore.

Armand è andato a nascondersi nel capanno del giardino. Voleva andarsene, fuggire di casa, ma ha una gomma a terra. Un taglio di almeno due centimetri. Forse Alain si è vendicato facendo fuori lo pneumatico, invece di far fuori lui? Perché è questa, l'unica cosa che meriterebbe: che suo figlio gli facesse la pelle.

Ha deciso che nel pomeriggio s'impiccherà. Toglierà il disturbo. Eugénie riceverà una pensione di vedova, lui ha una buona assicurazione sulla vita, e Alain se ne andrà a vivere in Svezia insieme con Annette e Jules. Non rimarrà nient'altro. Non sente più nulla da quando Eugénie l'ha insultato, stamattina. Lo ha fatto in un bisbiglio. Non sapeva fosse possibile bisbigliare «brutto porco». Credeva lo si dovesse urlare per forza di cose. Gli ha detto che non l'avrebbe mai perdonato ma che non lo avrebbe nemmeno lasciato andare. Che era suo marito e lo sarebbe rimasto. Per il modo in cui lo ha detto, così sfigurata dall'odio, gli è sembrato quasi uno sputo d'amore. Proprio così. Era come se gli avesse sputato in faccia dicendogli: «Ti amo».

Incrociando Alain sulle scale, poco fa, ha ricevuto un pugno immaginario in bocca. Alain si è limitato a guardargli le scarpe di sfuggita. Ma Armand ha visto il suo sguardo.

Da piccolo, Alain aveva la mania di rubargli le scarpe. Rincasava da scuola e ne infilava un paio. E di paia non ce n'erano tante: c'erano le scarpe estive e quelle invernali. E spesso duravano diversi anni. Alain si pavoneggiava per ore, imitando suo padre. Ci faceva persino i compiti, con addosso le sue scarpe. Quante volte Armand le aveva cercate, prima di andare in fabbrica alle quattro del mattino, per trovarle infine accanto al letto in cui dormiva suo figlio?

Per tutta l'infanzia, Alain ci aveva sguazzato, dentro quelle scarpe. Ma intorno ai quattordici anni avevano iniziato a stargli strette. A quindici anni, stop: fine dei giochi. Le scarpe di suo padre erano diventate troppo piccole. Aveva preso due numeri in un anno, ma ormai era più interessato agli amici e alle ragazze. Quanto ad Armand, per lui era stata una mazzata. Non faceva che pensare: *Mio figlio non entra più nelle mie scarpe.* Era la fine di qualcosa. Una fine triste.

Armand sente qualcuno aprire il cancello, entrare nell'orto e suonare al campanello.

È Marcel, il suo collega, appena arrivato col furgoncino. Armand lascia la sua tana a malincuore.

« Ciao, Marcel. »

Marcel è il tizio che chiama ogni volta che c'è qualcosa da riparare in casa. Ieri sera è passato per cercare di aggiustare la lavatrice, e stamattina la porterà in discarica. Ma prima vuole controllare un pezzo del motore che s'incrosta sempre e al quale non ha pensato ieri sera... « Se sapeste quante lavatrici finiscono in discarica per colpa di quel pezzo di merda. »

Eugénie mette su il caffè mentre Marcel rovista nelle viscere della lavatrice. Armand gira in tondo e risponde per onomatopee al collega che gli parla di pompa di scarico, di elettrovalvola, di sensore di livello e di resistenza... Bisogna pure che controlli la « trappola d'aria ». Armand ignorava che ci fossero trappole persino nelle lavatrici.

Christian è tornato nella sua stanza per prepararsi. Annette è di nuovo in cucina, tiene in braccio Jules. Marcel alza la testa, e il suo sguardo cambia non appena si posa su Annette. Cazzo se è bella.

« È proprio andata, non c'è più niente da fare », dichiara Marcel.

Lui e Armand vogliono staccare il tubo di scarico e chiudere l'acqua, ma qualcuno lo ha già fatto. Armand rivolge un'occhiata istintiva a Eugénie senza sospettare un solo istante che sia stata lei. Poi, insieme con Marcel, solleva la lavatrice. « Dio santo, pesa una tonnellata. »

Nello stesso istante, Annette affida Jules a Eugénie, che prende il bambino tra le braccia, lo stringe al petto ma non lo bacia. Le due donne non si guardano.

Mentre porta via la lavatrice insieme con Marcel, Armand sente un vocio proveniente dalle stanze e uno dei gemelli venire giù per le scale. Chi sarà dei due? Armand non ha il coraggio di alzare lo sguardo. Stanno per uscire, stanno per andare al battesimo. E stasera, al loro ritorno, lui si sarà già impiccato. Annette non lo perdonerà, ma, in fondo, non sarà poi così grave. E la vita continuerà, perché è quello che fa sempre. Non ha certo bisogno di lui, la vita. Che cosa potrebbe mai farsene di uno così?

Armand e Marcel escono di casa sbuffando come tori, perché quell'affare è maledettamente pesante, altro che. Fuori fa freddo. Armand aiuta Marcel a caricare la lavatrice sul furgoncino, assicurandola con un tirante. Sente un motore avviarsi, si gira e intravede la Clio che schizza via a gran velocità. I gemelli sono seduti davanti. Sandrine ha appoggiato la testa contro il vetro posteriore. Per una frazione di secondo, Armand intravede i capelli biondi di Annette: è il suo ultimo tramonto.

Veniva tre volte all'anno. Tre giorni a Natale, tre giorni a Pasqua, il fine settimana a ridosso del Ferragosto. Era bastato un giorno di ottobre, perché tutto avesse fine. Per quanto poco la vedesse, lei si era presa tutto lo spazio. Non gli era rimasto più niente, di suo: nemmeno una briciola, nemmeno un momento. Non faceva più un solo pensiero che non fosse per lei. Notte e giorno.

Le poche volte in cui si erano ritrovati lassù, nel ripostiglio, in quel cimitero di giocattoli, in un angolo in cui la luce non li illuminava, aveva sentito la propria vita fluire nella sua.

La notte prima, né lui né Annette hanno sentito Alain salire le scale. Hanno visto la porta che si apriva. Poi Alain ha chiamato Annette. Diverse volte. Annette si è aggrappata ad Armand. Lui ha sentito le unghie conficcate nella pelle. Si sono rintanati, terrorizzati e in preda alla vergogna.

Come attratto dal loro respiro, Alain si è avvicinato. La luce del corridoio li illuminava abbastanza da farli apparire come due bestie prese in trappola, due misere figure incollate l'una all'altra sul pavimento, tra due scatole di stoviglie.

Pietrificato, Alain ha provato a dire qualcosa, ma la sua bocca non ha emesso nessun suono. Poi, dopo un'eternità, è indietreggiato e si è richiuso la porta alle spalle senza fare rumore, come a cancellare quello che aveva appena visto.

Armand ha le vertigini. Marcel gli chiede se va tutto bene, gli dice che ha un'aria strana.

« Non è niente, starò covando un raffreddore. » Armand gli infila in tasca qualche moneta da dieci franchi per il disturbo. « Per i bambini. »

L'altro scoppia a ridere. « Quali bambini? Non ne ho! »

Sei un uomo fortunato, pensa Armand.

Stringendo Jules in braccio, Eugénie osserva la scena, nascosta dietro la finestra della cucina.

Armand si dice una volta di più che deve farla finita subito. Non potrà reggere oltre quello sguardo accusatorio. « Arrivederci, Marcel. Alla prossima. »

La mattinata si trascina lentamente, e Armand si comporta come se non dovesse uccidersi di lì a poco. Semina cavoli primaverili e insalate invernali nell'orto. Una vecchia abitudine di ottobre. Il terreno è ghiacciato. L'inverno è precoce. Per tutta la mattina, sente gli occhi di Eugénie puntati sulla schiena.

A mezzogiorno trova un piatto, il suo, sul tavolo della cucina. I resti del cuscus troppo salato della sera prima. All'inizio esita a sedersi, ma poi conclude che è meglio fare come al solito per non destare sospetti. Da quand'è sposato, è la prima volta che pranza da solo la domenica. Osserva lo spazio dove un tempo c'era la lavatrice e si dice che quando lui non ci sarà più non lascerà nessun vuoto.

In casa non si sente volare una mosca. Lei dev'essere al piano di sopra coi bambini. Mentre mangia il cuscus, Armand si chiede il motivo per il quale Eugénie ha insistito così tanto per tenersi Jules. Si chiede pure se lasciare una lettera di addio ad Annette. No. Per dirle cosa? Ti amo? Lo sa. Non pensa di lasciarne una nemmeno a sua moglie. Né ai suoi figli.

La scorsa notte, prima che Alain li scoprisse, ha sentito le lacrime di Annette colargli sul collo mentre lei gli parlava del volto di una Vergine Maria che aveva restaurato nei pressi di Reims. Aveva sentito il fremito delle sue labbra sull'orecchio, mentre gli descrivevano quel blu cobalto.

Piange sempre più spesso, Annette, e sempre più a lungo. È *davvero* arrivato il momento di farla finita.

Mentre mangia il cuscus, pensa alla pelle di Annette: così fragile, maltrattata com'è dal gelo di chiese e cattedrali. E a tutte le cicatrici che si procura alle mani e agli avambracci maneggiando il vetro. Pensa ai suoi polsi, delicati come gioielli. La visione delle sue mani da operaio su quella pelle candida gli è sempre sembrata un'immagine mentale, più che reale. Jules l'ha riportato sulla terra.

Il giorno della sua nascita è stato il più bello e il più brutto della sua vita. Il più brutto fino a ieri sera, almeno.

Quando si era chinato sulla sua culla al reparto maternità per prenderlo in braccio, Eugénie gli aveva indicato il cartello appeso lì sopra:

QUESTO BAMBINO È DELICATO,
SOLO LE CAREZZE DEL PAPÀ E DELLA MAMMA SONO AUTORIZZATE

Come la sera in cui aveva baciato Annette per la prima volta, Armand avrebbe voluto prendere il neonato e fuggire, sparire con lui. Ma, come la sera in cui aveva baciato Annette per la prima volta, non aveva fatto nulla ed era tornato a casa.

Lava il piatto, le posate e il bicchiere, posandoli poi sul bordo del lavello. Tanto Eugénie li laverà di nuovo: non si fida di quand'è lui a lavare le cose. Dice che sono pulite alla bell'e meglio.

Ha deciso d'impiccarsi nella stanza in cui Alain li ha sorpresi. Il soffitto è alto, e lì c'è l'unica porta in tutta la casa che si chiude a chiave dall'interno.

Questa volta non dimenticherà di farlo. Non come la notte scorsa. Inoltre, ci attaccherà sopra un biglietto, laconico, perché nessuno entri prima di aver chiamato la polizia.

Nel capanno in giardino c'è una corda, avvolta intorno alla grande scala verde. Va fuori a recuperarla. Prima, però, finge per qualche istante di osservare il risultato della semina. Si mette a gironzolare. È più che sicuro che Eugénie lo stia guardando da una delle stanze al piano di sopra. Nel capanno, non ha il coraggio di posare gli occhi sulla sua bici, come quando si passa accanto a qualcuno che un tempo si è amato troppo. Srotola la corda e la infila dentro un sacco della spazzatura che poi nasconde sotto il giubbotto invernale.

Apre la porta del ripostiglio. Accende la torcia e dirige il fascio di luce sull'orditura. Da sopra uno sgabello, lancia più volte la corda finché non riesce a farla passare intorno alla trave principale, cui l'assicura saldamente. Per realizzare il cappio, gli ci vogliono più tentativi. Mentre sta per uccidersi, gli viene in mente che da bambini i gemelli facevano giochi di prestigio e falsi nodi coi foulard. Non gli hanno mai rivelato il trucco. Lui sa fare solo nodi veri.

Ridiscende al piano terra, non ha più molto tempo, Eugénie e i bambini si sono addormentati sul divano davanti alla televisione. Armand sente passare l'Omino del sonno. I bambini vogliono guardare sempre la stessa cassetta. Solleva la bombola del gas sotto il lavello e cerca la ciocca di capelli di Annette che ha nascosto sul fondo, dentro una busta coi buoni del Tesoro. La apre, prende la ciocca e la mette in tasca.

Scrive l'avviso sul taccuino dove di solito annota la lista della spesa.

Non entrate. Chiamate la polizia.

Srotola un pezzo di scotch, lo rompe coi denti. Sta per tornare di sopra, quando vede un'auto della polizia parcheggiare davanti a casa. Armand non crede ai suoi occhi. Come hanno fatto a essere già lì? Sta sognando? Li vede spingere il cancello ed entrare in giardino.

Merda, che cazzo vogliono? Hanno anche le facce scure, per giunta. Uno dei due, Armand lo conosce di vista. È Bonneton, un compaesano poco più giovane di lui. Stanno per suonare alla porta. No. Deve impedire che sveglino Eugénie e i bambini.

Accartoccia il biglietto e lo infila in tasca, prima di andare ad aprire. Si ritrova faccia a faccia coi due agenti.

Bonneton gli rivolge un saluto militare. «Buongiorno. Monsieur Neige?»

Armand è sorpreso dalla domanda. Bonneton sa perfettamente chi è. «Sì.»

«I suoi figli Christian e Alain Neige sono i proprietari di un veicolo Renault targato 2408ZM69?»

68

Dopo la morte di Lucien, Hélène non ha più rimesso piede nel bistrot di père Louis. Non avrebbe potuto farlo. Trent'anni dopo, quand'è tornata a Milly con l'intenzione di passarci gli ultimi giorni della sua vita, ha espressamente chiesto a Rose di portarla alle Ortensie senza fare deviazioni: non aveva voglia di passarci davanti.

Quel bistrot, così antiquato alla fine degli anni '70, col suo vecchio jukebox, con l'arredamento del dopoguerra, col legno scuro del pavimento e coi vetri colorati, Lucien e Hélène lo avrebbero potuto vendere cento volte. Ma trovavano sempre un pretesto – uno su tutti, Claude – per non separarsene.

A partire dagli anni '70, avevano aperto luoghi di ritrovo più moderni. Birrerie dalle ampie vetrate, coi pavimenti bianchi, con le sedie di plastica e coi videogiochi che attiravano una clientela giovane. Brasserie fumose in cui si poteva ascoltare band anglosassoni suonare la chitarra elettrica e non i soliloqui di Brel e Brassens che Lucien, il revenant *che fumava una Gitanes dopo l'altra dietro il bancone, metteva tutto il giorno.*

Claude ha gestito il bistrot di père Louis fino al 1986. Alla fine ci andava solo qualche vecchietto per bersi un bicchiere di vino prima delle dieci del mattino.

Il bistrot era stato quindi convertito, per qualche anno, nell'ambulatorio di un medico generico, che riceveva i suoi pazienti al piano terra e aveva fatto ristrutturare gli appartamenti al pia-

no di sopra, uno per lui, che viveva da solo, e l'altro per la domestica.

A Hélène non dispiaceva affatto che il suo bistrot fosse stato rimpiazzato da uno studio medico: ai suoi occhi non c'era poi tanta differenza. « Chi varca la soglia di un bistrot è come chi si rivolge a un dottore: cerca soltanto una cura alla solitudine », diceva.

Una volta andato via il medico, nessun collega è venuto a prendere il suo posto. Claude, che si era innamorato della domestica, ha lasciato Milly per seguirla.

L'edificio è stato raso al suolo all'inizio degli anni '90 per far spazio ad alloggi popolari che non sono mai stati costruiti.

Nell'ottobre del 1986, dopo aver ceduto il locale al medico, Claude è andato a trovare Hélène per portarle uno scatolone di cartone con dentro i suoi oggetti personali. All'epoca lei viveva a Parigi e aveva sessantanove anni. Per dieci anni, aveva lavorato da Franck & Fils, in rue de Passy, come aiutante di sartoria.

Lei e altre dodici sarte lavoravano al settimo piano dei grandi magazzini, in un atelier luminoso con vista panoramica su rue de Passy e sul gabbiano. Il loro compito consisteva nell'apportare modifiche agli abiti prêt-à-porter e di alta moda che poi stiravano e avvolgevano nella carta velina. Erano tutte sedute intorno a un grande tavolo e cucivano ora a mano, ora a macchina, in base al ritocco.

Hélène era felice, lì, e se fosse stato per lei non avrebbe mai lasciato il lavoro. Alla fine il capo del personale le aveva concesso di rimanere fino all'età di sessantotto anni. Viveva nel XVI Arrondissement, a due passi dai grandi magazzini, dove passava ancora spesso a fare un salto per salutare le ex colleghe.

Il suo appartamento era di proprietà di una contessa che abitava in rue de la Pompe. Hélène le pagava l'affitto in abiti con-

fezionati a mano per lei e le tre figlie. Le donne sceglievano le stoffe e i modelli che ritagliavano dalle riviste, e Hélène li realizzava.

Viveva al terzo piano. Claude non ha preso l'ascensore.

Ha bussato alla porta, con lo scatolone sotto il braccio e il cuore che batteva forte per via dei tre piani a piedi ma soprattutto perché stava per rivedere Hélène.

Non appena lei ha aperto la porta, un buon odore di cera e carta lo ha avvolto. La fisionomia di Hélène non era cambiata in nulla, se non per il fatto che portava gli occhiali e un paio di pantaloni. Era la prima volta che non la vedeva con addosso un abito. I capelli erano ormai bianchi. Sono rimasti abbracciati a lungo, stretti l'uno all'altra.

Claude le ha raccontato di Fatiha, la domestica del medico che aveva rilevato il bistrot di père Louis: una bella algerina il cui pregio più grande stava nel fatto che amava ridere. Hélène ha osservato che quel nome, Fatiha, suonava come il titolo di una bella canzone.

Il resto del pomeriggio, davanti a una tazza di tè che riempiva ogni dieci minuti, Hélène ha letto a Claude diversi passaggi tratti da libri. Libri che non erano in braille. Ne sceglieva uno a caso dalla sua modesta libreria, lo apriva su una pagina qualsiasi e gli diceva: « Questa volta tocca a te ascoltare ».

Grazie a numerose sedute con un logopedista, aveva corretto la sua dislessia.

Leggeva con un tono di voce esageratamente forte, scandendo tutte le parole. Vedendola tanto orgogliosa quanto la studentessa che non aveva potuto essere, a Claude sono venute le lacrime agli occhi.

Hélène gli ha detto che non vedeva l'ora di ritrovare i genitori e Lucien nell'aldilà, per far loro quella grossa sorpresa.

69

Ogni 6 ottobre, la nonna depone una corona di fiori ai piedi dell'albero che ha ucciso i suoi figli. La sera del 5 si fa recapitare i gigli bianchi e le rose rosse. Il fioraio più vicino dista venti chilometri. Un tempo faceva l'ordinazione per telefono, adesso chiede a Jules di farla su Internet. Basta cliccare su *Consegna fiori per lutto* e scegliere tra *Bouquet di fiori per sepoltura, Cuscino di fiori per funerale* o *Composizione tristezza*.

Ogni 6 ottobre, esce alle otto del mattino, coi fiori sotto il braccio e il bastone in mano. Cammina zoppicando per tre quarti d'ora fino all'albero, depone la corona, la circonda con un nastro che ha fatto ricamare e torna a casa.

Il nonno non ha mai voluto accompagnarla, nemmeno in macchina, perché detesta questo rituale.

Dal canto suo, la nonna ha sempre rifiutato che fossimo io o Jules ad accompagnarla. Da bambini non abbiamo avuto scelta per il cimitero, ma quantomeno ci ha risparmiato la corona di fiori nel fosso. E, se qualcuno, per strada, si ferma con l'auto e si offre a darle un passaggio, declina ugualmente.

Ogni sabato del mese, quando non sono in servizio, per andare al Paradis io e Jules passiamo davanti alla corona di fiori. Le prime due settimane, i fiori fanno il possibile per conservare l'aspetto di fiori, ma a fine mese hanno già perso i colori. A novembre la corona è ormai ridotta a un ammasso marrone; procedendo a una certa velocità, si potrebbe facilmente scambiare per un animale o un indumento gettato nel fosso.

Alla prima neve, qualcuno la porta via.

Per lungo tempo abbiamo ipotizzato che a toglierla fosse il cantoniere, ma poi Jules - aveva circa quindici anni, all'epoca - ha scoperto per caso che invece era il nonno.

Lo scorso inverno, il nonno l'aveva lasciata marcire. A primavera, non era rimasto che il nastro bianco con su scritto, appena leggibile, PERDONATEMI.

70

Hélène è morta nel tardo pomeriggio.

Se n'è andata lasciando la sua leggenda: sulla terra ci sono tanti uccelli quanti sono gli esseri umani. E l'amore è quando più persone ne hanno uno in comune.

Rose ha chiesto a Claude se desiderasse un ricordo di Hélène. Un abito, un foulard o qualsiasi altra cosa. Lui ha risposto: « La foto di Janet Gaynor ».

71

Domenica, 6 ottobre 1996

Tra le cinque e le sei del mattino, mentre quel porco lì fingeva di dormirle accanto, nel loro letto, Eugénie si era messa a pensare.

Dopo averlo insultato, mentre il cuore le batteva come mai in vita sua, come nemmeno il giorno in cui aveva partorito i gemelli, aveva accarezzato l'idea di piantargli una pallottola nelle ginocchia, così da inchiodarlo per sempre su una sedia a rotelle. Ma non sarebbe stato un dolore abbastanza forte. Lui avrebbe continuato a sbafare, a bere e a dormire come prima. E sarebbe passato per la vittima. No, nulla doveva essere più come prima. E poi lei non avrebbe sopportato di andare in prigione. Nessuno l'avrebbe costretta a lasciare la sua casa, e di certo non lui, quel porco che si scopava la nuora, quel porco cui aveva sacrificato l'esistenza. Quel porco che l'aveva umiliata nel peggiore dei modi, portandosi a letto la moglie di suo figlio, di *loro* figlio.

Doveva trovare la maniera di fargli venire gli incubi, su quel letto, e finché fosse vissuto. Ed è stato allora che aveva deciso di eliminarlo dalla faccia della terra. Non fisicamente. No, non in un sol colpo: bisognava che soffrisse. Morire in una volta sarebbe stato troppo facile, doveva torturarlo fino a che non crepava. Bisognava trovare il modo di spegnerlo un pezzo al giorno, in un'eterna agonia. Creargli un inferno su misura. Un suo inferno personale. Murarlo vivo dietro pareti invisibili, le pareti della vergogna e della colpa.

Aveva letto che i nazisti avevano condotto esperimenti sul dolore fisico e psicologico inferto ai prigionieri torturando un genitore o una persona a loro cara. Aveva letto che per fare del male a qualcuno, un male cane, un male insopportabile, non bisognava prendersela direttamente con quel qualcuno, ma con la persona che questi più amava al mondo. È così che nella sua testa aveva preso forma l'idea del male. Dell'origine del male.

Colpire Annette per annientare lui.

La sveglia segnava le sei. Doveva sbrigarsi.

Eugénie è uscita in strada. Era ancora buio, faceva freddo. Addosso aveva la vestaglia in mohair che quel porco le aveva regalato a Natale. La macchina di Armand era parcheggiata sul marciapiede di fronte, come al solito.

Per togliere una ruota ha impiegato pochi minuti. Se ne intendeva abbastanza, di meccanica. Alla fattoria era lei a cambiare l'olio al trattore. I suoi fratelli erano addirittura arrivati a invidiarla. Per lei, nessun veicolo aveva segreti. Suo padre le aveva insegnato a fare tutto. Nemmeno Armand era a conoscenza di queste sue capacità, perché Eugénie non voleva che si sapesse che era stata una specie di maschiaccio. Ha cominciato a grattare i flessibili dei freni col pelapatate che utilizzava già quando i gemelli erano piccoli. Non aveva mai cucinato patatine surgelate. Sempre patate Charlotte che sceglieva con cura e che poi pelava e affettava a listarelle. Raschiando il primo strato di gomma, ha ripensato al corpo di Armand quand'era tornato a letto, a quel suo corpo che odorava della fica di un'altra.

Quel corpo che l'aveva deflorata. Quel corpo cui aveva donato la vita e due figli. Quel corpo che le aveva fatto paura, e poi male, e che aveva finito per adorare. Quel corpo che la schiacciava, che le si strusciava contro e le fremeva addosso da più di trent'anni. Quel suo odore che impregnava le camicie e che lei annusava di nascosto, prima di lavarle. Aveva curato le sue vesciche, fasciato le sue ferite, lucidato le sue unghie, rasato il suo collo, impomatato le sue articolazioni doloranti, somministrato lo sciroppo per la tosse.

Sudava, mentre sabotava i freni, l'odio risaliva in vampate di calore. Le mani non le tremavano. La sua vita era finita. Come la lavatrice. Lo sapeva eccome, che era finita, ben prima che Marcel controllasse « un'ultima cosa ». E, quando la vita è finita, non si trema e non si piange più, si odia e basta.

Ha riavvitato i dadi della seconda ruota, recuperato il cric che poi ha messo al suo posto, nel capanno del giardino, insieme con gli altri attrezzi e gli altri prodotti. Diserbante, colla per il legno, trapano, avvitatrice, martello, levigatrice, chiavi inglesi, cacciavite. Quegli attrezzi che faceva finta di non conoscere, per poi riparare tutto di nascosto, persino i bagni che si otturavano di continuo perché il tubo di scarico era troppo stretto.

Quello lì, quel porco, non si era mai fatto domande, rientrando bel bello dalla fabbrica. Mai un sifone ostruito, un cardine cigolante, un lembo di tappezzeria scollato; mai un mobile da montare, una chiazza di muffa, una mano di vernice da dare; mai una lampadina da cambiare, la caldaia da riparare, un'asse da inchiodare; mai una vite svitata, una crepa sulle pareti, un inizio di ruggine.

È entrata in cucina. In tutto, non ci ha messo più di un quarto d'ora. Ha lavato il pelapatate, scottandosi le dita con l'acqua calda. Poi lo ha messo a posto tra le altre posate.

Infilandosi sotto le coperte, ha provato persino un moto di riconoscenza verso Armand: finalmente, dentro di lei sentiva covare qualcosa di forte. Finalmente, veniva trasportata da un sentimento potente, anche se quel sentimento era l'odio. E tra l'odio e l'amore - così aveva letto - non c'è che un passo.

72

Nel tardo pomeriggio, Lucien è arrivato a nuoto. È emerso dal Mediterraneo, senza fiato.

C'era ancora gente sulla spiaggia e in acqua. Il sole era già basso, ma faceva comunque caldo. La sabbia solcata dalle impronte era tiepida. L'aria era satura di profumi: lo zucchero dei beignet, il sale delle patatine fritte venduti ai chioschi. Il vento trasportava le risate e le urla di gioia fino in cielo, una sinfonia come solo il mare sa ispirare ai bambini nelle sere d'estate.

Hélène era distesa sul suo telo, sotto un ombrellone.

Leggeva un romanzo e indossava un due pezzi arancione. Lui si è sdraiato di fianco a lei, sul telo lì accanto, dove i suoi vestiti asciutti erano raggomitolati da trentacinque anni. Si è asciugato e ha infilato la camicia spiegazzata. Lei gli ha sorriso. Lui, con la punta di un dito, le ha tolto la sabbia dall'ombelico. La sua pelle era calda e leggermente appiccicosa, un misto di olio di monoi e sudore. « Adesso so leggere », gli ha detto con un brivido. « Ascolta. »

« Ti ascolto », ha risposto lui. « E dopo ripartiamo insieme. »

Lei ha fatto di sì con la testa. Poi si è inumidita l'indice, ha sfogliato qualche pagina, ha scelto un brano del romanzo e ha iniziato a leggere.

73

Domenica, 6 ottobre 1996

Verso le sette del mattino, Annette avrebbe dovuto scendere le scale lentamente, per non fare rumore e non svegliare nessuno. Avrebbe dovuto riscaldarsi un po' di latte e berlo nella tazza con su il suo nome, un regalo di compleanno da parte di Eugénie quando ancora «usciva» con Alain. «Uscire» è la parola che si utilizzava nella famiglia di Eugénie per definire un rapporto di coppia prima del matrimonio.

Avrebbe dovuto infilare la giacca a vento e le scarpe da ginnastica, prendere le chiavi della macchina di Armand appese all'entrata, uscire di casa e guidare per nove chilometri in direzione della vecchia cappella del monte Chavanes - un luogo che sembrava un pezzettino di Canada in piena Borgogna - per andare a fare jogging.

Ogni volta, il rituale era sempre lo stesso. Parcheggiava ai piedi dell'altura e poi saliva fino alla piccola cappella - la porta era sempre aperta - per ammirare l'alba attraverso una vetrata del XVI secolo raffigurante la deposizione di Maria Maddalena. Non c'erano più candele né banchi, ormai: solo le pareti, il pavimento impolverato e quella vetrata miracolosamente preservata, che tanto l'affascinava.

Un'ora dopo sarebbe già stata di rientro, avrebbe fatto

una doccia, dato da mangiare a Jules e poi, a colazione, avrebbe frastornato tutti coi suoi discorsi su Maria Maddalena. Questa donna di cui non si sapeva se fosse stata l'amante di Gesù, la madre dei suoi figli oppure, semplicemente, un'amica fedele. Comunque una puttana: esattamente come lei. Ma proprio puttana, puttana, puttana. Eugénie non diceva mai parolacce, però le pensava.

Secondo i calcoli di Eugénie, Annette avrebbe dovuto superare il primo incrocio senza frenare, perché a quell'ora, così presto, non c'era nessuno; poi avrebbe dovuto costeggiare il fiume fino al passaggio a livello, a due chilometri da casa loro, dove una curva impegnativa l'avrebbe costretta a una frenata repentina e *bum*! Ecco il suo bel visetto ridotto in fumo.

Di tanto in tanto, Eugénie lanciava un'occhiata a quell'altro, lì, che faceva sempre finta di dormire dandole le spalle. Sdraiata sul letto, ha ricostruito il percorso di Annette da casa verso la cappella almeno una decina di volte, gli occhi incollati al soffitto striato dalla luce che filtrava dalle imposte.

Poi si è alzata per preparare la colazione. Chi sarebbe venuto ad annunciare loro l'incidente di Annette? Annette sfigurata, Annette gravemente ferita, Annette morta, Annette tornata alla polvere. Chi?

Le avrebbero organizzato un bel funerale, tra sontuose vetrate. Avrebbero deposto rose bianche sulla sua bara.

Armand non si sarebbe più ripreso. Alain si sarebbe rifatto una vita e, nell'attesa, lei si sarebbe presa cura di Jules. Era fuori discussione che se ne occupassero quegli svedesi della malora.

Quando Annette è entrata in cucina, con Jules in braccio, pallida come la morte e con gli occhi arrossati, Eugénie si è limitata ad abbassare lo sguardo senza aprire bocca. Nemmeno ciao. Annette ha preparato il biberon ed è uscita.

Era la prima volta che Annette non andava a fare jogging la domenica mattina con la macchina di Armand. Non prendeva mai l'auto dei gemelli per andare alla cappella. La macchina di Armand andava meglio in salita. Questo, almeno, era quello che aveva creduto lei fino alla sera prima. Ma ha appena capito che ad Annette piaceva guidare l'auto di Armand semplicemente perché era di Armand. Ci andava pure quando pioveva o nevicava, come costretta da una mano invisibile.

Eugénie ha controllato dalla finestra: la macchina non era stata spostata. Si è anche accorta che le due automobili erano parcheggiate l'una dietro l'altra. La Peugeot di Armand e la Renault dei gemelli. Neanche questo era mai successo. I ragazzi parcheggiavano sempre la Clio sul passo carraio che Armand aveva fatto costruire per loro, proprio davanti al giardino. Un passo carraio che rimaneva vuoto quando i gemelli non c'erano. Doveva addirittura rimuovere le erbacce che spuntavano dal cemento, quand'erano via per tanto tempo. Perché la loro auto non faceva più ombra al marciapiede. Qualcosa doveva averli intralciati, il giorno prima.

Poi a Eugénie è tornato in mente il furgone di Marcel... Aveva bevuto un bicchiere, dopo aver tentato di riparare la lavatrice. Eugénie è uscita in strada e ha forato lo pneumatico anteriore sinistro della Peugeot di Armand perché nessuno potesse più utilizzarla. Ci avrebbe pensato lei, l'indomani, a riparare i flessibili dei freni.

È rientrata in casa di corsa, decisa a impedire che Annette e Alain portassero Jules a quel maledetto battesimo. Aveva troppa paura che tra loro potesse scoppiare un litigio.

E poi ai battesimi si beve: era troppo pericoloso.

74

Roman mi ha detto: «Odio la domenica».

«Puoi sempre venirmi a trovare.» L'ho detto alla punta delle mie scarpe, dal momento che stamattina non riesco di nuovo a reggere il suo sguardo. La morte di Hélène mi ha riportato alla casella di partenza dei suoi occhi.

«Rimarrai in zona?»

«E dove vuoi che vada?»

«Be', comunque ho un regalo per te.» L'ha detto alla sua birra. Forse perché anch'io avevo qualcosa d'insostenibile alla vista.

Eravamo nell'atrio freddo e impersonale della stazione TGV, a quaranta minuti di auto da Milly. Qualche tavolino da bistrot era stato disposto in un angolo, vicino a un bancone improvvisato su cui tre viaggiatori sorseggiavano un caffè. Eravamo seduti accanto a una porta automatica che continuava ad aprirsi e richiudersi sull'esterno senza che nessuno ci passasse davanti. Di tanto in tanto, la nostra conversazione era rotta dal rombo furioso di un treno che sfrecciava verso Lione, Marsiglia o Parigi.

Al mattino, Roman mi aveva telefonato alle Ortensie per dirmi che voleva vedermi, purché ci dessimo appuntamento da qualche altra parte. Perché lì, alla casa di riposo, per il momento non riusciva più a metterci piede.

Mi ha allungato una busta. Era piuttosto voluminosa.
«Aprila dopo che me ne sarò andato.»

Lo ha detto ai miei occhi perché, questa volta, i nostri sguardi si sono incrociati.

« Va bene. Anch'io ho qualcosa per te. » Mi sono china-ta verso la borsa, che avevo posato a terra. Jo non fa che ripetere che non bisogna mai appoggiare la borsa a terra, perché porta male: così facendo, dice, si rimane senza soldi. Mentre porgevo il quaderno azzurro a Roman, ho ripensato all'amore di Jo per Patrick. « È la storia dei tuoi nonni. Ho finito di scriverla. »

« Grazie. » Ha accarezzato la copertina del quaderno come fosse la pelle di una donna. E, senza guardarmi, annusando le pagine aperte a caso, ha mormorato: « Il giorno in cui ti ho chiesto di scrivere la storia di Hélène, avevi una ciglia sulla guancia... Ti ho detto di esprimere un desiderio ».

« Sì, mi ricordo. »

« E... l'hai davvero espresso, quel desiderio? »

« Sì. Ce l'hai giusto in mano. » Ho indicato il quaderno. Il mio desiderio era proprio quello di riuscire a scrivere tutta la storia, di non fermarmi per strada.

Poi un lungo silenzio, tipo sciopero generale: niente TGV per diversi minuti. Roman ha mandato giù un sorso di birra. Ha accarezzato di nuovo la copertina azzurra con le sue dita da ragazza. Quindi ha detto: « È un bel titolo, *La donna della spiaggia* ».

« Dove riposano le ceneri di Hélène? » ho chiesto.

« Mia madre le ha disperse nel Mediterraneo. »

« Per Hélène era la sua valigia blu. »

Ha bevuto l'ultimo sorso di birra.

« E Edna? »

« Edna vive a Londra con la figlia più piccola. Il mese prossimo compirà novantaquattro anni. Ha avuto due figli, dopo Rose. »

« Vi vedete ancora? »

« Ogni tanto. »

Poi al nostro tavolo si è imbucata una voce di donna, ad annunciare l'imminente partenza del treno di Roman. Si è alzato, mi ha preso le mani e, dopo averle baciate, si è diretto verso la banchina.

La sua partenza mi ha messo al tappeto.

Ho fatto come nei film, ho ordinato un whisky. Detesto i superalcolici, ma in quel momento avevo troppa voglia di ritrovarmi nel film di un altro. Ho tracannato il whisky tutto di un fiato, bruciandomi la gola. Poi ho cominciato a fluttuare un po'. Ho ripensato a Hélène e Lucien. E li ho visti entrambi, dietro il bancone. Avevano un nuovo bistrot. C'era anche Louve, dormiva sulla segatura.

Ho pensato al Mediterraneo. Ho pensato al gabbiano. Ho pensato al dopo, al nonno e ad Annette.

La busta di Roman era ancora sul tavolo. Era di carta marrone, doveva contenere qualcosa di più che una semplice cartolina. L'ho aperta. C'erano dei documenti, dentro. Quel genere di documenti dall'aria serissima. Il genere di documenti che si tengono infilati tutta la vita in un cassetto per evitare di perderli. Era un atto di proprietà.

L'ho letto e riletto più volte, perché il mio nome e il mio cognome figuravano ovunque, ma non ho capito subito di cosa si trattava. Era interamente redatto in italiano.

Sono stata tentata di ordinare un altro whisky, quando ho visto la seconda busta, più piccola e bianca, infilata in mezzo. Sopra, a penna e con la stessa grafia graziosa con cui l'avevo visto sulla copertina di *Mal di pietre,* c'era scritto *Justine.*

Nella busta ho trovato un biglietto. Ancora la scrittura di Roman.

Justine, la casa in Sardegna è tua. La mia famiglia e io abbiamo deciso di donartela.

Mi sono guardata intorno. Mi sono pizzicata il braccio. Mi sono alzata.

Stavo per lasciare l'atrio della stazione, quando il cameriere che stava dietro il bancone mi ha preso per un braccio. Lo stesso braccio che mi ero appena pizzicata.

« Mademoiselle, dimentica questo. » Così dicendo, ha indicato un enorme pacco appoggiato contro la grata abbassata di un chiosco dei giornali.

« Ma non è mio. »

« Sì, invece. Il signore con cui sedeva poco fa mi ha detto che è per lei. Anche se pesa una tonnellata. »

Sul pacco, in effetti, sempre la stessa scritta, *Justine,* con l'inchiostro blu.

Ho chiesto un paio di forbici al cameriere, solo che non ne aveva. Però ha tirato fuori un coltellino dalla tasca. Ha reciso i nastri con delicatezza, ripetendo per tre volte: « Secondo me, è roba di valore ». A dire il vero sembrava un quadro appena uscito da un museo dopo essere stato imballato con la massima cura. Un quadro così grosso e pesante che non avrei mai potuto portarmelo via da sola. Né sarei mai riuscita a farlo stare nell'auto del nonno.

Mentre il cameriere spacchettava l'oggetto misterioso, io non facevo che guardare dentro la borsa per accertarmi continuamente che le due buste ci fossero ancora. Che non si fossero volatilizzate. E che non mi fossi sognata tutto. Anche se poi, in effetti, era davvero un sogno: io, Justine Neige, un'orfana di ventun anni, quasi ventidue, mi ritrovavo proprietaria di una casa perché avevo ascoltato una donna raccontarmi la sua storia.

I tre viaggiatori fermi al bancone si sono avvicinati.

Quando il cameriere ha finito di rimuovere gli strati di cartone e carta che proteggevano l'oggetto, è venuto fuori che non si trattava di un dipinto ma di un'enorme foto in bianco e nero.

Istintivamente, sono indietreggiata. Qualcuno mi aveva seguito senza che me ne accorgessi.

Nella foto, il gabbiano di Hélène era in primo piano: non poteva che essere quello, ne ero sicura. L'avrei riconosciuto tra mille.

Volava alle mie spalle, in controluce, nel vicolo in cui davo da mangiare a Micione.

La foto era così bella da togliere il fiato.

Ho sentito i viaggiatori mormorare che era magnifica. Il cameriere non riusciva a distogliere lo sguardo. Poi l'ha fatta ruotare. Sul retro, c'era la firma di Roman, oltre a un titolo e una data.

Justine e il gabbiano, 19 gennaio 2014

Tre giorni dopo la morte di Hélène, il gabbiano era venuto a dirmi addio. E Roman aveva immortalato quell'istante.

75

Il nuovo residente assegnato alla stanza 19 si chiama Yvan Géant. Ha ottantadue anni. Si è spezzato il collo del femore. È un uomo dagli occhi buoni e tutto il personale gli vuole bene. Di tanto in tanto, in silenzio, si asciuga una lacrima col dorso della mano. Non sopporta di vivere qui. Spesso mi dice: «Justine, non avrei mai immaginato di finire la mia vita in un posto simile».

Per fargli cambiare idea (e per schiarire anche le mie, d'idee) lo faccio parlare. Non appena inizia a raccontare, cambia faccia. E a me è venuta voglia di continuare a scrivere. Peccato che Monsieur Géant non abbia nipoti con gli occhi azzurri.

Sono andata al negozio di père Prost e ho comprato un quaderno nuovo su cui annotare tutto ciò che mi racconta Monsieur Géant. A volte glielo rileggo, e questo lo fa ridere. È come se stesse ascoltando la storia di qualcun altro, mi dice. E aggiunge che le mie parole sono più belle della sua vita. Se è vero che quando un vecchio muore un'intera biblioteca va in fumo, quello che faccio io serve almeno a conservare un po' di cenere.

A fine turno, Monsieur Géant racconta, e io scrivo:

La prima volta che sono andato per un mese da zia Aline e zio Gabriel avevo sei anni ed era inverno. Mi ero rotto il braccio e i miei genitori, che lavoravano tutto il giorno al-

la conceria, non volevano lasciarmi a casa da solo. Aline e Gabriel avevano una fattoria un po' isolata tra i Vosgi, sopra Le Thillot.

Io dormivo con la zia, mentre lo zio dormiva in un'altra stanza, al piano di sopra. La notte faceva così freddo che mettevamo un passamontagna. Era una bella sensazione, quel freddo che ci avviluppava. Mi sono innamorato della zia e della vita che si faceva là. Fino all'età di quindici anni, ho trascorso da loro le vacanze estive, oltre che tutte le domeniche.

Aline era come una seconda madre. Non ha mai avuto figli, e non so perché. A casa nostra eravamo in quattro, e i miei genitori non avevano tempo per occuparsi di noi. A casa della zia, invece, diventavo di colpo figlio unico.

Lo zio Gabriel aveva avuto un figlio da un precedente matrimonio: si chiamava Adrian, ma aveva vent'anni più di me. Probabilmente aveva la stessa età di mia zia Aline, ma all'epoca era una cosa di cui non mi rendevo conto. Agli occhi di un bambino, tutti gli adulti sono vecchi.

Là passavo le mie giornate in montagna. Non lavoravo mai per loro. L'unica cosa che mi chiedevano di fare era sistemare il fieno nel granaio sul finire dell'estate. Prendevamo due grandi lenzuoli, annodavamo i quattro angoli e ci mettevamo dentro il fieno. Aveva un buon odore.

Aline era un angelo. Di lei mi rimane un profumo, quello dei rami di pino che mettevo a bruciare nel forno. Per tutta la vita ho benedetto il giorno in cui mi sono rotto il braccio.

76

6 ottobre 1996

Sono le dieci di sera. Armand è appena rientrato dall'obitorio insieme coi gendarmi. Ha fatto finta di guardare i corpi, ha dato le spalle al medico legale e ha chiuso gli occhi.

«Sono loro», ha detto. Gli è bastato vedere le scarpe di Alain.

A Eugénie non ha detto niente. E, in quel suo silenzio, lei ha capito che si trattava davvero di loro. Che era finita. Che erano morti. Tutti e quattro.

Eugénie Martin in Neige è raggomitolata sul divano. È incapace di piangere i suoi figli, di urlare, di sbattere la testa contro il muro fino a perdere conoscenza. È incapace di lasciarsi morire. Un solo pensiero la ossessiona, divora il suo dolore, la paralizza, le impedisce di elaborare il lutto: continua a chiedersi se quella che ha manomesso non era la macchina sbagliata.

Rifà tutto il percorso mentalmente, esce nella strada gelida e buia, imbacuccata nella vestaglia di mohair, col cric in mano. Raggiunge l'auto, toglie la ruota, tira fuori il pelapatate dalla tasca e gratta via i flessibili dei freni, nelle narici ha ancora l'odore della nuora sulle dita del marito.

E se il suo odio impaziente l'avesse spinta a commettere il fatale errore di scambiare la Peugeot 206 per la Renault Clio, entrambe nere? Non può essere che una coincidenza, una mostruosa coincidenza: lei ha messo fuori uso la Peugeot e loro sono andati a morire con la Renault.

È stato un incidente, un incidente e basta. Eppure, ogni volta che ripete i gesti compiuti al mattino, si sente sempre meno sicura. A volte smonta la ruota della Peugeot; altre volte, invece, si rivede con in mano quella della Renault. Le basterebbe uscire in strada e accovacciarsi un istante, per saperlo. Le basterebbe.

Non era mai successo che Christian o Alain non parcheggiassero al solito posto. Mai. Il posto delle cose, in casa loro, era sacro. Ognuno aveva il suo posto sull'attaccapanni, il suo posto al tavolo della cucina, il suo posto al tavolo della sala da pranzo, sul divano del salotto, nel suo letto e per la sua auto. Ogni cosa al suo posto.

Perché Marcel aveva parcheggiato il furgone proprio nel posto che era stato dei gemelli sin dal giorno in cui avevano preso la patente? Perché la lavatrice aveva scelto proprio quel momento per rompersi? Perché Annette non era andata come tutte le domeniche alla cappella della Maddalena, sul monte Chavanes?

Proprio così, le basterebbe solo...

6 ottobre 1996

Sono le undici di sera. Sono morti. Tutti e quattro. Aggiornare lo stato di famiglia, fronte contro vetro, occhi nella notte, nel ventre della notte, gambe incollate al calorifero, coglioni bruciati, lacrime acide, odore funebre sulla camicia, testa ghiacciata, la vede uscire in strada, intirizzita, quasi strafatta, avrebbe detto, Eugénie esplosa come l'auto, nello stesso stato, barcollante, confusa, contro un albero, Eugénie, la sua sagoma, dolore che rende folli, distorce la vista, impossibile, impossibile, la sagoma di sua moglie sul marciapiede, impossibile, come una ladra, eredità, bare, lapidi mortuarie, esequie, sua moglie in strada, rimpianti, luce pallida del lampione sui suoi capelli, pompe funebri, municipio, certificato di morte, domani mattina, mutua, banca, chiudere i conti, allucinazione, assicurazione sulla vita, ferma davanti all'auto, sua moglie ferma davanti all'auto, a lungo, un fantasma, sepoltura, cambio d'indirizzo, si accovaccia, cerca qualcosa, inumano, rimuove un coprimozzo con un colpo secco, canzoni, cerimonia religiosa, i dadi, avvita il cric in senso orario, sua moglie come un uomo, ciocca bionda, buoni del Tesoro, l'auto che sembra levitare, la sua auto, la mia auto, una ruota in mano, sua moglie, mia moglie, una ruota, non si muove più, chiudere i contatori, dare comunicazione ai fornitori di energia, acqua, gas, elettricità, lei, in ginocchio, si gira, alza la testa verso la finestra della stanza, condoglianze, mi guarda, inumano, il suo sguardo, inumano, una suppliziata, le vetrate, la pelle di Annette, sono loro, le scarpe, svita in senso antiorario, defunti, rientra in casa, processione dei feretri, sua moglie in strada, necrologi, adesso è rientrata in casa, ruota, rimettere la ruota, prima di rientrare, certificati di morte, dichiarare il reddito percepito dai defunti nell'anno del decesso, bruciare i due alberi da frutto, perché sua moglie, perché Eugénie è in strada, in ginocchio davanti alla sua auto, l'auto, la mia auto, lo pneumatico bucato stamattina, stamattina, Marcel, lavatrice, è andata, fottuta.

77

Io sono di quelle che rimangono. Di quelle che non progettano di partire. Gli altri, le ragazze e i ragazzi della mia età, quelli che torneranno una volta all'anno per far visita ai parenti, m'incontreranno e mi diranno: «Justine, sei sempre uguale».

Sono di quelle che negli anni non cambierà molto, un po' come le statue, figure familiari che campeggiano nella piazza della chiesa o del municipio, e che nessuno ricorda più chi raffigurano.

Di quelle che custodiscono la casa della loro infanzia per farne, un giorno, la loro casa di adulti.

Io non lascerò mai Milly per vivere altrove.

Non mi allontanerò mai dai miei nonni, né dalla tomba dei miei genitori.

Faccio sempre la messa in piega alla nonna, una volta a settimana. E, quando le tocco la testa per separare le ciocche di capelli col pettine, evito di pensare all'origine del male.

Il nonno è seduto accanto a noi. Ci guarda, legge *Paris Match,* fa qualche commento, cosa che prima non faceva mai. Prima che ci trovassimo insieme in macchina la sera della vigilia di Natale. Prima di *Lei mi amava.*

Non ho più riparlato di Annette con lui. E non gliene riparlerò mai più. Non ho più riparlato del 6 ottobre con la nonna. E non gliene riparlerò mai più.

Mi sento un po' come una bimba che scopre che uno dei suoi genitori è un criminale di guerra, e che mantiene il segreto. Per Jules.

Jules, che ha preso il diploma. Che ha lasciato Milly per trasferirsi a Parigi lo scorso 27 agosto. All'inizio, quando passavo davanti alla porta della sua stanza al buio, avevo come la sensazione che fosse morto. Adesso mi sto abituando. Jules non tornerà mai a Milly. Se non per Natale, Pasqua e Ferragosto.

Le vacanze estive, invece, le trascorrerà nella mia casa in Sardegna. Gli ho dato le chiavi.

L'estate scorsa ero con lui, quando le ho infilate per la prima volta nella serratura. È stato lui a tenermi la mano mentre piangevo lacrime di gioia. Le mie prime lacrime di gioia. Non riuscivo nemmeno a vedere il mare dalle finestre.

Jules si è innamorato perdutamente della gente di Muravera, soprattutto delle more. L'isola è così bella che sembra di un altro pianeta. D'altra parte, lì il mare si chiama Tirreno.

La casa è divisa a metà tra due proprietari. Le vicine, Silvana e Arna, sono due sorelle, due vedove che somigliano alla nonna di Milena Agus, l'autrice di *Mal di pietre*. Hanno i capelli lunghi, ricci e bianchi.

Quando Jules è lì, Silvana e Arna si prendono cura di lui. Gli portano bottarga di tonno e focacce. Jules è il figlio che non hanno mai avuto.

Jules è figlio di un bel po' di gente. Crede ancora di vivere grazie all'eredità dello zio Alain, che continua a sorridere accanto alla moglie e al fratello sulla sua tomba. E io intendo lasciarglielo credere. Perché i credenti sono più forti degli altri. È il sacerdote delle Ortensie che lo dice.

Dopo quel giorno alla stazione dei TGV, Roman mi ha

spedito una cartolina alle Ortensie. È stato Starsky a portarmela, e dal modo in cui mi guardava ho capito che l'aveva letta. Il fatto che i suoi occhi si siano posati sulle parole di Roman mi ha fatto un po' l'effetto di uno stupro.

Carissima Justine,
un pensiero affettuoso per te dalla Corsica.
Il quaderno azzurro letto e riletto nel mio maglione.
Se l'avessi letto prima, non ti avrei donato una casa, ma l'impero degli uccelli.
Con tenerezza,

ROMAN

P.S.: Continua a scrivere...

La so a memoria. Settantotto sillabe, centoquattro consonanti, ottantotto vocali. L'ho appesa sotto una delle finestre della casa di Muravera. Perché ci fosse una finestra in più.

Penso spesso a Hélène, a Lucien, al gabbiano. Mi mancano. La loro storia d'amore mi manca. A volte mi dico che Roman mi ha donato la casa di Muravera perché li vedessi nuotare.

Alle Ortensie, abbiamo riportato una vittoria: un bastardino col nome ridicolo di Titi. Pesa cinque chili, lo manda la protezione animali e tutti, qui, ne vanno già matti, io per prima. Titi ha cambiato la vita di Yvan Géant, il signore della stanza 19. Adesso non ha che un pensiero: portare Titi a passeggio nel parco delle Ortensie. In fin dei conti, i cani sono come una bella giornata di sole, ti cambiano l'umore.

Il Corvo ha ripreso a imperversare: tre chiamate dalla stanza 29, la settimana scorsa. Il personale è sotto sorveglianza. Ma ormai la faccenda interessa solo a Starsky e Hutch, non certo ai giornali o alla televisione. Dei vecchi si parla solo nei picchi di caldo, poi si dimenticano.

A breve Starsky e Hutch andranno in pensione, e il centro civico ha i giorni contati. Gli archivi - e quindi anche il dossier sull'incidente dei miei genitori - sono già stati trasferiti a Mâcon.

Qualche anno ancora e, chissà, magari Starsky e Hutch torneranno alle Ortensie come residenti. Forse il Corvo che non arresteranno mai un giorno chiamerà anche le loro famiglie.

Alla fine ho ceduto: mi sono fatta leggere la mano da Jo. Una sera in cui io e Maria eravamo a cena da lei. Patrick non c'era.

Abbiamo bevuto troppo e ho finito per tenderle il palmo. Mi ha detto che avrei avuto una bella vita e due figli. Un maschio e una femmina.

Una possibilità su due di non diventare una dimenticata della domenica.

78

Ieri sera ho scoperto l'identità del Corvo.

Tutti i residenti dormivano. Persino Madame Gentil, cui avevo dovuto tenere la mano perché era ansiosa a causa dei « bombardamenti ».

Prima di addormentarsi, Madame Gentil mi ha raccontato la stessa storia che racconta da mesi a Jo, Maria e me.

Che è nata nel 1941, che la sua famiglia viveva nel seminterrato per ripararsi dalle bombe. Che sentiva le sirene e gli aerei quando solcavano il cielo. E che una mattina si era svegliata in una stanza che non aveva mai visto, una stanza con arazzi fioriti e grandi finestre inondate di sole. Che aveva pensato di essere morta e di trovarsi in paradiso. In realtà, la guerra era finita e i suoi genitori l'avevano portata in casa, al piano di sopra, mentre dormiva.

Ero dunque in ufficio, saranno state le undici di sera. Non c'era nessun rumore, a parte Titi che ronfava nella sua cesta. Qualcuno ha azionato la chiamata di emergenza dalla stanza di Monsieur Paul. Dal momento che l'infermiera era al terzo piano, mi sono precipitata a vedere.

Durante il tragitto tra l'ufficio e la stanza 29, ho ripensato al Corvo. Ho immaginato di tutto sulla sua identità. Come nell'*Amante*, il film di Claude Sautet, ho rivisto i volti del nonno, della nonna, di Jules, di Roman, di Maria, di Jo, di Patrick, di Starsky, di Rose, di Madame Le Camus, del sacerdote e del fisioterapista. E infine anche il mio. Ho immaginato tutti questi volti mentre telefonavano alle famiglie dei dimenticati della domenica dalla stanza di Monsieur Paul.

Ho aperto la porta della stanza 29 e ho colto il mio riflesso allo specchio. Il mio doppio. La mia gemella. Avevo forse una gemella cattiva? Considerato ciò che avevo appena scoperto sulla mia famiglia, nulla poteva più sorprendermi. Magari avevo una doppia personalità, una delle quali aveva un ascendente molto forte sull'altra.

Monsieur Paul dormiva placidamente, era tutto in ordine.

Ho disattivato la chiamata di emergenza.

Accanto al mio riflesso, vicino al letto, c'era il Corvo. Stava parlando col figlio di Madame Gentil, la povera Madame Gentil che avevo dovuto tranquillizzare nemmeno mezz'ora prima per via dei bombardamenti.

« Buonasera, Monsieur, chiamo dalla casa di riposo Le Ortensie di Milly. Sono spiacente di doverle annunciare il decesso di Madame Léonore Gentil. Sì. No. Si è appena spenta. Un arresto cardiaco. Non ha sofferto. No, non adesso, la camera mortuaria è chiusa. Si presenti in accettazione domani mattina alle otto. Sì. Mi dispiace davvero. A nome di tutto il personale delle Ortensie, le porgo le più sentite condoglianze. Buonasera, Monsieur. »

Mi sono seduta sul letto. Le gambe non mi reggevano più. Il Corvo aveva azionato la chiamata di emergenza perché sapeva che c'ero io in ufficio. Perché sapeva che avevo il turno di notte. Che sarei stata nella stanza 29 quando avrebbe chiamato il figlio di Madame Gentil. Voleva che io lo scoprissi.

Il Corvo ha rimosso il modificatore di voce che aveva appoggiato sulla cornetta e ha riattaccato.

Mi si è avvicinato. Gli ho accarezzato il viso come se lo vedessi per la prima volta. D'altronde, era la prima volta che lo vedevo. Che lo vedevo per com'era, non più per come volevo che fosse. Mi ha sorriso. Gli ho posato le dita sulle fossette delle guance.

Quando gli raccontavo dei dimenticati della domenica, non credevo che mi ascoltasse. Pensavo si limitasse a sentire.

E poi era dopo il Paradis. Io ero ubriaca e, al mattino, non ricordavo più granché. Solo frammenti di frasi. Ma lui se ne è ricordato per me.

Non aveva ancora detto una parola. E nemmeno io.

Indossava un maglione a strisce che stava malissimo coi pantaloni di principe di Galles. Al solito, ho pensato. Dovrò insegnargli ad abbinare i vestiti.

Era la prima volta che manifestavo un proposito su qualcuno che esiste davvero.

Ha preso il ciondolo del gabbiano tra le dita e mi ha baciata sui capelli. Come il giorno in cui mi aveva accompagnato all'aeroporto Saint-Exupéry.

«Da quanto tempo è che fai il Corvo?»

Un altro sorriso. «Da quando ti conosco.»

«E da quanto tempo ci conosciamo?»

Non mi ha risposto. Ha accarezzato la guancia di Monsieur Paul e ha sussurrato: «È mio nonno».

Ho chiuso gli occhi e gli ho detto: «Com'è che ti chiami?»

RINGRAZIAMENTI

Grazie ai miei nonni, Lucien Perrin, Marie Géant, Hugues Foppa e Marthe Hel.

Grazie a Eloïse Cardine, aiuto infermiera in geriatria, che mi ha dato TUTTO.

Grazie al mio comitato di lettura personale, essenziale, vitale, prezioso: Arlette, Catherine, mamma, papà, Pauline, Salomé, Sarah, Vincent, Tess, Yannick.

Grazie a Maëlle Guillaud.

Infine ringrazio Claude Lelouch per mille e tredici motivi.

Fotocomposizione Editype S.r.l.
Agrate Brianza (MB)

Finito di stampare
nel mese di ottobre 2020
per conto della Casa Editrice Nord s.u.r.l.
da ELCOGRAF S.p.A.
Stabilimento di Cles (TN)
Printed in Italy